Дмитрий Вересов

АСЛАН И ЛЮДМИЛА

РОМАН

Санкт-Петербург
Издательский Дом «Нева»
2004

ББК 84 (2Рос-Рус)6
В31

Вересов Д.

В31   Аслан и Людмила: Роман. — СПб.: Издательский Дом
«Нева», 2004. — 320 с

ISBN 5-7654-3744-3

1915 год. Между Людмилой, девушкой из русского дворян-
ского рода, и чеченцем Асланом вспыхнула ослепляющая страсть.
Но разве могут быть счастливы вместе люди из таких разных
миров? Им предстоит выяснить это на своем опыте…

Наше время. Любовь и страсть сводят чеченца Аслана и русскую девушку Людмилу. Но их разъединяет разное представле-
ние о ценностях жизни. Сумеют ли Аслан и Людмила преодолеть предрассудки и найти свое счастье?

ББК 84 (2Рос-Рус)6

Пролог

Мы — роковые глубины,
Глухонемые ураганы, —
Упали в хлынувшие сны,
В тысячелетние туманы.

И было бешенство огней
В водоворотах белой пены.
И — возникали беги дней,
Существований перемены.

Мы были — сумеречной мглой,
Мы будем — пламенные духи.
Миров испепеленный слой
Живет в моем проросшем слухе.

Андрей Белый

1926 год. Париж.

— Исповедаться бы у какого-нибудь простого, жалкого монаха где-нибудь в заброшенном людьми и даже Богом монастыре, в старинном российском захолустье! Чтобы пахло от монаха луком и квасом, и рясой, давненько не стиранной... Затрепетать от неземной, таинственной власти его, унизиться перед ним, как перед Богом... почувствовать его как отца... Вот чего бы я желал больше всего в этих Парижах хваленых, будь они н. лад ны...

Так говорил Иван Иванович Яковлев, когда-то аристократ, помещик, заводчик известной на всю Россию породы рысаков, а теперь в Париже — тусклый старичок, похожий на заварной фарфоровый чайник с отбитым носиком и чужой, не в тон, крышечкой.

— Где же вы нос себе расквасили, Иван Иванович? — спрашивала его хозяйка квартиры, бывшая фрейлина Ее Императорского Величества княгиня Вера Федоровна Кушнарева, нынче же — сухонькая бабулька, правда, с балетной осанкой и живой, заинтересованной улыбкой. — Неужто так молитвенные поклоны неаккуратно отбивали? Или подрались с кем? С либералом, должно быть? Не конфузьтесь, Иван Иванович, здесь все свои.

— Так все там же, матушка, — отвечал Яковлев, поправляя свой салатного цвета берет, который скрывал все еще переживаемое им отсутствие серебристой гривы светского льва, — все там же, на лестнице у мадам Дюмаж, в ее чертовом пансионе. Разве можно экономить на лестницах, господа? Черт знает, какая узость и темень! А вы помните, Вера Федоровна, петербургские парадные лестницы? Мрамор, позолота, ковровая дорожка, слепящий свет! А главное — зеркала!.. Ведь я говорил этой скряге, мадам Дюмаж — всего одна лампочка или свечка и несколько зеркал, правильно расположенных, и вся лестница будет освещена. Кажется, так Кулибин осветил императорские покои? А, Вера Федоровна?

— Помилуйте, Иван Иванович! — замахала на него руками княгиня Кушнарева. — Вы уж совсем меня состарили. Туманно намекаете, что я еще при Екатерине служила? Что я — живая история? Видать, здорово вы на лестнице головой треснулись.

— Как вы могли подумать такое, сударыня?! — воскликнул смущенный Яковлев, не замечая веселого притворства в негодовании бывшей фрейлины. — Не к возрасту вашему обращаюсь, а к... а к...

Иван Иванович совсем сбился, «акнул» еще пару раз, но тут заметил, что хозяйка не сердится, а потешается над ним. Действительно, видно, здорово он треснулся головой, раз мог усомниться в добром характере Веры Федоровны. Ее небольшая квартирка в Паси уже несколько лет гостеприимно принимала русских эмигрантов, которые ради скромного чаепития, но с добрыми словами и улыбками вприкуску, раз в неделю шли к несуразному серому зданию, высота которого в несколько раз перекрывала ширину переулка.

Каждый раз, сдержанно ругаясь, эмигранты задевали полами пальто жестяной мусорный бак у самого подъезда, так щедро освещенный газовым фонарем, словно это была главная достопримечательность переулка. Вера Федоровна иногда, не к чаю, разумеется, говорила, что местный мусорщик — настоящий английский шпион и в мусорном контейнере отправляет шифрованные, очень дурно пахнущие донесения.

Княгиня Кушнарева потеряла в гражданскую войну единственного сына, который погиб где-то на Соляных озерах Манычского фронта. Вера Федоровна плохо представляла, где проходил такой фронт, но откуда-то узнала, что белые там воевали против Конной армии Ворошилова и Буденного. Именно этих большевистских вождей Кушнарева ненавидела. На остальных в ее добром сердце ненависти не хватало, она их просто игнорировала.

Она очень быстро обеднела в эмиграции, званые обеды становились все скромнее, пока не заменились чаепитиями. Но отказать себе в приеме милых сердцу гостей Вера Федоровна не соглашалась ни за что на свете. Она говорила, что сейчас, после большевистского потопа, они уже причалили своим ковчегом к горной вершине Арарата. А раз они в горах, то следует соблюдать законы гор, особенно горского гостеприимства. Недаром ее бабушка была грузинской княжной.

В свете апельсинового абажура, покачивающегося на сквозняке от часто открываемых гостеприимных дверей, можно было различить много известных лиц русской эмиграции: депутатов Госдумы, политических деятелей, художников, писателей. Сюда захаживали Струве и Бурцев, здесь имели свои именные места в креслах и на диванах Малявин и Судейкин, наблюдали за уходящими типажами русской истории Алданов и Куприн. В последнее время, правда, приемы Веры Федоровны не были богаты на знаменитые фамилии, и это ее несколько расстраивало.

Пока Иван Иванович щедро отвешивал попахивающие нафталином комплименты Кушнаревой, заглаживая свою неловкость, она украдкой подмигивала гостям и, как заправская актриса, изображала постепенное смягчение женского сердца.

— Какой стиль, Иван Иванович! — говорила она. — Это прямо Надсон какой-то или даже Бальмонт! Mail il me semble, messieurs, que nous ne sommes pas en nombre![1] Где же наш Алексей Николаевич? Будет ли он сегодня? Никто, господа, не слышал?

— Как же, Вера Федоровна, — отозвался Леонтий Нижеглинский, некогда профессор Петербургской консерватории, теперь же заправский тапер в синематографе «Etoile», — писатель Толстой поехал сегодня по буржуям. Я сам слышал, как он кому-то говорил нарочито громко: «Поеду сегодня ко всякой сволочи ужинать!» Представьте, так и сказал: «всякой сволочи».

— Что делать? — Вера Федоровна грустно вздохнула. — Алексей Николаевич любит вкусно поесть. Простим ему этот не самый страшный грех...

— Как хотите, Вера Федоровна, — вставил словечко прощенный Яковлев, — только плут ваш Толстой. Алешка он и больше никто. Я его так и назы-

---

[1] Но, мне кажется, господа, что мы не в полном составе! (*франц.*)

ваю — Алешка, хоть он и писатель из Толстых. Других Толстых люблю, Алексея Константиновича, как святого, почитаю, а этого... Алешка!

Теперь Иван Иванович поддразнивал Кушнареву, как бы мстя ей за минуты неловкости и наказание комплиментами.

— Перестаньте, Иван Иванович, я на вас рассержусь.

— Алешка! Алеха! Лексейка! Леха! — не унимался Яковлев, пока брови Веры Федоровны не опустились до самой нижней позиции, что означало начало серьезной обиды.

Яковлев хорошо знал эту границу и вовремя унялся. Обижать Веру Федоровну в русской эмигрантской среде было не принято.

— Вы прямо ему адвокат какой-то, — сказал Иван Иванович примирительно. — А вот не знаете, какую он штуку авантюрную недавно выкинул. Сам мне и рассказывал, гордился. Рассказать, что ли, Вера Федоровна?

— Расскажите, сделайте милость.

— Так вот. Сейчас многие помещики русские продают свои имения. Потому как многие их по дешевке покупают. Надеются, что Советы вот-вот падут... Во временность большевиков верят...

— А вы что же не верите, Иван Иванович? — испуганно спросила Зиночка Звонарева, еще молодая женщина, но уже вдова.

— Я, сударыня, верю в Господа нашего Иисуса Христа. Верю, что за грехи наши тяжкие суждено нам испить из этой чаши до конца, а до дна еще далеко, очень далеко...

— Какой ужас! — воскликнула Зиночка.

— Так Алешка наш решил одному банку свое имение в России и продать, — продолжил Яковлев, не обращая на Зиночкин ужас никакого внимания. — А у него, шельмы, никакого имения в помине не было. Его, как водится, спрашивают, а он деловито так излагает: десятин столько-то, пахотной земли столько-то, лесных угодий и тому подобное. Все предусмотрел ваш любимец Алешка, Вера Федоровна, кроме главного. Спрашивают его: где же имение ваше находится? А он это придумать забыл, замельтешил, не знает, за какое вранье взяться. Рассказывал мне, что вспомнил, к счастью, комедию «Каширская старина», и быстренько так отвечает: Каширинский уезд, деревня Порточки...

— Продал? — выдохнул восхищенно Леонтий Нижеглинский.

— А как вы думали?! Алешка да не продаст! Да он мать родную продаст!

— Иван Иванович, — послышался строгий голос Кушнаревой.

— Сколько же он выручил от продажи, Иван Иванович? — задрожал голос Нижеглинского.

— Восемнадцать тысяч франков. Пуи теперь вот хлещет на радостях и котлеты от Потэн кушает, — Яковлев чуть не плюнул с досады, но вместо этого воскликнул: — Матушка Вера Федоровна! Не велите казнить! Как же мог запамятовать? Я же колбаски принес копченой к чаю. Вот старый осел! Ведь чуть не забыл про гостинец...

При этих словах Ивана Ивановича все присутствующие несколько оживились, многим даже почудился легкий запах копчености из прихожей, который, теперь им казалось, они давно ощущали, но боялись себя расстроить напраслиной.

Дамы, невзирая на происхождение, делали на кухне небольшие бутербродики на всю честную компанию, вспоминая попутно колбасное прошлое России и натюрморты своей молодости. Мужчины же занялись дежурной руганью большевиков, немцев, французов и своих братьев-эмигрантов, с особенным настроением обсудили они последние слухи о выдвижении на Нобелевскую премию по литературе советской писательницы Екатерины Хуторной за роман-эпопею «Бурный Терек».

— Леонтий Васильевич, скажите на милость, — выглянула из кухни Вера Федоровна, — сегодня кто-нибудь из служителей муз почтит нас своим вниманием?

— Как же! Борский должен пожаловать со своим цыганенком.

— Сам поэт Борский! С настоящим цыганенком?! — раздался на кухне опереточный голосок Зиночки Звонаревой. — Бодлер по Парижу выгуливал омара на ленточке, а Борский, значит, цыганенка. Какая поза!.. Я не слишком толсто нарезаю?.. Он ломается, этот ваш Борский, Вера Федоровна.

— Во-первых, душечка, это не цыганенок, а татарчонок или чечен...

— Еще лучше!

— Во-вторых, дорогуша, это его сын. Ведь так, Леонтий Васильевич?

— Сам Борский утверждает именно так. Они везде ходят парой, как два Аякса. Но мне, господа, доподлинно известно... только прошу держать это в секрете... что госпожа Борская в году так ...

Нижеглинский напрасно вытягивал клинышек бородки, готовясь поведать нечто неординарное, так как в прихожей раздался звонок. Вера Федоровна попросила его открыть дверь. На пороге стоял худой, коротко постриженный человек средних лет в шинели без знаков различия, рядом с ним маячила фигурка ребенка лет десяти в пальтишке, видимо, перекроенном из взрослого, и башлыке.

«Про волка речь, а он навстречь», — подумал Нижеглинский, а вслух сказал очень приветливо:

— Господин Борский! Какая нечаянная радость! Вера Федоровна о вас уже спрашивала. Имел честь читать ваши последние стихи в «Русском сборнике». Еще нахожусь под впечатлением... Нет, не закатилось солнце русской поэзии!..

Борский, похожий на пленного солдата, слушал Нижеглинского не перебивая, очень внимательно, словно тот сообщал какие-то важные факты на иностранном языке, а он с трудом успевал переводить. Но в прихожую уже выходила сама хозяйка.

— Алексей Алексеевич! Как я рада вам и вашему юному спутнику! — говорила она, действительно трепетно относясь к каждому русскому литератору, потому что считала, что настоящая Россия осталась уже только на книжных полках. — Прошу вас, не стойте в прихожей, проходите. А вы, Леонтий Васильевич, скажете все это в гостиной. Я называю эту комнату гостиной, хотя она немногим больше кухни...

В гостиной действительно было тесновато, хотя народу было немного. Скромный салон княгини Кушнаревой в последний год начал сдавать свои позиции в среде русской эмиграции. Все будто бы стеснялись тех слов, неосторожных мыслей, которые были высказаны здесь в первые годы изгнания, и теперь старались избегать не то что друг друга, а скорее той обстановки, в которой встречались. Тесная гостиная и апельсиновый абажур напоминали о собственных розовых иллюзиях, когда все казалось только началом... С каждым годом наивных становилось все меньше, и салон княгини Кушнаревой постепенно хирел.

И вдруг сам поэт Борский! «Таинственный покров молчанья...», «Царица радужных высот», башня Изиды, друг Белого и враг Гумилева, или наоборот...

Вера Федоровна понимала, что хотя «пленный солдатик с мальчиком-поводырем» — это какая-то жалкая тень от прежнего Борского, магистра поэтического цеха, властителя дум, покорителя женских сердец, что и последние стихи его, оскорбительно просторечные, уже мало походят на вычурные, полные намеков и символов дореволюционные творения, но дом ее, благодаря этому визиту, может опять зазвучать в русском Париже. Хотя, по правде говоря, чем бы она кормила теперь того же Алешку Толстого? Но даже дореволюционный Борский все-таки котируется намного выше своего сегодняшнего тезки — прозаика и гурмана.

Борский занял самый темный край дивана, что-то отвечал односложно или невпопад на расспросы гостей Веры Федоровны. На вопрос же о своем маленьком спутнике только улыбнулся, потрепал мальчика по голове и назвал его Митей. Ребенок был, действительно, немного похож на цыганенка или татарчонка, но спокойный, не вертлявый. Сначала мальчик немного испугался огромных напольных часов, которые вдруг захрипели и начали слишком громко для такой маленькой квартиры отбивать время. Но потом успокоился и следил за маятником. Когда же слышал глуховатый голос Борского, отвечавшего на очередной вопрос о русских поэтах и поэзии, поворачивался всем туловищем к нему и слушал его с недетским вниманием.

Перед чаем гости разбрелись по углам и комнатам, тоже напоминавшим какие-то углы. Борский даже немного оживился, рассказал Ивану Ивановичу о последней встрече с Брюсовым, прочитал Зиночке свое старое стихотворение, даже в глазах его мелькнул на мгновение прежний налет таинственности, посвященности в нечто сокрытое, но тут же сам скрылся за усталой улыбкой. И гости были на высоте. Иван Иванович говорил хорошо о православной вере, Зиночка на редкость мило кокетничала, даже Нижеглинский не болтал всякий вздор, а покорно проследовал к фортепиано и сплетничал только языком музыки.

Словом, все под апельсиновым абажуром было, как в те розовые годы эмиграции. Вера Федоровна готова была уже почувствовать себя вполне счастливой в этот вечер, если бы не одно досадное недоразумение. Пустяк, конечно, который в прежней жизни показался бы ей очень милым и забавным, но в этой эмигрантской все было совсем по-другому.

Когда она позвала гостей для чаепития и, взяв в помощницы Зиночку, собиралась подавать на стол скромную закуску из бутербродов с колбасой милого Ивана Ивановича, на подносе обнаружились только беленькие ломтики французской булки. Кружочки колбасы, все до одного, куда-то исчезли. Вера Федоровна очень смутилась, хотела остановить возмущенную Зиночку, но капризный голос той уже звучал в гостиной:

— Господа! Признавайтесь немедленно — кто скушал всю колбаску с бутербродов? Фи, господа, как некрасиво! Слопали колбаски и не признаетесь! Иван Иванович вне подозрений, он мог бы ее скушать еще на улице, пока нес. Леонтий Васильевич, я помню, у вас был подозрительный перерыв в полонезе...

Вера Федоровна почти вбежала в гостиную, чтобы прекратить Зиночкино дознание. Она увидела, что гости были слегка удивлены и смущены, но только один Борский сидел пунцово-красный и не знал, куда деть глаза. Это до того поразило княгиню, что она так и продолжала смотреть на красного Борского. Она поздно спохватилась, и теперь уже все гости смотрели на него. Даже Зиночка замолчала, пораженная догадкой.

В этот момент, когда никто не знал, что нужно делать и говорить, с дивана поднялся мальчик. Он решительно вышел на середину гостиной под самый апельсиновый абажур и громко сказал:

— Колбаски скушал я!

Потом внимательно оглядел присутствующих, убедился, что все смотрят именно на него, и повторил еще громче:

— Колбаски скушал я! Без хлеба...

Княгиня готова была уже сказать: «На здоровье, дитя мое!», рассмеяться, поцеловать чернявую голову мальчика и тем сгладить тягостное впечатление от этого происшествия, как вдруг захрипели простуженные часы, а потом неожиданно ясно и громко пробили. Мальчик вскрикнул, бросился к Борскому, спрятал голову у него на груди и расплакался.

Скоро Борский с мальчиком ушли. Какое-то время все в гостиной сидели молча, а потом Вера Федоровна сказала со вздохом:

— Бедный голодный мальчик...

— А ведь это Борский скушал, — послышался из вольтеровского кресла голос Ивана Ивановича.

— Как Борский? — удивились все присутствующие.

— А так. Я как раз курил в прихожей и хорошо видел, как наш поэт в хорошем расположении духа, видимо, вдохновленный, зашел на кухню и аккуратненько сжевал всю колбасу. А мальчик тут ни при чем. Мальчик себя оговорил...

В гостиной снова замолчали. И снова прервала молчание княгиня Вера Федоровна Кушнарева:

— Бедный благородный мальчик...

2003 год. Москва.

Мама сидела перед зеркалом и красила ресницы. С любовью и восхищением перед собственной красотой. Ей еще не было сорока. И ей это нравилось. Так нравилось, как не должно было бы нравиться нормальному человеку. «Ей уже за сорок!» в ее устах значило, что той несчастной, о которой идет речь, уже ничего не поможет. Отцу было сорок девять, и он над ее пунктиком посмеивался. «Вот будет тебе сорок — и поговорим». Ей же почему-то навязчиво казалось, что после сорока начинается какая-то другая жизнь. Страшная и бессмысленная.

Маме Наташе было тридцать восемь.

Она работала в кино. Как она это называла. И понимай, как хочешь.

Она любила выдерживать после этого паузу, когда собеседник мучительно пытался вглядеться в ее лицо и понять, не видел ли он ее на экране, такую породистую и неприлично холеную. А когда пауза достигала апогея и дальнейшее ее затягивание уже грозило повредить имиджу, Наташа артистично смеялась, слегка касалась руки собеседника и раскрывала свои карты. Сцена была эффектная. И Наташа не отказывала себе в том, чтобы повторять ее снова и снова, знакомясь с новыми людьми.

А была она художником по костюмам. Прекрасная женская работа. Особенно если оператор-постановщик — твой собственный муж. В титрах Наташа всегда была под своей девичьей фамилией. Клановость ей не нравилась. И потом, ей казалось, что так даже романтичней. Когда у мужа и жены фамилии разные — у них как будто бы просто роман. Это во-первых. А во-вторых, — девичья фамилия молодит. И с девичьей фамилией как-то легче заводить роман не только с мужем. Так Наташа и жила в плену своих милых иллюзий. Ей почему-то все время было интересно, как ее жизнь выглядит со стороны. Как будто сама она не очень верила в то, что все происходит именно с ней, а не с кем-то другим.

— Ну как? — она, неестественно распахнув глаза и чуть надув губы, чтобы получше показать результат часовых стараний, повернулась к дочери.

— Баба дорогая, — поощрительно кивнула Мила.

Наташа фыркнула. Это была высшая похвала из уст дочери. У них так было принято. Давным-давно они вместе смотрели по телевизору какие-то криминальные новости. Запомнили они эту фразу из уст нетрезвой бабы с набитой или напитой до синевы мордой. На вопрос: «Сколько берете с клиентов?» она кокетливо улыбнулась беззубым ртом, раздвигая опухшие ткани лица, и произнесла: «Я — баба дорогая». С тех пор Мила другими комплиментами мать не баловала.

А Наташа не обижалась. С дочерью они, в общем-то, дружили. Во всяком случае, шмотки поносить друг у друга брали легко и с удовольствием. Вот только в последнее время мамины кофточки стали Миле узковаты, пуговицы от них отлетали с треском. Мама-то постоянно сидела на диете, а Милка в свои семнадцать вдруг из компактного бутона стала превращаться в пышную розу. Там, где Богом было задумано, вдруг поперло с такой неистовой силой, что Мила только в зеркало успевала глядеть и причитать: «Бли-и-ин, ну и что мне со всем этим делать?»

«Жить! — оптимистично говорила мама. — Другие за это по пять тысяч долларов платят. А тебе бесплатно досталось... Радуйся, дуреха».

Но Мила на все свое богатство кривилась. Ей хотелось быть такой, как все. Как все, кому идут маечки и шортики. Как все, которые смотрят одинаковыми глазами с глянцевых журналов. Понимаете вы?! Мы этого не заказывали, унесите... Так завывал ее полный отчаяния внутренний голосок.

— Ну а сама-то ты чего не одеваешься? Опоздаем сейчас. Давай бегом. — Наташа всегда мгновенно переходила из состояния подруги в состояние матери. И об это, собственно, вся их с Милой дружба всегда и спотыкалась.

— А я одета, — скучно сказала Мила, сложив руки на груди и прислонившись головой к косяку. На ней были обычные слегка потертые джинсы и старый, серый, местами со спущенными петлями, отцовский свитер.

— Так и пойдешь? — спросила Наташа с иронией, пока не переходящей ни во что более серьезное.

— А что?

— Да нет, ничего. Просто фейс-контроль не пройдешь. А я тебя проводить за ручку в таком виде отказываюсь.

— Тебе что, мое лицо не нравится? Или я по смете не подхожу?

— Подумают, что ты бомжиха какая-нибудь. Сделай одолжение — надень юбочку. Ты же девочка! Что все в штанах, да в штанах?

— Так это уже не фейс-контроль называется. А иначе.

— Ну, у тебя же ножки красивые. Надень черненькое платье. Ну ты же ни разу не надевала. Что я зря тебе его, что ли придумывала, мучилась?

— Ой, мама. — Милка раздраженно сморщилась. — Я в нем, как идиотка.

Было это чисто подростковым максимализмом. В черном платье... В черном платье — она была видна, как кольцо с бриллиантом на бархате подарочной коробочки. И никуда не спрячешься. То ли дело в папином свитере... А спрятаться так хотелось.

Наташка иногда придумывала такие туалеты, от которых все ее подружки сходили с ума. Но никогда не признавалась в том, что шьет сама. Хотя художнику-то по костюмам вроде бы сам Бог велел. Ко всем своим собственным изобретениям она пришивала бирочки от старых фирменных вещей. На всякий пожарный. А в кругу посвященных называла свои новые творения собирательным словом Ямомото. Наташа была натурой артистичной. Врала красиво. А особое удовольствие получала, небрежно опуская актрисок, которые верили в дизайнерское происхождение Наташиных туалетов. Ей нравилось видеть, как округляются их глаза, когда они с точностью до доллара «определяют» мифическую стоимость ее «Ямомото». «То-то, девочка, — думала она с торжеством, — тебе до такого строчить и строчить твои судьбоносные минеты...» О девочках-актрисах Наташа думала привычно плохо.

А чтобы заслужить доверие, несколько раз на распродаже в Париже она и вправду покупала разорительные вещи. Если хочешь врать убедительно, то время от времени нужно говорить правду. Костюм от Шанель у нее на самом деле был настоящим.

Зато в Париже, прохаживаясь в этом самом дающем кредит доверия костюме по бутикам мэтров моды, она щупала, фотографировала глазами, измеряла пальцами и вычисляла секреты подлинности всех остальных вещичек. Для чего? Да чтобы там же, в Париже, закупить материал, вернуться домой и через пару дней сшить себе в точности такое же. Игра в статусные вещи захватила Наташу с головой. Азартная у нее была натура. А для пары тысяч долларов у Наташи находилось более полезное применение. Вместо новых шмоток на выданные мужем деньги она купила себе не новую, но хорошенькую «тойоту». Чем несказанно удивила супруга. Но, рассказав, как ей это удалось — можно сказать, что и порадовала.

Милу же мамины заморочки не трогали. Ей бы и в рваном свитере пойти на светский раут было не западло.

Болела она совсем другой болезнью.

Ей плевать было на здоровое мамино питание и йогурты, которые батареей стояли в холодильнике. Да хоть бы их и не было вовсе. Не умерла бы. Красивые кофточки и сапожки ее не радовали — она не

вещичница. Ну есть, ну нет. Во всяком случае, за-
висеть на этом, да еще и мечтать день и ночь о ка-
ких-нибудь кожаных штанах, как подруга Настя —
не ее уровень.

К восемнадцати годам у Людмилы в жизни было
только две генеральные линии — живопись, которой она отдавала все свое свободное время, и изжи-
вание комплекса неполноценности ввиду затянув-
шейся невинности. Это обстоятельство она переносила, как тяжкую и стыдную болезнь. И вслух о
ней не скажешь, и вылечить нельзя. Ни один «врач»
за нее пока не брался. Так что медицина в данном
случае была бессильна.

Все свои переживания Мила аккуратно записы-
вала в дневник. Иногда приходя в ужас от того, что
будет, если кто-нибудь его найдет. С подругами, которые у нее водились в достаточном количестве, она
эту тему не обсуждала, потому что для них у нее
была мастерски сфабрикованная легенда. Отчасти
выдуманная, отчасти реальная. Именно такая, какой пользуются бывалые разведчики, чтобы их
нельзя было словить на вранье. Если бы кто захотел докопаться, то не докопался бы. Да никто и не
хотел.

Была Мила в Питере на летних каникулах? Была.
А что там в Питере с ней было, никто, кроме самой
Милы и некоего загадочного мужчины, знать не знает. Да если и найдешь его, и спросишь — разве ответит? Как джентльмен, будет все отрицать. Оно и
понятно. Честь девушки бережет. А то, что он эту
девушку в глаза не видел, никого не касается.

Зато иногда Мила сама так верила в эту историю, что переставала понимать, придумывает она
или на самом деле вспоминает милые сердцу под-
робности. Система Станиславского работала прекрасно. Жить с этим вживленным воспоминанием было
проще. А глядеть в глаза мужчинам — спокойнее.

Собственно, о них, о мужчинах, и думала она сейчас, когда, все-таки уступив матери, надевала это убойное черное платье.

Все-таки у отца премьера фильма, который снимали почти год. После просмотра фуршет, тусовка. Только ради папаши и надела. Ее толстую медовую косу мама закрепила в тяжеленный узел на шее. Она осмотрела дочь со всех сторон критическим взглядом профессионала и осталась довольна.

— Застрелически!

— Ладно, поехали, мам. Ненавижу опаздывать.

— Уже бежим... — сказала Наташа, прыгая на одной ноге и натягивая туфлю на шпильках на вторую.

Мила хотела скрыть за маской недовольства то, что сама, как будущий художник, прекрасно видела. Красиво она выглядела. Очень. И вспомнился Лермонтов, иллюстрации к которому она безуспешно пыталась нарисовать:

> Как звезды омраченной дали,
> Глаза монахини сияли;
> Ее лилейная рука,
> Бела, как утром облака,
> На черном платье отделялась.

И вправду, монахиня. Беда ее как раз и заключалась в том, что на сегодняшний день ее внешность абсолютно не соответствовала ее внутреннему содержанию. Пока что их разделяла пропасть...

Глава 1

...И видел я, как тихо ты по саду бродила,
В весеннем легком платье... Простудишься, дружок!
От тучи сад печален, а ты, моя Людмила?
От нежных дум о счастье? От чьих-то милых строк?

Ночной весенний ливень, с каким он шумом хлынул!
Как сладко в черном мраке его земля пила!
Зажгли мне восемь свечек, и я пасьянс раскинул,
И свечки длились блеском в зеркальности стола.

Иван Бунин

1906 год. Подмосковное имение Бобылево.

С верхней террасы взору открывались необозримые просторы. Из-за этих самых просторов, видов на холмы, луга, леса и была когда-то куплена усадьба Бобылево профессором Петербургского университета Афанасием Ивановичем Ратаевым. Крепкий двухэтажный дом профессор построил на самой высокой горушке, которую местные жители вообще-то не жаловали из-за ключа, который бил как раз из вершины. Крестьяне соседней деревни Праслово считали такой источник ведьминым и не только не пили эту воду, но и обходили горку стороной.

Афанасий Иванович первым делом исследовал ведьмину воду методом химического анализа и нашел ее совершенно чистой. Из лабораторной посуды он тут же сделал первый глоток, и с тех пор предпочитал ведьмину воду всяким минеральным, включая кавказские, крымские и швейцарские.

— «Ведьмин» — расшифровывается как «ведь минеральная», — этой фразой профессор Ратаев положил конец всяким остаткам суеверия в усадьбе.

Ключ превратился в колодец. Крестьяне пару лет ждали, что профессора хватит лихоманка или еще какая напасть. Но Афанасий Иванович, живой и здоровый, то и дело мчался мимо них и в бричке, и верхом. Борода его развевалась по ветру бодрее, чем хвост у его лошади. Иногда, правда, он сигал прямо с коня в траву, и деревенские понимающе перемигивались: мол, глядите, братцы, начинается у барина падучая-трясучая. Но профессор, как ни в чем не бывало, тут же выныривал из травы, держа за лапку или крылышко какую-нибудь насекомую гадину или просто комок земли. Все-таки ведьмина вода ему на голову действует, решили крестьяне, хотя и не так сильно.

Природу профессор Ратаев предпочитал любить издалека, в виде необозримых просторов, вблизи же и при непосредственном контакте использовал ее как научный материал.

— Смотрю ли я вдаль на бескрайние русские равнины, разлагаю ли вещество на элементы, — говорил профессор домашним, — я прихожу к одному и тому же выводу: материя бесконечна.

Если второй этаж своего дома Афанасий Иванович построил из дерева, то первый из прочного камня, способного выдержать ударную волну. Здесь размещалась его лаборатория. Здесь природа попадала под нож и химические реактивы. А в одно засушливое лето, когда профессор Ратаев получил срочный заказ от военного ведомства, в лаборатории громыхало слишком часто. Крестьяне при этом смотрели на небо и крестились.

Но наука, даже в руках такого корифея, как профессор Ратаев, не могла разложить на составляющие, остановить, хотя бы повредить, всю прущую из-под земли флору, которая плотным кольцом обступала дом, опутывала террасу, лезла в окна, всю скачущую по тропинкам, ныряющую в пруд, стрекочущую и квакающую по ночам фауну Средней полосы.

Самая покатая сторона ведьминой горушки теперь представляла собой песчаный двор с куртинами сирени, боярышника и бузины. Эту самую бузину приказчик имения Иннокентий Тихонович несколько лет назад вырубил подчистую, как раз после того случая, когда младшую дочь Ратаевых Настену старшая детвора, игравшая в лошадки, обкормила бузиной. Настену тогда спас добрый семейный доктор Кульман, а бузина разрослась с тех пор пуще прежнего.

С двух сторон дом обступал сад, типичный сад старопомещичьих русских усадеб, но без затей — без фонтанов, беседок и мостиков. Он был тенист и не мрачен. Тропинки петляли между огромными деревьями, терялись и опять появлялись, словно проходили где-то под землей. В том же месте, перед самой еловой аллеей, за которой лежал уже старинный заглохший пруд, были такие среднерусские джунгли, деревья так беззастенчиво стискивали друг друга в объятьях и переплетались ветками, что было бы здесь слишком мрачновато, если бы не огромный серебристый тополь, который весело сверкал, будто рыбьей чешуей, даже в пасмурную погоду.

Сад приближался к дому ягодными кустами смородины и крыжовника, вишневыми деревьями обходил дом стороной, крайними ветками тянулся к фасаду и выталкивал на двор из толпы деревьев огромную яблоню, которая в цвету казалась невестой, смущенно застывшей перед родней мужа.

— Заневестилась, девица, — обращался к ней Афанасий Иванович, собираясь сказать еще что-то, но тут вспоминал про своих трех дочерей. В уме он производил какой-то нехитрый, а потому особенно сложный для профессорского мозга подсчет, и облегченно вздыхал. Старшую, семнадцатилетнюю Людмилу, уже можно было считать невестой, а можно было и не считать. В семье по-прежнему звали ее Люлей и считали старшей дочерью только в воспитательных целях. Ируся и Настена хоть уже не бегали под стол пешком, но, сидя на взрослых стульях, продолжали болтать ногами в воздухе.

Это лето обещало быть еще детским, игривым. Хотя события прошлого года в Москве красноречиво намекнули, что надо ценить каждую счастливую пору, что они, эти счастливые мгновения, может быть, уже сосчитаны. Но бобылевским обитателям верилось, что можно еще щедро разбрасываться солнечными, звенящими днями и тихими, прозрачными вечерами.

В один из таких деньков, когда хотелось забраться повыше, распахнуть окна второго этажа и, подобно Афанасию Ивановичу, смотреть в синие дали, гардины в окнах зала неожиданно задернулись. Легкий ветер, бегущий с полей впереди возвращавшегося стада, тронул занавесь, приподнял край. Там, за гардинами, дрожал свет, кто-то зажег свечи. Ветер обидчиво сунулся в плотную материю, надул гардину парусом и проскочил боком внутрь помещения, по пути задув пару свечей. На большее его не хватило, потому что, пораженный открывшимся ему зрелищем, он с размаху ткнулся в угол и сполз по стене вниз.

Перед зеркалами, освещенная со всех сторон язычками пламени, стояла совершенно обнаженная девушка. Ее тела еще не касались ни солнечные лучи, ни спортивные упражнения, ни мужские руки. Оно было таким, каким создала его природа, без малейшего вмешательства извне. «Спящая Венера» Джорджоне словно проснулась и встала на ноги. Нет, она не была такой уж красавицей, просто в ее мягких повадках, в линии ног, талии и плеч было нечто, подсмотренное знаменитым итальянцем и скопированное его кистью.

Девушка медленно поворачивалась, рассматривая себя, словно примеряла новое бальное платье. На щеках ее выступил легкий румянец. Она нравилась себе. Ей очень шел этот наряд, не в пример королю из сказки Андерсена.

— А королева-то голая, — сказала она и сделала реверанс своему отражению.

Задрожали свечи, еще один ветерок из окрестных полей проник в покои королевы.

— Люля, ты где?! — послышался голос маменьки. — Кто-нибудь, найдите Люлю! Сбегайте, что ли, на пруд. Девочки, какие вы, право, увальни! Скажите ей, что Алеша Борский приехал... Можно подумать, к вам приехал, малявки... Люля, ты где?!..

Королеву расколдовали. Девушка, на ходу задувая свечи, подбежала к дивану, на котором лежала ее одежда, и стала быстро облачаться. Тем летом она одевалась на английский манер: темная суконная юбка, розовая блуза с узким галстуком и широкий кожаный пояс. Дольше всего Люда возилась с непослушной копной золотистых волос. В дверь уже стучали сестры, хихикали и возились.

— Люля, ты там что делаешь? Пудришь нос? Алеша Борский приехал на Мальчике. Ха-ха-ха! Не на мальчике, а на коне Мальчике. Настене очень понравился Алеша, а мне Мальчик. Ха-ха-ха! Люля, открывай, а то мы скажем ему, что ты для него прихорашиваешься! Немедленно открывай!..

Алексей был сыном другого университетского профессора, Алексея Николаевича Борского, организатора и руководителя знаменитых высших женских курсов в Петербурге, старинного приятеля Афанасия Ивановича. Люда Ратаева виделась с ним нечасто, но их все равно домашние дразнили женихом и невестой. Началось это много лет назад, когда няньки профессорских детей выводили своих замотанных до самых глаз питомцев на заснеженный университетский двор у Двенадцати коллегий.

Однажды они так разболтались, что потеряли детей из виду. Обнаружили их за ректорским домиком. Два шаровидных карапуза лениво дрались. Лека Борский бил девочку в меховой живот, а Люля Ратаева наносила ему удары сверху, по голове. Они не могли причинить друг другу никакого вреда и малейшей боли, только пыхтели от усердия.

Няньки тут же решили, что детская драка — хорошая примета, что быть им когда-нибудь женихом и невестой.

Борский беседовал с маменькой у отцветающего куста сирени. Маменька задавала ему по порядку вопросы о здоровье его родителей, а Алексей отвечал с холодной вежливостью. Ируся и Настена вертелись тут же, пытаясь ненароком задеть гостя. Люда сама с огромным удовольствием выкинула бы перед ним какую-нибудь штуку, только бы вывести его из этой надменной позы. Интересно, как бы он себя повел, появись она совершенно безо всего, с распущенными до колен волосами? Что было бы с его холодной вежливостью?

Она даже покраснела, представив себе эту картину. Маменька неправильно поняла ее румянец и поспешила оставить молодых людей наедине. Для этого ей пришлось вступить в борьбу с младшими дочерьми, которые решили, что настала их очередь занимать гостя прятками и салочками.

Они не виделись, должно быть, года три. То Борские уезжали на лето в Италию, то Ратаевы были в

Париже. Алексей за это время вытянулся, повзрослел, лицо его казалось бы выразительным и умным, если бы не отстраненность во взгляде и какая-то глупая маска, сковавшая лицо. Хороши были длинные волнистые волосы, которые он, видно, тщательно прибирал, но летний ветер и прогулка в седле разметали прическу, и это ему было к лицу.

— А я видел сегодня в небе белого орла, — сказал Алексей, когда они пошли рядышком по еловой аллее. — Вы слышали легенду про Шамиля, последнего кавказского имама? Он умирал, будучи младенцем. Тогда он еще не был Шамилем, у него было другое имя. Но появился в небе белый орел, покружился, камнем упал на землю, а взмыл уже со змеей в когтях. Это было предзнаменование. Младенцу дали имя Шамиль, он выздоровел, а потом стал героем. Я тоже видел сегодня в небе белого орла...

— Так уж и орла? — недоверчиво перебила Люда.

— Ну, может, не орла, — смутился Борский, — а другую хищную птицу, поменьше. Но ведь все дело в предзнаменовании. Вы верите в знаки?

— А, может, это была чайка?

— Я вообще-то не очень хорошо вижу...

— Так носите очки, — чересчур раздраженно заметила Люда.

— Я думаю, в этом мире мало такого, на что стоит смотреть физическим зрением, — отозвался Алексей, не понимая, что говорит вещи оскорбительные для молоденькой девушки. — Зачем нам нужно видеть четкие контуры теней? Тени есть тени. Следует развивать в себе иное зрение, которое позволит заглянуть за таинственный полог предметного мира. Вот куда надо смотреть, вот где требуется настоящее зрение.

— Там вы видите хорошо?

— Да, — Алексей театрально склонил голову, и длинные локоны упали ему на лоб. — Мне кажется, я вижу то, что для других сокрыто.

— Не могли бы вы поделиться своими потусторонними наблюдениями?

— Рассказать вам?

— Ну, расскажите.

— Ну, во-первых, вы можете не все правильно понять, — в голосе его Люде послышалась легкая насмешка, — а, во-вторых, мысль изреченная есть ложь...

— Так соврите. Но только что-нибудь попрактичнее, без всяких там небес и белых орлов.

— Куда уж практичнее, Людмила Афанасьевна. Все будет практично и наглядно, так сказать, в наилучшем разрешении личной драмы, или, я бы сказал, личной мечты. Если я пойму этот самый свой личный конец как символ вселенского, то примирюсь с вечной кажущейся неудовлетворенностью апокалиптических ожиданий... Вы понимаете меня?

— Допустим, — зевнула девушка, а Борского понесло дальше.

— Читали у Соловьева про три жизни? Так вот, хоть бы пришлось преодолеть все ужасы этих трех жизней, я непременно дождусь, даже в смертном сне своем, мечты воскресения. Она явится всенепременнейше. Вот тогда пригрезится то, что у кого запечатлелось. Тот не нарушит заповеди: «Но имею против тебя то, что ты оставил первую любовь твою», кто... Что это? Посмотрите сюда?

Люда посмотрела с усталым вздохом, куда указывал Борский. Они давно прошли еловую аллею, заросли шиповника, и шли краем луга. До Петрова дня луга стояли некошенными, густая трава, казалось, истекала земными соками в ожидании косы. В нескольких шагах от дороги, в примятой траве, отпечатался силуэт недавно лежавшего здесь человека. Трава была так густа, отпечаток был до того четким, что можно было догадаться, что лежала здесь девушка.

— Вы видите?! — вскричал потрясенный Борский. — Мне рассказывали крестьяне... В этих местах есть такая фантазия... Таинственная девушка мчится полем, едва касаясь травы. Понимаете? Она мчится по ржи! Как я мог забыть это крестьянское поверье? Может, здесь она упала в изнеможении или в неземном восторге. А, может, здесь она исчезла во времени... Практично и наглядно... Понимаете?.. Она... Она...

С Борским явно было неладно. Он побледнел, губы его дрожали, пепельные волосы прилипли ко лбу. Люда с тревогой оглянулась по сторонам. Зашли они, пожалуй, далековато, до усадьбы не докричишься. А с юношей, кажется, сейчас случится припадок. Вроде, не слышала, чтобы Борский страдал падучей. Какую-то помощь таким оказывают? Юлий Цезарь, Достоевский... Что-то такое она читала, что-то такое им вставляют в рот, чтобы не откусили язык. Что же им приподнимают — голову или ноги? Если бы знать...

— Успокойтесь, Алексей Алексеевич, — Люда осторожно дотронулась до его плеча, чтобы, если потребуется, быстро отдернуть руку. — Никто никуда по ржи не мчится. Это деревенские девки и парни играли здесь в «кострому».

— Что? В какую «кострому»? — Борский смотрел на нее, видимо, не узнавая, или притворяясь. Но волшебное слово «кострома», кажется, вернуло его к земной жизни.

— Обыкновенная народная забава, — заговорила Люда голосом учительницы, диктующей гимназистам. — Один ложится в траву и притворяется мертвым. Остальные подходят, дразнят, потешаются. «Кострома» вскакивает и бежит за ними. Очень веселая игра.

— Игра, — задумчиво повторил Алексей. — Да-да, конечно, игра и больше ничего.

— Или просто здесь лежала девушка в траве, раскинув руки и ноги, — сказала Люда и осеклась, вдруг поняв, что здесь могло действительно происходить.

Люда Ратаева к тому времени прочитала великое множество французским романов, некоторые из которых были достаточно фривольны. Но, не зная в точности всей физиологии разворачивавшегося на страницах действа, девушка представляла себе невероятную чепуху. Продвинутые подруги из гимназии однажды даже дали ей посмотреть порнографические открытки, которые каким-то образом умыкнули у братьев. «Все равно Ратаева ничего не поймет», — сказали они, хихикая. И Люда действительно ничегошеньки не поняла и не увидела. Какие-то анатомические уродства, недоразумения, вроде заспиртованных в Кунсткамере. Все это было так неинтересно...

И вот теперь она сказала нечто такое, что сама поняла каким-то иным чувством, и смутилась от всего прочитанного и подсмотренного, словно какие-то цветные осколки внутри трубы калейдоскопа вдруг составились, и она поняла все разом. Люда почувствовала, что она делает только вдохи, а выдохнуть не может. Еще мгновение, и она... она... Что она сделала бы в это мгновение, она так и не узнала, потому что услышала голос Борского.

— Какая тоска, Людмила Афанасьевна! Разве вы не замечаете? Везде одна несказанная тоска, по всей России.

— Что? — спросила девушка. — И в Крыму, допустим, тоска? И на Кавказе?

— Везде тоска. Одна тоска, и ничего более. Здесь в Бобылево — тоска-грусть, а там, на Кавказе, тоска-страсть. Все едино...

Борский приосанился и пошел задумчивой походкой по направлению к Бобылево.

«Мне, пожалуй, больше нравится тоска-страсть», — подумала Люда Ратаева, вспомнив рисунок из календаря, где на фоне снежных вершин был изображен горец в мохнатой шапке, скачущий на коне. Тут же ей представился Борский на старом Мальчике и его вселенская тоска, и Люда Ратаева сказала почти вслух:

— Боже, какой дурак...

2003 год. Москва.

На улице была весна. Та самая, которой отпущено всего два-три дня за целый год. Почки на деревьях вот-вот должны были лопнуть. На улице, наконец, стало сухо. И глаз еще не привык к этой коричневой голой земле, «нулевой», не прикрытой ни снегом, ни мерзкой слякотью, ни травой... И жизнь ведь тоже с этого дня вполне может начаться с нуля. Что посеешь весной, то и пожнешь. Может быть, поэтому сердце в такой эйфории?

Солнце спряталось за дома, но светило через какие-то проемы и арки косыми закатными лучами. И очень хотелось почесать душу, в которой щекотно перекатывались непонятные слова: «Вот оно! Вот оно!» Что оно? Неизвестно. Но то, что это было именно оно, сомнений не возникало.

Наташина синенькая «тойота» катила по пустому проспекту, как самолет перед взлетом. И когда мать с дочерью заходили в Дом кино, Мила еще раз пожалела о том, что не может сейчас пойти, куда глаза глядят. Бродить по городу, дышать весной и придумывать свою душещипательную историю любви дальше. С каким бы удовольствием она отдала этот пригласительный своей подруге Насте. На, Настасья, лети к звездам. Уж та бы его использовала на все сто.

Да, Миле, конечно, было интересно послушать и посмотреть на известных родительских приятелей. Но когда она была маленькой, делать ей это было гораздо комфортнее. Они приходили в гости, и она, если не шла в детскую, а сидела за общим столом, могла спокойно наблюдать за ними. Как человек-невидимка. Пока она была ребенком, ее в расчет не брали.

Но в один прекрасный день эта благодать закончилась. К ней неожиданно обратились, как к взрослой. Стена, отделяющая ее от всех, рассыпалась. Она так растерялась оттого, что ее, оказывается, видно, — а в этот момент, естественно, все смотрели на нее, — что покраснела и ответила что-то глупое. Стушевалась и еще полчаса не могла успокоиться. Теперь сидеть и глазеть на всех стало опасно.

А потом ей было уже не до гостей. Старшие классы. Художественная школа. Английский с репетитором. Лет с пятнадцати родители перестали таскать ее по гостям насильно. Такую дылду уже не возьмешь за ручку и не скажешь «Пошли!» А она любила оставаться дома, когда никого не было. Включала музыку на полную катушку. Слушала Земфиру, которую мама не переносила, и рисовала, рисовала, рисовала.

Так получилось, что в этом году она вообще никуда не ходила. Готовилась к экзаменам в школе и еще пуще к вступительным. Ей ужасно хотелось рисовать и не хотелось больше ничего. Да и к киношному миру она привыкла. Поэтому остановила свой выбор на специальности художника-постановщика. Как-то ее не трогало, что женщин среди них практически нет. Она, во всяком случае, знала только одну, фильмы-сказки которой смотрела в детстве. И то ее уже лет десять, как не было на свете.

С отцом было договорено так — если она поступит в ГИТИС сама, тогда он поспособствует, чтобы ее отправили на стажировку в Италию. Чтобы взяли в институт по блату, ей просто не хотелось. Хотя, конечно, могли. Папины сокурсники уже давно были среди профессуры. Но ей хотелось испытать себя. Годится ли она на что-нибудь сама по себе, а не как дочка своего папы? И он обещал пальцем о палец не ударить. Правда, зная отца, она сомневалась, что он будет вот так просто стоять в сторонке и наблюдать за ее провалом. Но ведь провала может и не быть? Как тут узнаешь, пока не попробуешь?

Они пробирались через гламурную толпу. Громадный холл Дома кино был запружен народом. «Все в черном, просто похороны фильма, а не день рождения, — подумала Мила. — Гламур, гламур, гламур... — крутилось в голове, как у мурлыкающей кошки. Половина человечества гламурна, половина брутальна... Ах, ах, ах, и башмаки на каблуках!»

Наташа, как рыба в воде, виртуозно разруливалась со знакомыми. На ходу кому-то махала рукой. Со смутно знакомыми Миле дамочками целовалась. «А это моя дочь Мила». «Как выросла, скажите пожалуйста». «На отца, на отца похожа». Мила уже раз десять в меру любезно повторила одно единственное «Здравствуйте!». И улыбочку. Я в восхищении...

Хотелось оторваться от мамы. Все-таки не маленькая. Но Наташа просто намертво схватила ее за руку. Сегодня Мила была ей нужна рядом, как фамильная драгоценность и подтверждение того, что Наташа феноменально хорошо выглядит. Ей хотелось услышать позади восхищенный шепот: «А дочка-то у нее уже взрослая...Никогда бы не подумали».

Потом Мила все же оторвалась от Наташи и сосредоточенно смотрела поверх лиц, делая вид, что ищет кого-то. Чтоб никто не пристал. Случайно оказавшись спиной к спине с мамиными знакомыми, она услышала:

— Наташа-то как сдала. Хоть бы подтяжку, что ли, сделала. Такие морщины у глаз. Да?

— Да ладно тебе, Светик. У нее ж вон девка уже какая взрослая.

— А не знаешь, они с Пашкой ровесники?

Это кто интересно называет ее отца Пашка? И что это за такой Светик? Миле стало так жалко маму. Тем более, что она младше отца почти на десять лет. «Вот бабы... И почему я стою тут, как колонна? Надо повернуться и сказать какую-нибудь гадость. Только какую?» В эту сторону голова у Милки работала плохо. Вот нахамить она могла. А сказать мерзость с сияющей улыбкой пока не научилась. «Я научусь. Честное слово», — пообещала она себе, нервно сжимая кулачки. «Сегодня же начну придумывать и все варианты записывать в спецтетрадь. Ты у меня кровью умоешься, змеюга».

Что собственно ее так разозлило, она понять не могла. Ведь всегда знала про террариум единомышленников с маминых слов. Сколько сигарет истерично было выкурено на их кухне с постоянным рефреном: «Не понимаю!» Отец всегда говорил одно и то же: «Да не бери ты в голову, Наталья!» Мама устало усмехалась. Но все равно в голову брала.

Фильм Миле не понравился. Зато понравилось, что снят он красиво, потому что увиден глазами ее отца. За Павла Дробышева режиссеры между собой сражались. На его счету были культовые фильмы, которые в свое время даже лежали на полке. И он этим гордился. Снимать высокохудожественное черно-белое кино ему всегда нравилось больше, чем криминальные мелодрамы. Но сейчас ему особо выбирать не приходилось.

С режиссером-гением, с которым они вместе сделали первые два фильма, Павел разошелся. Характер у того был уж очень тяжелый. На съемочной площадке они ругались до драки. Павел был единственным человеком, который гению возражал. Из этих столкновений и рождалась потом истина. И работали они достаточно быстро. А вот без Павла гений стал снимать фильмы лет по семь-восемь каждый. И операторов у него поменялось за эти годы человек десять. С другими ему поругаться не удавалось — соглашались сразу. И он входил, как нож в масло. Никакой искры не высекалось. А с Павлом Дробышевым у них, как у разведенных супругов, так и осталось некоторое истеричное напряжение.

Впрочем, Паше это не мешало. Он был человеком широкой души. Зла не держал. И не потому, что сознательно старался простить. А просто — не держалось. Он бы больше энергии потратил на то, чтобы помнить, чем на то, чтобы забыть. А будучи человеком ленивым, как он сам всегда говорил, предпочитал лишнюю энергию ни на что не тратить.

Уже после фильма, когда измученные голодом вип-персоны толпились в ожидании фуршета, Милка увидела отца и решительно начала к нему пробираться.

Не заметить Дробышева вообще-то было невозможно. Он был высоченный и широкий, как шкаф, с шапкой чуть рыжеватых вьющихся волос. И, пожалуй, да, вспоминая его без очков и усов, она готова была подтвердить, что действительно на него похожа. И медовый цвет волос унаследовала от него. Цвет, который в минуту отрицания самой себя, казался ей цветом дворовой кошки. И глаза у нее были отцовские. У него, правда, они были зеленоватыми. А у нее скорее золотыми. Но, несмотря на явный эксклюзив, в детстве они доставляли ей немало огорчений ввиду «неприличного цвета мочи»: одноклассники не мудрствовали с оттенками цветов, как японские школьники. Коричневым в их представлении могло быть только одно, а желтым — другое. Зато с наступлением юности ее волосы позиционировались, как янтарные.

Она подлезла к нему со спины и, просунув руки, сложила их у него на животе. Думала напугать, но не вышло. Свое родное Павел узнавал без колебаний.

— А это моя дочь Людмила, — сказал он, доставая ее из-за спины. И добавил, окидывая взглядом ее платье: — Сам удивляюсь.

— Ух ты! — чуть ли не присвистнул кто-то из окружавших отца титанов.

Мила оказалась в самом центре внимания. Но рядом с папой ее это нисколько не смущало.

— Как же ты выросла, Милочка. А я тебя вот такой помню. Да. — Известный на всю страну президент киноакадемии говорил ей эти слова своим узнаваемым из тысячи воркующим голосом. — Ну что, Рустам, как тебе Пашина дочка?

Рустам Мухамеджанов, художник-постановщик, о таланте котором Мила много слышала, приблизил к ней лицо. Внимательно посмотрел, как на предмет неодушевленный, и сказал:

— Пятнадцатый век, эпоха Возрождения, холст, масло.

— Вы еще скажите, ручная работа, — хмыкнул Павел.

— Ювелирная, Павел Сергеевич, ювелирная, — похлопал его по плечу киноакадемик с чарующим голосом, — но, боюсь, все-таки не ручная.

Они расхохотались. Отец с гордостью прижал Милу к себе. А она млела. Решила, что потом, когда придет домой, обязательно все запишет в дневник. Такие вещи от таких людей услышать дано не каждому. Уверенности в себе прибавилось. Вот только рот открыть так и не получилось.

Да вроде бы и необходимости такой не возникало. Это как трамвай без дверей. И войти-то некуда. В разговоре этих людей просто не было дверей, чтобы Мила могла войти. Сколько раз уже она ругала себя за мучительную стеснительность, охватывающую ее всякий раз... Она так завидовала Насте, которая с чужими умными дядями никогда не терялась, а спокойненько говорила все, что думает. Примерно так же, как в разговорах с Милой. Ничего в ее речи не менялось. И ее естественность всем ужасно нравилась. Как у нее так получается? Чего я боюсь? И она призналась Насте в том, что с ней происходит. На что Настя выдала ей совершенно поразительный совет: «А я, когда волнуюсь, всегда представляю, что тот, с кем я разговариваю — голый. А чего мне, одетой, его, голого, стесняться?»

Мила вспомнила об этом и решила советом подруги воспользоваться. Рядом как раз нарисовался какой-то импозантный тип с манерной бородкой — эспаньолкой несвойственного ей русого цвета.

— Ты — вип-персона? — обратился он к ней на «ты», чуть наклоняясь к ее уху.

— Ну, вроде как, — ответила она, старательно работая над своим воображением. Легко тип голым не получался ввиду отсутствия в Милиной голове подборки голого мужского тела. Но в семейных трусах уже был не так угрожающе галантен.

— Вип-пить хочешь?! — сказал он, предлагая ей бокал шампанского.

— Кто ж не хочет! — блестяще, как ей показалось, ответила она. И не заметила, как в глазах собеседника промелькнуло явное одобрение.

Глава 2

...И мы скакали с ним до дальнего тумана,
До впадины в горах, до завершенья дня.
Мы ночевали с ним в заброшенной землянке.
В молитве перед сном он повторял: «Алла!»...

Константин Бальмонт

1906 год. Северный Кавказ.

Древние греки считали, что самые хорошие кони у повелителя морей Посейдона. У адыгов тоже есть поверье, что предки шалоховской лошади обитали в Черном море, там на них ездили великаны, поднимая огромные волны и сбивая копытами морскую пену.

Аслан слышал крики погони откуда-то сверху, будто за ним гнались те самые мифические великаны, у которых он похитил чудо-коня. Значит, погоня разделилась, и часть преследователей скакала верхом, по краю плато. Если абазинцы успеют, то смогут отрезать ему дорогу на восток и погонят его в глубь степей, в сторону от родной Чечни. Но только если успеют...

Как хорошо шел под ним «трамовец»! Вечно неторопливая степь еще никогда не проносилась мимо Аслана с такой скоростью. А он не раз и не два пытался стронуть с места эти бескрайние равнины крепкими копытами ворованных им ногайских и черкесских коней. Что это были за кони? Чья только взмыленная спина не уносила Аслана от погони? Белые и бурые кабардинцы, рыжие и красные карачаевские... А еще говорят, что ветер бесцветен. Нет, Аслан знал, что у ветра тоже есть различные масти.

Но такого коня Аслан Мидоев еще не уводил. Сегодня, подобравшись на рассвете к абазинскому табуну, он собирался выбрать коня с неприметной окраской, чтобы в глаза не бросался. Даже наметил себе крепкого гнедого жеребца без всяких отметин. Но когда услышал за спиной сердитый храп, обернулся, хотя не очень-то и хотел смотреть на других лошадей. Обернувшись же, забыл про все. На него смотрел внимательным глазом высокий конь, мордой напоминавший вороний клюв, да и сам вороной, но со странными белыми пятнами на гриве, хвосте и такой же белой отметиной на носу, словно морда была в молоке или сметане. По пятнам он был вроде «трамовец», по форме морды — из черкесской породы. Кто же ты такой? Не черноморских ли великанов возили твои предки? Или они летали черными воронами? И твой дед, долетев до Млечного пути, превратился в коня со следами небесного молока на морде и гриве?

Ведь и сам Аслан с детства был помечен Аллахом. В черной смоли волос, с левой стороны, было у него седое пятнышко. Сколько помнил себя, столько было у него это пятно... Вот и встретились два меченых белым цветом брата — человек и конь.

Аслан протянул меченому коню соленую лепешку, а потом открытую ладонь. Конь благодарно подышал в пустую руку, потрогал ее губами. Аслан крепко взял его за гриву и зашептал старинное, передаваемое от отца к сыну тайное конское заговорное слово рода Мидоевых. Конь выслушал, прянул ушами, а потом спокойно пошел за Асланом, будто ходил за ним с тех пор, как был еще жеребенком. Они так бы и ушли тихо, по серебристой росе, если бы не собаки, которые с опозданием вдруг почуяли незнакомца, и, поняв, что бессовестно проспали, они подняли такой шум, что перебудили не только табунщиков-абазинцев, но и всю степь от края до края...

Сзади погоня была не слышна. Но теперь надо было брать левее. Вот там-то, промчавшись коротким маршрутом, его могли ждать уже спустившиеся по склону преследователи. Аслан не боялся. Он находился в состоянии упоительного восторга от погони и еще от чувства братского единения с небывалым в его жизни конем. Потому он запросто пошел на риск, поставил на карту все, что имел, то есть свою молодую жизнь, и не стал хитрить. Пусть все решит меченый, похожий мордой на клюв ворона, конь. Вынесет — не вынесет?

Вот и изгиб плато, поворот с пологим спуском, а там кустарник, речка, перелесок, подъем и спуск, опять долина... Аслан уже протянул правую руку к оружию, но не стал выхватывать ни шашки, ни ружья. Он только махнул рукой в воздухе. За поворотом никого не было. Погоня маячила еще наверху, едва приступив к спуску.

Аслан приостановил разгоряченного коня. Тот нетерпеливо пританцовывал, пытаясь опять сорваться в бешеную скачку, в которой ему было так хорошо. Раздался выстрел, и пуля пролетела в метре от чеченца. Преследователи поняли, что конокрада так уже не достать и стали стрелять. Но юноша и не думал бежать от пуль. Он словно решил поучить коня известным ему цирковым фокусам. Пули свистели рядом, а он то досадовал на коня, что тот не понимает его, то радовался его удачной штуке.

Сколько он дразнил бы преследователей, которые теперь превратились в стрелков, неизвестно. Но за поворотом послышался стук копыт. Это приближалась другая часть погони, безбожно отставшая. Аслан пустил Меченого вскачь и издал пронзительный шакалий крик на прощанье посрамленным абазинцам, победный и насмешливый...

С таким конем, как Меченый, родная сторона приближалась быстрее. Конь не капризничал, ничего себе не просил, топтал, как заведенный, крепкими копытами каменистую почву, отбрасывал назад пространство вместе с комьями земли. Вот уж и родная горная страна недалеко. Горы будто цвет свой изменили, потемнели, значит, приблизились.

Уезжал Аслан Мидоев всего на пару недель в западную часть Северного Кавказа, а боялся, что не узнает на обратном пути своей родины. Так быстро менялась его Чечня в последнее время.

Ничьи черные лужицы, в которых мазался когда-то Аслан с ватагой ребятни, а потом пугал своей шайтанской рожицей девчонок из аула, теперь нашли своих хозяев. Как раньше по земле вайнахов возникали в прямой видимости крепостные башни, теперь вырастали нефтяные вышки и заводы. Те же почти заброшенные крепости вдруг превращались в оживленные рабочие поселки. Здесь уже не видно было русских офицеров в папахах и черкесках с газырями, зато частенько встречались цивильные господа в жилетках с золотыми цепочками от часов. По этим часам и жил теперь Северный Кавказ.

Говорят, что в Алагире добывают серебро, в Чиркее — серу, а из Кулыпты, что на реке Аракс, везут каменную соль. В ущельях скоро не будет слышно орлиного клекота из-за грохота работающих машин, олени и кабаны уйдут из лесов, напуганные железным лязганьем. В устье Терека, рассказывают люди, на огромных плотах артельщики ежедневно пластуют наловленную рыбу на балык, тешку и икру.

А сами горцы! Что с вами случилось, вольные народы? Давно ли вы полюбили деньги? Давно ли делали из монет монисты, серебром украшали узды и кинжалы? А что же теперь? По аулам теперь ткут шелка, шьют обувь, галуны, бурки, вышивают ковры. Но не для личного пользования. Сами ходят в рванье, в старом, залатанном тряпье — все делают на продажу.

Что корить чеченцев? Сам Аслан вот добыл коня не себе, а чтобы продать подороже. Если раньше чеченцы ценили благородство рода и личную храбрость джигита-жениха, то теперь хотят выдать Айшат за мешок золота. Вот и решил Аслан Мидоев быстро разбогатеть, а, получив в жены Айшат, опять жить, как прежде, как жили его предки — джигиты Мидоевы. Ведет теперь он Меченого к Давлет-хану, который, вроде, по крови чеченец, а по облику и речи — настоящий гяур. Построил большой дом на равнине, завел у себя европейские порядки, подружился с русскими чиновниками и каким-то богатым англичанином, нанял дворню за деньги. Ездит не верхом, а в коляске! Только вот чеченцы к нему служить не идут, ногайцев и кумыков Давлет-хан держит. Так это пока, а что там дальше будет...

Усадьба Давлет-хана причудливо сочетала в себе детали горской традиционной постройки и русского загородного имения. Ханский дом с трех сторон действительно напоминал горскую саклю, только огромных размеров, с открытой галереей, правда, с большими окнами. С фасада же он представлял собой копию того самого дома в провинциальной Калуге, в котором жил плененный Шамиль: так же асимметрично расположенные фронтон и скромный главный вход. Раздраженный и мучимый ревматизмом, лечение которого и занесло его на Северный Кавказ, архитектор Вессен специально ездил в Калугу, по дороге туда и обратно ругая на разные лады «чеченского Журдена».

Когда фасад был уже оштукатурен, Давлет-хан придирчиво его осмотрел, сравнил с фотографическим изображением, икнул пару раз, видимо, еще от дорожной ругани доктора Вессена, и замотал головой.

— Милостивый государь, — сказал он подчеркнуто вежливо, но вращая глазами, как настоящий абрек. — Вы архитектор или рисовальщик?

— Не понимаю вас, ваше сиятельство, — архитектор попытался заглянуть через плечо Давлет-хана, чтобы взглянуть на фотоизображение оригинала, но тот, как вредный ребенок, спрятал от него карточку.

— Милостивый государь, — опять повторил чеченский князь почему-то полюбившееся ему обращение. — Что же тут понимать? Я плачу вам большие деньги, а вы меня изволите обманывать! Где, я вас спрашиваю, колонны? Раз, два... четыре штука... четыре штуки?

— Прошу прощения, — смутился Вессен, вообще-то ожидавший какой-нибудь непредсказуемой реакции от «туземного вождя», — разве вы не видите?

— Так вижу, а так...

Давлет-хан широкими шагами прошествовал через двор до угла здания и встал в профиль к фасаду.

— А так — не вижу!

— Это вполне естественно, — облегченно вздохнул архитектор. — Как бы вам объяснить? Это, понимаете ли, псэвдоколонны, — Вессен даже заговорил с кавказским акцентом, чтобы его лучше уразумели, хотя Давлет-хан говорил по-русски совершенно чисто. — Они нэ нэсут ныкакой конструктывной нагрузки... Они только украшают, как будто нарисованы на фасаде...

— Ага! — закричал обрадованный чеченский князь, словно сразил кровного врага. — Я же и спрашиваю вас: вы архитектор или рисовальщик? Зачем мне нужны нарисованные колонны? Разве я плачу вам не достаточно, милостивый государь? Псевдоколонны... Мне казалось, что я могу рассчитывать и на настоящие! Или вы считаете иначе?

Хотя Давлет-хан и носил костюмы английского покроя, но сейчас был одет еще и в черкеску с обязательными газырями и кинжалом за поясом. Рука, положенная на рукоять холодного оружия, придавала вопросу дополнительный вес. Архитектор Вессен только рукой махнул. Что тут было спорить? Захочется «туземному вождю», так он на Парфенон индейский вигвам водрузит, а сбоку минарет поставит.

Так на фасаде дома Давлет-хана появились странно торчащие колонны коринфского ордера — тонкая ирония архитектора Вессена над дикими нравами туземного дворянства. Что же касается Парфенона, вигвама и минарета, то с южной стороны усадьбы была построена боевая чеченская башня, которые издавна строились в горских аулах, правда, более высокая и архитектурно правильная.

Аслан Мидоев не понимал архитектурного юмора, зато он хорошо разбирался в лошадях. Но, въезжая в широкие ворота усадьбы Давлет-хана, он решил просить не триста рублей за Меченого, как думал в степи, а все четыреста серебром. Увидев же толстые белые колонны с причудливыми узорами на верхушке, Аслан принял решение, что не уступит Давлет-хану ни рубля.

Как из-под земли позади Аслана появились два коренастых ногайца. Они сказали, что хозяин велел привести коня к нему на задний двор для осмотра, но Аслан не позволил. Он так и остался стоять посреди двора между кустов акации, к которым Меченый тянулся мягкими губами.

— Ассалам алайкум! — услышал он приветствие Давлет-хана.

— Ва алайкум салам! — ответил Аслан.

Давлет-хан подходил к нему в сопровождении нескольких слуг и работников. Тут же появились плетеные стулья. Только тогда Аслан передал повод

Меченого слуге-ногайцу. Давлет-хану подали раскуренную трубку, должно быть, персидской работы. Он сделал глубокую затяжку и окутался клубами дыма. Аслан подумал, что от седого табачного дыма так рано поседел Давлет-хан. Выпущенное из носа колечко дыма зацепилось за ус и стало раскручиваться. Седой ус словно вырос на глазах. Давлет-хан спросил о здоровье родителей, прозрачный ус оторвался от губы и растворился в воздухе. Аслан ответил и спросил сам. Так они отдавали дань горскому этикету, хотя каждый думал о предстоящей торговой операции. Традиционную часть поскорее скомкали, Давлет-хану не терпелось увидеть прекрасное животное, тревожно переступавшее ногами и фыркавшее за кустарником.

В табуне Давлет-хана было около четырехсот лошадей. Несколькими косяками здесь были представлены известные горские породы, разбросанные обычно по многочисленным табунам многочисленных народностей Северного Кавказа. Здесь же, у Давлет-хана, богатый покупатель из России или даже Европы мог выбрать себе и коня солук, и бечикан, и абоку, и куденет, и джаражды. Русские дворяне не умели торговаться, а редким немцам и англичанам Давлет-хан пока еще уступал в цене, ждал, когда из Европы поедут настоящие, большие купцы.

Теперь вот он заказал юному Мидоеву привести от адыгов хорошего шалоха. Шалоха у него в табуне не было, а покупатель был — русский полковник Нефедов.

Вот и прислушивался Давлет-хан к звукам за кустами, уже по ним угадывая резвость и стать своего нового коня.

— Значит, привел мне шалоха? — спросил, наконец, Давлет-хан.

— Лучше, чем шалоха, — ответил Аслан.

— Лучше? — Давлет-хан нетерпеливо заерзал в плетеном кресле, он почувствовал, что Аслан не врет, и что предстоит горячий торг. — Молодость твоя и горячность, Аслан, летят впереди твоего коня. Где ты видишь красивое, опытный глаз видит слабое и ненадежное. Сколько коней в табуне твоего отца?

— У него нет табуна, — вспыхнул Аслан.

— Не сердись, Аслан, — усмехнулся Давлет-хан. — Нет табуна у отца, будет у сына. Но ведь чтобы выбрать самое хорошее, надо выбирать из многого. У тебя пока нет многого, а у меня большой табун самых лучших лошадей Кавказа. Слушай старшего, юноша. Не спеши слишком во мнениях и желаниях... Давай же, посмотрим твоего «лучшего». Ведь говорят издавна горцы: не знаю — одно слово, а знаю, видел — тысяча слов. Посмотрим твоего «лучшего»...

Аслан видел, как жадно загорелись глазки Давлет-хана при виде красавца-коня, как толстые пальцы его стали в нервном нетерпении поглаживать седые усы, но змеиный рот сказал совсем другое:

— Слушайся всегда старших, юноша, и будут у тебя табуны лучших коней. Действительно, лучших коней. Этого же ты поспешил так назвать. Теперь вижу, что поспешил... Скажу тебе, что коня ты привел негодного. Сам погляди. Голова у него, как у черкеса. Видишь «клюв ворона»? А пятна на гриве и хвосте, как у трамовской породы. Да вот и на морде — белая метка. Нет, Аслан, дурного коня ты привел. Ночью угонял? Плохо смотрел?

Аслан не отвечал, только глаза его сузились, как у калмыка, талия, казалось, еще туже стянулась поясом, а широкая грудь чаще заходила от возбужденного дыхания. Меченый почуял волнение Аслана и задрожал каждой жилкой под тонкой кожей, заходил в поводу, став от этого еще прекраснее.

— Разве взять его коляску возить? — говорил задумчиво Давлет-хан, таращась изумленно дальним от Аслана глазом на Меченого. — Только из уважения к твоему роду Аслан и учитывая твою неопытность в этом деле, дам тебе за этого... сорок рублей. Что молчишь, Аслан? Кто тебе за него больше даст?

— За такого коня, которому цены нет, даешь, как за барана? — спросил Аслан сквозь зубы, к концу вопроса переходя почти на шипение. — Хочешь меня, Аслана Мидоева, обмануть?

Кулак Аслана уже разжался у пояса, но неожиданно юноша успокоился, даже легкая улыбка скользнула по его губам.

— Ты назвал свою цену, Давлет-хан, — спокойно сказал он. — Я выслушал и не согласился. Я уезжаю, и конь останется со мной. Значит, такова воля Аллаха.

Меченый будто услышал, что остается с Асланом, весело ржанул, но Давлет-хан не улыбнулся в ответ, а злобно оскалился.

— Ты говоришь с самим Давлет-ханом, юноша. А знаешь ли ты, что может сделать с тобой Давлет-хан? Или ты еще веришь в свободных джигитов? Ты думаешь, что чеченцы так и будут всю жизнь скакать по горам, орать шакалами и красить бороды? Ошибаешься, юноша, разве ты не видишь, как быстро меняется все на Северном Кавказе? Во Владикавказ приходит теперь «огненная почта», как вы ее называете, чеченская нефть продается и покупается. Все теперь продается и покупается, в том числе и твоя свобода джигита. Ты понял меня, мальчишка? Я мог бы вышвырнуть тебя за ворота, мог бы сдать тебя, конокрада, властям. Ведь ты украл уже не одну лошадь, Аслан. Так? Но Давлет-хан — добрый человек, уважающий законы гостеприимства, прощающий тебе глупость молодости... Я даю тебе деньги. Даже больше, чем обещал. Вот тебе пятьдесят рублей и пусть Аллах укажет тебе верный путь в этой жизни...

Давлет-хан протянул ему несколько бумажных ассигнаций, но Аслан сделал только легкое движение рукой, сверкнул клинок кинжала, и в руках князя оказались аккуратно, по самые пальцы, отрезанные кусочки купюр. Это был не удар, так вскидывается вверх рука в лихом горском танце. Вот и сейчас закружились в воздухе, будто танцуя, бумажные ассигнации.

В полной тишине, перед бледным лицом Давлет-хана, который не отрываясь смотрел на стальное жало, Аслан послал кинжал в ножны и готов был уже идти к Меченому... но не успели разрубленные деньги коснуться земли, как жесткое волосяное кольцо охватило его руки и туловище, а другое кольцо стиснуло горло. Он хотел закричать, но свет вдруг погас, словно луна закрыла солнце или Меченый заслонил ему белый свет своей черной шкурой...

2003 год. Москва.

«Мне было здорово. Какая потрясающая жизнь скоро начнется. У них у всех такие головы. Они столько сделали. А я? Что сделала я? Я хочу быть такой же, чтобы они были со мной на одном уровне, чтобы считались с моим мнением, чтобы увидели во мне не папину дочку, а женщину. Чтобы сошли с ума и застрелились!»

Она писала быстро и абсолютно не думала о том, какое впечатление ее строчки могут произвести на других — для других они не предназначались, а, наедине с собой, слава Богу, можно быть искренней.

«Все на меня смотрели. П. Р. и С. Т. прошли совсем рядом. Я даже почувствовала запах одеколона. При этом С. Т. совершенно откровенно на меня оглянулся. Я была независима и неприступна. Сама мечта. Но это было так здорово! Надо работать над собой! Жить, а не существовать! Поразить всех в следующий раз, да так, чтобы ого-го! Кстати, познакомилась поближе с одним смешным мужиком. Алекс. 36. Так заколосился рядом! Артист. Непризнанный гений. По-моему, он мне позвонит. Телефон я ему дала. Записать было нечем, и он вынул английскую булавку, проколол себе палец и записал кровью на белоснежном манжете рубашки. Не скажу, что мне было неприятно. Хотя — эффект дешевый. Думает, я дура совсем. А я не совсем. Ха-ха. Но теперь я все равно жду этого дурацкого звонка. Хотя зачем? Ясно же, что это не то, что мне надо. А что мне надо?»

За окном уже занимался рассвет. Весенний. Безумно счастливый и мощный. «Как хорошо, — строчила Мила, — когда все впереди. И как хорошо, что я не знаю, что именно. Я никогда бы не пошла к гадалке. Вот уж мрак. Жить и пытаться предугадать, скоро ли то, что она тебе нагадала. А может, уже было, а ты и не заметила. Да даже, если завтра суждено умереть — как хорошо, что человеку не дано об этом знать заранее.

Вот экзамены — как смерть. И точно знаешь, что она все равно наступит. И весь год от этого дурной. Вся радость — не в радость. Пойдем на дискотеку — нет, ты что, мне надо заниматься. Пойдем по магазинам — ты что, у меня контрольная. Фу. Когда уже настанет жизнь? Настоящая, без экзаменов. Без нервов. Один сплошной праздник. Делай, что хочешь! Как надоело... Сил нет. Зачем, зачем мне эта химия? Мне бы к институту готовиться, так нет — нефтепродукты учи. А у меня портретное сходство не получается... Левшинов достал... Нанять бы кого-нибудь, чтоб за меня экзамены сдавал... И вообще, чтоб на прививки за меня ходил, с тарзанки прыгал и в институт поступал. А книжку мне! Она мне сердце греть будет, когда под пули вместе полезем... Увы. Работаем без дублера».

Она оторвала замороченный взгляд от окна.

В который раз завороженно всмотрелась во врубелевского Демона, репродукция которого была приклеена у нее прямо над столом для мотивации.

Вздохнула.

Захлопнула дневник, хорошенькую такую книжечку, обтянутую красным китайским шелком, которую отец привез ей из Америки. Книжечка была Милой исписана почти до конца. Иногда она любила перелистать ее перед сном. Столько всего она, оказывается, забывала. Столько милых подробностей. Кто что сказал такого! Кто как посмотрел. О чем она думала. Вот и сегодня, возвратившись с родительской премьеры, она сказала всем спокойной ночи, завалилась на свою кровать, включила маленькую уютную лампочку на тумбочке и стала перелистывать интимные странички.

Иногда ей было смешно. Какая же дура она была еще полгода назад. А иногда наоборот — ей казалось, что вот как раз полгода назад она была умной и талантливой. А вот сейчас думает не о том. О вечном практически и не задумывается, только томится, томится, томится... И все время себя критикует. А от этого, как говорит Настя, понижается самооценка. А если сама себя не любишь, то и никто не полюбит. Короче, надо себя любить.

Как выразить это чувство к самой себе, она пока не знала. Мороженое купить — полкило? Или бутылку шампанского выпить одной на даче, когда родителей не будет? Или... Пойти в спортклуб и вылепить из себя все, что пригрезилось в мечтах.

Хотя об этом лучше и не говорить, потому что это самая больная тема. Каждый понедельник под нажимом мамы Мила начинала новую жизнь — на полчаса раньше свешивала ноги с кровати. Уныло смотрела в окно и думала обреченно — здравствуй, новая жизнь. Вот, значит, ты какая. Издали ты казалась гораздо красивей.

А потом она делала зарядку. Стелила коврик на полу, ложилась, делала пару упражнений на мышцы живота. А через пару дней уже стелила коврик только для того, чтобы на него лечь. И даже уснуть.

Потом она шла в душ, который из вчерашнего нежного друга превращался в объект отвращения. Душем следовало облиться сначала горячим, а потом по-настоящему холодным. Под настроение иногда бывало и ничего. Бодрило. Но когда настроения не было, это было просто мраком. Даже когда маленькая холодная капля случайно попадала на ее по-детски теплое сонное тело, ее всю передергивало. А в горле или где-то под ключицей — она затруднялась локализовать место — было такое чувство, как будто воткнули гвоздь. В общем, беда с этим обливанием.

Но иногда силы воли проделать этот ритуал хватало не только на понедельник, но и на вторник.

Хотя никаких «проблемных» зон у нее еще пока в помине не было, мама их уже прогнозировала: «Кто предупрежден, тот вооружен». Что означало, что сегодня проблем нет, а завтра будут. Мамин опыт подсказывал, что красота не вечна. А значит, надо успеть ее выгодно вложить. А потом подоспеет и внутреннее содержание. «Куда вложить-то? Куда вложить?» — она нудно, играя свою комическую репризу, приставала к маме. Обоюдным ржанием дело и заканчивалось.

Как-то мама решила, что самодисциплина Миле не по плечу, надо пойти в спортклуб. Это очень удобно. Платишь за год. Ходишь когда хочешь. Сделала уроки — иди. Никогда не опоздаешь. Это то, что надо.

Милка обрадовалась. Они с мамой съездили в дорогущий спортивный магазин и выбрали такую умопомрачительную спортивную форму «найк», что Миле уже просто ради того, чтобы покрасоваться в ней, не терпелось отправиться на тренировку. Белый, с красными полосками, топик подчеркивал ее бюст, а велосипедки занимались пропагандой ее нижней части. Мама покачала головой и удрученно, как Кассандра, сказала:

— Все мужики свернут шею и уронят штанги себе на ноги. И еще хорошо, если только на ноги... Может, Милка, лучше в бассейн, чтобы по уши в воде, и никто не пострадал?

— Ага, — ответила Мила. — С этой косой дурацкой сама ходи в бассейн. Она же не в одну резиновую шапку не влезет! А если и влезет — буду, как двуглавый орел. Нет уж, спасибо!

Пошла она в клуб с большим воодушевлением. Уроки были веселые, инструкторши выглядели классно. А главное, очень темпераментно орали. Как-то вообще, а не на кого-то ленивого. На одну девушку она долго смотрела в чуть приоткрытую дверь зала, замерев на тренажере. Та была маленькая, в красном комбезе, с длинными белыми волосами и осипшим низким голосом. Она заставляла всех своим примером качать мышцы и все время орала: «Давай! Давай! Не замерзай!» При этом она считала в каком-то странном порядке: «Пять, четыре, два, один, давай!» И Мила, как зачарованная смотрела... А потом лениво переползала с одного тренажера на другой. Все-таки самостоятельная работа над собой ей давалась плохо. И потом, она немного стеснялась ритмично раздвигать ноги прямо перед лицом вспотевшего мачо напротив.

Ей нравилось прыгать в группе. Но попадала она каждый раз на другие занятия, к другим инструкторам. И, в общем, как-то не пошло. У всех были разные программы. Она не успевала выучить движения, как приходилось все начинать сначала.

На этой почве у нее неожиданно родилась собственная гениальная теория о сексе. Ей вдруг совершенно понятно стало, что самыми умелыми в любви могут быть только самые верные. Если менять мужчин постоянно, то так и останешься неучем. Все равно, что приходить на разные тренировки по разу.

Вот у них в школе учителя по физике все время менялись. И физику она не знала вообще. Просто не понимала. Оптом. Хоть и старалась как-то к экзамену разобраться. Так вот и с сексом... Предмет нужно учить с одним учителем. Миле эта теория казалась просто гениальной. И она ее пропагандировала. Так сказать, шла против течения. И гордилась этим.

В спортзал она попадала все реже и реже. Никак не могла закончить со своими уроками пораньше. Все казалось, успеет. А потом откладывала тренировки на завтра. Вечером маме даже боялась говорить, что опять не успела. Абонемент был недешевый, а клуб элитный. Врала, что была. А маме ловить ее на слове было некогда. Пропадала на работе. А если была дома, то рисовала эскизы костюмов к новому историческому фильму. Восемнадцатый век был ее слабостью. И в такие проекты она всегда старалась вписаться. Да и гонорары за костюмный фильм были на порядок больше. Еще бы — одно дело напокупать на рынке кожаных курток для братвы в какой-нибудь сериал. И совсем другое — придумать, нарисовать и найти ткань для суперсложного платья императрицы. В работу она уходила с головой. И прогул тренировки любимой дочерью уже не замечала. Не маленькая все-таки.

А то, что дочь немаленькая, Наташа узнала не сама. Ей об этом сказали. А дело было так. У Милки сел мобильный. А они с Настей, Мельниковым и Ляховицким задержались после концерта. Сначала пошли в какое-то кафе, а потом застряли в пробке. Звонить родителям Миле и в голову не пришло. Она о них забыла. Вот так. Честное слово. В этот момент у нее была своя жизнь. Разве могла она предположить, что мама сходит с ума. И даже звонит в справочное несчастных случаев и в милицию. «У меня пропала девочка!» — нервно сказала мама дежурной. Та откликнулась со всей душой «Сколько девочке лет?». «Семнадцать» — ответила мама.

На том конце провода повисла маленькая пауза. А потом маме сказали значительно веселей: «Взросленькая у вас девочка». И успокоили. Придет. Время детское. Вот тогда-то озадаченная мама и прониклась этой новой мыслью: «Девочка-то, оказывается, у меня взросленькая!» Она даже и не ругала ее, когда та вернулась. Просто рассказала всю эту историю. И Мила сама сделала из нее выводы. И что раз «взросленькая», то значит, и ответственная должна быть.

Мила дописала в дневнике последнюю фразу. Застыла, глядя на розовую полоску у горизонта, и почувствовала, как все-таки, несмотря на эйфорию, хочет спать.

Будильник поставила на семь.

Сегодня она опять начинала новую жизнь. Самсара, как называл это отец. Бесконечное колесо перерождений.

Глава 3

Снова пьют здесь, дерутся и плачут
Под гармоники желтую грусть.
Проклинают свои неудачи,
Вспоминают Московскую Русь...

Нет! Таких не подмять, не рассеять.
Бесшабашность им гнилью дана.
Ты, Рассея моя... Рас...сея...
Азиатская сторона!

Сергей Есенин

1906 год. Подмосковье.

— Евлаша, а, Евлаша, так я с тобой пойду?

— Ой, даже не знаю, барынька. К лицу ли вам туда ходить? Ведь как зачнут мужички хлестаться, так ведь не клюквой измажутся. В прошлый год как морс побежал по лицам-то, так две бабы таракановские без чувств и завалились. А как же вам, барыне молодой? Смотреть ведь — страсть!

— Страсть, говоришь? Тоска-страсть... Вот что, Евлаша, ты как хочешь, а я пойду...

Проселочная дорога юлила так и сяк между холмами перед тем, как войти в старый казенный лес. Не больно хотелось ей слушать скучную болтовню старых сосен да еловое пожилое ворчание. То ли дело бежать открытыми лугами, где молодая трава и юные цветы только в эту весну увидели белый свет. И летнее солнце, и дождь, и ветер — все теперь для них, все им сочувствует, все им радуется. Здесь, здесь настоящая жизнь, которая быстро сойдет на нет, отцветет, закончится. А там, в лесу, прозябание вечности, глухота, зудение...

На холме церковь Михаила Архангела белой свечкой. По утру солнце отразится в маковке — загорится свечка, затеплится душа всей долины. Сонный звонарь залезет на колоколенку, зевнет напоследок, рот перекрестит, посмотрит по сторонам и возрадуется. Весь мир уже готов к утрене, только его одного и ждали. Поплюет на руки, приладится, тронет сначала едва-едва, ведь боязно разом нарушить такую тишину блаженную. Но скоро разойдется, осмелеет, божий мир, умытый росой, его поддержит, травы закивают, цветы зашелестят. Солнце само зазвенит самым большим колоколом. Слава Тебе, показавшему нам свет!

Перед церковью дорога еще раз загибается, низинку с протокой от храма Божьего будто отгораживает. В этой низине по праздникам бьется Праслово с Таракановкой. Бьются издавна в виду церкви, не считая крепкий удар грехом, не виня никого за увечья, за ребра, неправильно сросшиеся, и кости, ноющие к непогоде, бьются полюбовно, от души.

С прасловскими бабами и девками пришла Людмила Ратаева на горушку. Здесь уже толпятся старики, опираясь на палки, неторопливо беседуют.

— На Иванов день плохо бьются, — говорит один. — Вот на Троицу другая потеха. Было морсу в один год! Как в речке Гранке побитые мылись, так вода в Таракановку красная и потекла. Говорят, бабы ихние платки себе в красное перекрасили...

Люда посмотрела на стоявших тут же таракановских баб. Действительно, платки у них, как нарочно, были то с красными цветочками, то с розовыми каемочками.

— Народ нынче ужо не тот пошел, — говорил уже другой дед, — все норовит друг другу морду раскровянить. А в старину били уважительно — в душу или ребра. Таперича уже не то...

— Куды им, молодым, — подключался третий. — В старину за прасловских бился Ванька Хомут, так тот кулачищем кирпич в печке вышибал...

— Не Ванька, а Васька, — возражал ему еще один. — И не Хомут, а Оглобля. Васька Оглобля. Он же мне сродственником доводился. Мне ли не знать. Только он не кирпич вышибал, а венец из-под избы кулачищем высаживал...

— Вот и брешешь, — не сдавался предыдущий. — Сразу видать, что брешешь...

— Я брешу?..

Но спору не удалось разгореться. Ударили колокола, кончилась обедня. Тут же из церкви высыпали стайки мальчишек в разноцветных рубахах, сбежали в низину, стали потешаться, задирать друг друга для затравки настоящего кулачного боя. Постепенно подтягивались взрослые мужики. Некоторые из них нервно переминались, не знали, куда руки деть, иные же стояли подбоченясь и только усмехались. Были и такие, которые бегали между своими бойцами и подзуживали.

— Кузовские обещались нам подмочь. Вчера так и сказали: «Прасловским завтра вместе будем кровь пускать!» Так вон же стоят мужики! То не кузовские? Они и есть!..

— Еремей на вид здоров, только вот упору в нем нету. Машет, как мельница, а молоть не может. Если его не спужаться, так подходи и бей, как в куль...

— Гляди! Молодой барин пожаловал. Борского профессора сынок. Да не туды глядишь, вона — в коротких подштанниках гимназист. Неужто тоже за прасловских будет биться? Так и есть, рукава закатывает! Вот так дела!..

Люда тоже увидела Алексея Борского среди прасловских мужиков. Он был в темном спортивном трико, похожий на циркового дрессировщика среди медведей-мужиков. К тому же он начал делать разминку, насмешив и прасловских, и тараканковских баб.

— Глянь, Пелагея, какие коленки у барчука востренькие!.. А чегой-то он все присаживается да присаживается? Может, скушал чего непотребного? Поглядите, бабоньки, порточки на нем какие срамные — все видать!..

Неужели, Борский будет биться на кулаках с мужиками? От тоски-печали? Или готовится таким образом к апокалипсису? Какая-то новая идея? Ушел в славянофилы или наоборот какая-то западная мода?

В низинке же самый маленький, но самый задорный из прасловских ребятишек, получив увесистый тумак, уже заверещал пронзительно. Степенный чернобородый мужик спустился, чтобы наказать его обидчиков. Но тут же жилистый тараканковец наскочил на него с разбега, люто вращая глазищами — еще быстрее, чем кулаками. Тогда полезли в драку и остальные. Раздался первый звонкий шлепок, кто-то охнул, другой крякнул. Пошла мужицкая потеха. Уже кое-кто из зрителей, засучив рукава и поплевав на ладони, вступал в бой.

— С Богом, православные! — пискляво крикнул звонарь и тоже ринулся в толпу кулачников.

С горушки к бьющимся, прихрамывая, спустился какой-то дед. Он даже успел сунуть в первый попавшийся бок кулаком, но тут кто-то отмахнулся, задел случайно деда, и тот полетел под ноги дерущихся.

— Старика не затопчите, ироды! — закричала голосистая баба.

На деда наступили, поддали еще коленом, и он с удивительной для его лет шустростью, на четвереньках, покинул поле боя. Людмила, от души посмеявшись над бойцом «старой закалки», вдруг увидела Борского, который неспешно приближался к дерущимся мужикам.

Сначала Алексей всматривался в толпу, пытаясь, видимо, определить — где свои, а где чужие? Но, поняв, что здесь теперь сам черт не разберет, широко расставил ноги, присел, отклонив корпус чуть назад, выставил вперед кулаки, словно загадал мужикам, в какой руке у него монетка, и пошел приставными шажками в самую гущу боя.

Людмила видела, как он уклонился, потом присел, сделал красивый выпад, но тут получил сбоку такую увесистую затрещину, что голова его мотнулась, как марионеточная. Борский, однако, выправился, опять принял боксерскую староанглийскую стойку, правда, только для того, чтобы получить еще одну оплеуху с другой стороны. Он, очень некрасиво дернув ногой в воздухе, упал на траву, попытался подняться, но передумал и решил больше не испытывать судьбу, а повторить маневр старика, то есть встал на четвереньки и выкарабкался из гущи сражения.

— Барчука не затопчите, ироды! — закричала та же голосистая баба.

Над молодым барином тоже вволю посмеялись девки и бабы. Посмеялась и Людмила, но тут же забыла о его существовании, увлеченная кулачным боем. Поначалу она выбирала кого-нибудь из толпы и следила то за тем чернявым, то за этим рыжебородым. Но скоро почувствовала, что захвачена общей атмосферой боя. Звуки ударов, топот, ругательства, шумное дыхание, кашель, размазанная по лицам кровь... Она вдруг представила, что бой идет за нее, за нее мужики проливают кровь, и счастливый победитель получит ее как боевой трофей, как пленницу.

Людмила закрыла глаза. Она видела, как под рев восторженной толпы бородатый мужик с красной от крови бородой бросает ее тут же на траву, где корчатся от боли поверженные враги. И прямо тут, в виду Божьего храма... Людмила вздрогнула, открыла глаза и перекрестилась на церковный крест.

— Таракановские бегут! Погнали таракановских! Как и на Троицу... Прасловы взяли!

Что они такое взяли? Кто достался победителям? Людмила видела, что мужики спускаются к реке, встают на колени, как звери на водопое, и опускают разбитые в кровь лица в бегущую куда-то на юг речку Гранку. Так же стоял и Борский, хотя крови на нем не было, но губа у него распухла, и медленно заплывал глаз.

Людмила спустилась вместе с бабами в низину. Здесь пахло потом и кровью. Бабы разбирали своих охающих, превратившихся вдруг в капризных детишек, мужиков. Людмила подошла к Борскому и протянула ему платок.

— Вот, Алексей, намочите и приложите его к глазу. А то вы на правую сторону — совсем калмык или киргиз.

— Как вы здесь оказались? — спросил он, глядя одним глазом на ее качающееся в реке отражение.

— Как я... Как *вы* здесь оказались, Алексей? Хождение в народ? По-моему не очень удачное.

— Грубая медвежья сила, звериный инстинкт. Я хотел показать преимущество настоящего искусства, английского бокса, цивилизованной Европы перед дикостью и варварством. Аполлон или мясник? Вот в чем вопрос...

Люда смотрела на его худые плечи, проступающие под мокрой, испачканной в траве, рубашкой позвонки. Пьеро — кулачный боец. Он тоже бился за нее, но проиграл.

— Мясник, значит, победил?

— Выходит, что так, — Борский то ли кивнул головой, то ли стряхнул с волос речную воду. —

Только сам черт не разберет в этой свалке. Со всех сторон летят кулаки. Даже в кулачном бою нет порядка на Руси. Такой вот кулачный бой, совершенно бессмысленный...

— ...И беспощадный, — добавила Людмила. — Алексей, верните мне платок. Я сама вам оботру лицо.

Он выпрямился и с явной неохотой вернул ей платок.

— Я очень страшный? — спросил он, вздрагивая от ее прикосновений даже через мокрый, холодный платок.

— Мне вы такой нравитесь гораздо больше, — с улыбкой сказала девушка. — Теперь вы, по крайней мере, не рисуетесь.

— Куда уж рисоваться, — вздохнул он печально, — раз меня и так разрисовали.

Людмила снова смочила платок в речной воде, приблизилась к Борскому и вдруг, закрыв платком ему здоровый, не заплывший глаз, легонько дотронулась губами до его распухшей губы.

2003 год. Москва.

Высадил Паша дочь за квартал от школы.

— За угол завернуть, конечно, жаба задушила! — мрачно прокомментировала Мила.

— Давай, давай! — нетерпеливо поторопил он, не обращая внимания на ее недовольство. Он уже начинал опаздывать. — Целую! — и подставил щеку для дочернего поцелуя.

— Не дождесся...

Она выскочила и, хлопнув дверью, быстро зашагала по улице. Отец только головой покачал и зубом цыкнул. Резко надавил на газ и, взревев мотором, умчался. А перед глазами все витала удаляющаяся фигурка дочери... Вот в его время девчонки ходили в школу в коричневой форме с передниками и в туфельках. И как они сейчас учатся в таком виде? Даже будучи в душе художником, он с трудом понимал этот странный «прикид» — на джинсах коротенькая юбка, поверх тонкого свитера яркая футболка. Центр Помпиду какой-то. Все исподнее наружу. А язык на нос наматывать для красоты не пробовали? М-да... Выросла девочка.

Он вспомнил о том, что, будучи еще молодым студентом богемного института, клялся себе не занудствовать с собственными детьми так, как это делала его мама. Она все хотела, чтобы он выглядел прилично, все уговаривала его надеть рубашечку с галстуком. «Я тебя растила, растила. Вырастила. А мужчины так и не увидела. Потешил бы хоть материнское сердце, Павел!»

Он потешил ее пару раз, дома, на минутку. Но оказалось, что галстуки ему никак не идут. Нонсенс какой-то. И потом, ну какие рубашечки с галстуком могли быть на его факультете, где учились одни творцы? Растянутые свитера, рукава до колена, стертые до дыр джинсы и высокохудожественно ниспадающие на глаза пряди волос. Что же сейчас хотеть от детей? Но как-то в душе все равно бродило недовольство. Ну зачем себя так уродовать? Что за отрицание красоты? А еще претендует на то, что художница... Косу хоть удалось отстоять...

Перед началом урока историк Петр Самойлович с анекдотичной фамилией Печеный мобильные просил выключать. Может, кто и выключал, но Мила просто вырубала звонок. При этом по пять раз за урок смотрела на дисплей. Может, эсэмэска от кого придет — все не так тоскливо будет. Потом проверять надоело. Да, собственно, кто сейчас может ей что написать? Настя тоже в школе. Барашкин вон сидит за первой партой и записывает в тетрадь какие-то Печеновские даты. Подруга Ирка Грейс сидит рядом и тоже вертит свою трубу. А вчерашний гламурный Алекс скорее всего спит насыщенным алкоголем сном. И проснется, может быть, даже не сегодня... Так что придется погрузиться в историю.

Погружение в историю каждый раз осуществлялось по одной и той же схеме. Петр Самойлович, устав от неподвластного ему шепота в классе, неожиданно останавливался на полуслове, поджимал губы и, помолчав две секунды перед стартом, начинал орать отрывистыми фразами:

— Вы хотите, чтобы я был собакой? Я буду! Артюшенко — к доске!

В этот момент почти каждый в классе тактично занавешивал свое лицо рукой, чтобы не расхохотаться. Однако в открытую смеяться не решались. Очень уж Петр Самойлович нервничал. И вот ведь ужас — никакого эффекта это не производило. «Левшинова бы сюда, — мрачно подумала Мила. — И орать не пришлось бы».

С нервами в последнее время было не очень — экзамены начали отравлять жизнь еще с начала сентября. А уж сейчас, когда остался всего месяц, просто жуть брала. А самое ужасное — это то, что к поступлению в институт нужно было наработать целый ворох удачных работ — портретов, пейзажей, иллюстраций, эскизов. А в папку «Удачные» пока что попали только две картинки — букет сирени и стилизованный под начало века хорошенький женский портрет. Все же остальное с легкой руки Сергея Ивановича шло прямиком в помойное ведро.

Она занималась в художке и еще дополнительно вместе с Настей ходила на платные уроки в мастерскую к Левшинову, который за немалые деньги мотал ей нервы на кулак. Если верить ему, то у нее просто ничего не получалось и получиться не могло. Но сдаваться Людмила не желала.

Рисовать она любила страстно. И доказательством того, что это дело ее жизни, считала тот факт, что стоит ей начать говорить по телефону, рука сама начинает творить. Странно, но то, что она рисовала в «несознанке», когда думала и говорила о другом, выходило на редкость удачным. Гораздо точнее и живее того, что она делала с трезвым желанием создать шедевр.

Будь ее воля, она бы к Левшинову больше на урок не пошла. Она не привыкла к такому тону по отношению к себе. Ее всегда только хвалили. У людей она вызывала стойкую симпатию. Учителя ее любили. Сергей же Иванович, во-первых, был абсолютно глух к ее юной красоте, и она очень болезненно это переживала. А во-вторых, практически вовсе не видел в ней способностей к живописи, что она переживала менее болезненно, но тоже весьма ощутимо. Он относился к ней как-то снисходительно, все пытался склонить ее к разрисовке сервизов цветочками. «Прекрасная работа, — говорил он, — и, прошу заметить, никаких душевных затрат».

Но отец настаивал. Говорил, что если уж Сергей Иванович кого взялся готовить, то толк будет обязательно. Они с отцом были знакомы с юности, но не очень близко. Просто вращались в одних кругах. Знала его и мама. И, судя по ее уважительным репликам, получше, чем отец.

Левшинову было слегка за сорок. Вид у него был скорее удручающим, нежели располагающим. Был он невысокого роста, худой и болезненно сутулый. «Горбатый», как сразу про себя определила Мила. Темные стриженые волосы и заросшее густой щетиной лицо. Судя по тому, что длина его бороды всегда была одинаково короткой, можно было предположить, что он за собой все-таки следит. Одевался он самым наиобычнейшим образом. Всю зиму проходил в одном и том же темно-синем пуловере. Рубашки, правда, менял. Воротнички у них были отглаженными, а манжеты ослепительно белыми. Это у художника-то... Мила думала, что наверно его кто-то сильно любит. А вот мама или жена, было пока непонятно.

Но весь его затрапезный вид с лихвой восполнял пронзительный взгляд, какой-то острый, а потому опасный. Улыбка у него была удивительно яркая. И когда он улыбался, непонятно было, куда в этот момент девался тот невзрачный человек, который только что здесь был... А улыбался он часто. Над ученическими работами смеялся саркастически и с удовольствием. Насмехался над всем, что попадалось под руку. Миле он иногда казался серым волком, который оскалился и должен вот-вот ее съесть, но почему-то все не ест. Лучше бы уж скорее, думала она с тоской, когда он брал в руки ее очередную работу.

Сергей Иванович был графиком и станковистом, к кино отношения не имел. Зато ему не было равных в жанре иллюстраций. Занимался он в основном классиками. Выпустил Гофмана в тончайшей паутине ювелирной графики. Многие годы работал над Чеховым. Но пока что так и не закончил. «Чехова большими порциями читать нельзя, — говорил он. — Хочется повеситься. Или перестрелять всех из автомата». В то, что он может повеситься, Мила как-то не верила. А в том, что когда-нибудь всех их перестреляет — не сомневалась. Видимо, эта уверенность поселялась в сердцах всех левшиновских учеников — вот и прослыл Сергей Иванович талантливым педагогом.

В последнее время на Милу давила такая безысходность, с которой раньше она никогда не сталкивалась. Как огромный поезд, ее жизнь неслась из пункта А в пункт В. А спрыгнуть с этого поезда было ужас как страшно. То есть в принципе и такой вариант, конечно, существовал. Но ведь чисто теоретически. Правда? Спрыгнешь — костей не соберешь.

Иногда она всерьез думала о том, сколько же у человека на самом деле вариантов собственной жизни. И с томительным содроганием понимала, что великое множество. А ее дорога пока что — шоссе с указателями. И она по ним исправно катит. А ведь рядом есть какие-то тупички и проселки, второстепенные дороги и просто тропинки, заросшие травой. И кто скажет точно — какая из этих дорог приведет тебя именно туда, куда ты мечтала? Карты нет, компаса нет. А вместо них лишь интуиция и чужой опыт. А здравый смысл, к которому так часто призывала ее мама, похоже, напрочь отсутствовал.

Мама, кстати, далеко не всегда была постоянна в своих советах. Иногда у Милы после занятий в мастерской бывало такое подавленное настроение, что скрыть его от мамы никак не удавалось. Ей-Богу, ей не хотелось докладывать о своих неудачах. И говорить известные всем родителям слова: «Сергей Иванович — дурак». Самой ей справиться со всем этим было бы легче.

Но мама все чувствовала. Даже спиной. Она пила кофе, стоя у окна. И молчание свое прерывала такими словами.

— И на фига тебе это надо?

И Мила сразу понимала, о чем она. Разговоров этих она не любила отчасти потому, что сама была в своем выборе не очень уверена. А мама начинала закладывать в ней мощный фундамент сомнений:

— Надо иметь реальную профессию. Ну, мне вот повезло. А если бы не Паша? — И в припадке самокритики она откровенно резюмировала: — Все равно, не профессия кормит, а замужество. Вышла замуж за нормального мужика — и тогда рисуй себе, лепи, вышивай хоть крестом, хоть серпом да молотом.

— Ну что ты хочешь от меня? Какой реальной профессии? — Мила сразу начинала на повышенных тонах. — Чтобы я пошла на экономику? И делала деньги? Просто делала деньги... Да это все равно, что в магазине сразу какашки покупать. Зачем мучиться-то, самому делать?

Наташа смотрела на нее даже с интересом. А Мила раздраженно продолжала:

— А с мужем, который будет кормить, ты ко мне даже не подъезжай. Видела я их всех, кормящих...— Наташа молчала и иронично глядела на дочь, да-да, видела ты их, как же. Мила решительно заканчивала разговор:

— Я, может, вообще замуж не выйду. Нынче это не модно, дорогая мамочка!

— Ага... Замуж не выйдешь. Отлично! А кто тебя кормить-то будет всю жизнь? Мы с папашей? Много ты сама-то заработаешь, если яйца красить будешь...

— Мама! Ну почему ты мне все время пророчишь судьбу бабы с яйцами?! Что за бред!

У Наташи была подруга еще со школы, которая рисовала, рисовала, а потом от безысходности осела дома и с утра до ночи красила яйца. Отдавала их партиями заказчикам и еле сводила концы с концами. Однажды перешла на более сложных коллекционных солдатиков. Но стали стремительно портиться глаза. Солдатов послала. Снова взялась за преданные ею яйца...

Красить яйца — было самым страшным, по мнению Наташи, что могло случиться с художником. О том, что этот художник был изначально бездарен, а Мила талантлива, речь и не шла. Сколько гениев с дрожащими от хронического алкоголизма руками видела она в своей жизни! Наташа полагала, что даже бездарный художник может достичь славы, будь он хоть чуточку удачлив. Она никогда не считала черный квадрат талантливым произведением, а кубические этюды живописным откровением. Это была сказка про голого короля. И попытавшись однажды высказать в профессиональном кругу свое мнение по поводу признанной гениальности этих произведений, она столкнулась с полным непониманием и высокомерным презрением. Типа, куда уж тебе понять, такой примитивной...

Поэтому надеяться на то, что общественное мнение способно отличить талант от бездарности, не приходилось. В профессии художника удача — важнейшее условие. Но не единственное, конечно. Есть еще и связи. Многочисленные и на сегодняшний день, к счастью, весьма крепкие. Даже платить не придется. Все на дружеской ноге. А то, что Милка не хочет по блату — это ерунда. Ведь можно ей и не говорить. На творческие профессии в ГИТИС всегда конкурс безумный. Приезжают ребята со всей страны. Пусть тешит себя тщеславными мыслями, что это она сама такая. Зачем терять годы. Пусть учится. Это же не «Оскар» по блату. Это просто возможность учиться.

После шестого урока ум уже порядочно зашел за разум. Хотелось есть и болела голова. А впереди еще был седьмой урок. Химия. На переменке Мила вместо обычного пирожка грызла яблоко, ввиду начавшейся новой жизни. Вспомнила, правда, она об этом в самый последний момент, когда голодным взглядом уже выбирала в столовой, что бы съесть. Пока она стояла у окна и думала о том, что синоним слова «правильно» в большинстве случаев означает «неприятно», повалили эсэмэски. Настя назначала встречу в четыре у метро. Барашкин писал какую-то ерунду про грустные глаза. Она даже отвечать не стала. А также сообщалось о том, что скоро ее телефончику вырубят исходящие. Это некстати...

После химии Мила быстренько распрощалась со своими и помчалась покупать себе бутылку минералки. Без газа. Новая правильная жизнь начинала доставать.

В четыре она стояла у метро, закрыв глаза и подставив лицо теплому весеннему солнцу. Все будет хорошо, обязательно, обещало солнце. Впрочем, не только Миле, но и нищей беженке с тремя маленькими детьми, которые сидели на асфальте неподалеку и ни о чем ни у кого не просили. Устали, наверно.

В четыре десять, как всегда бегом, прилетела Настя. Весенняя. Хорошенькая. И все провожали ее взглядом. На Милу так почему-то никогда не смотрели. И она в который раз задалась этим вопросом — почему? Настя, в общем, была такая же, как все хорошенькие девочки — худенькая, темненькая с прямыми волосами до плеч, глаза у нее были серо-голубые, среднерусские. Ну, может быть, она была чуть смуглее, чем другие, такого приятного цвета крем-брюле. И никаких ухищрений в этом не было. Все от природы. Но чувствовалась в ней какая-то свобода, угадывались широта взглядов и отсутствие комплексов.

Как и почему это было понятно сразу, с первой секунды, Мила не понимала. Знала только, что будь она мужчиной, тоже наверняка смотрела бы на Настю и думала, что к этой девчонке подойти совсем не страшно.

А вот Мила такого впечатления не производила. Она и сама это видела. Мужчины ходили вокруг, цокали языком, рассматривали, как музейный экспонат, и шли дальше. Это нам не по карману. Тут коллекционер нужен. И что с этим делать, Мила точно не знала.

Были у нее некоторые соображения на этот счет. Судя по всему, придется сделать себе уценку. Скидку эдак в пятьдесят процентов. А как — она пока что ото всех скрывала. Еще не время. Сейчас не до того. Вот экзамены сдаст — тогда...

— Ну, чего наваяла? — спросила Настя, когда они уже спускались на эскалаторе.

— Да к Гоголю всякую чертовщину. Ночью потом гадость какая-то снилась.

— Во-во. Мне тоже. Сегодня полнолуние, кстати. Только не запомнить никак точно, что снится. Мне мой гений сказал, идеи надо во сне черпать, если больше негде. Я тут зачерпнула... Сейчас, наверное, все в утиль пойдет. Аж живот болит от страха. — Настя поморщилась.

— Да уж, Настасья. Что за жизнь...

С Настей они дружили уже пять лет. Вместе учились в художественной школе. А теперь вместе готовились поступать. Настя была старше на полгода, и ей еще зимой исполнилось восемнадцать. Она давно уже не жила дома с мамой. Была Настя личностью зрелой и самостоятельной. А свои любовные дела умело уводила в профессиональное русло. Оба серьезных романа, которые в ее жизни были, случились почему-то именно с художниками. И каждый ее чему-то учил. Последний, у которого Настя теперь жила, даже помогал пристраивать интерьерную живопись за приличные деньги.

Школу она заканчивала со скрипом. Как-то нелепо казалось ей вылезать в полвосьмого утра из высокохудожественных объятий, собирать тетрадки и ползти в школу. Был в этом какой-то анахронизм. Но Настя честно старалась хотя бы пять дней из шести в школу попадать. Правда, частенько опаздывала урока на два. И ей писали замечания в дневник, который потом с серьезным видом подписывал ее бойфрэнд Дима.

Настя вообще была хваткая. И нишу свою в художественном мире видела четко. Ей ужасно нравилось заниматься интерьером. А ее нынешний любовник как раз работал в этом русле. Совпадение это или трезвый Настин расчет, было неясно. По Настиным словам, все произошло случайно. Миле же казалось, что таких случайностей не бывает. Она еще просто не знала, каких только случайностей в жизни не бывает... Художник Настин оформлял квартиры состоятельным гражданам, а Насте позволял малевать всякую абстракцию в нужной цветовой гамме. И у нее это очень неплохо получалось.

Мила так не умела. Вернее, могла, конечно, наплескать на холст всяких пятен, но картин, как у Насти, из этого не получалось. У Милы была любовь к графике, прорисовке, четким линиям. Ей гораздо больше нравилось рисовать лица, чем деревья и цветы. Вот только доказать это учителю пока что не удавалось.

— Люда, это у вас что? — Он смотрел то на картину, то на нее. И у нее по спине пробежал холодок.

— Это Гоголь, — сказала она убитым голосом.

— А что, разве Гоголь комиксы писал? — оскалился он, как волк.

— Нет, не писал.

— А что же вы мне комиксы рисуете? Или вы Гоголя в адаптированном издании для детского сада читали? — Его глаза жестоко смеялись над ней. — Этим только детей пугать. Вы, Люда, просто не брались бы за то, чего не чувствуете. Ну, куда вы все время лезете, в какие дебри? Что там у вас еще в планах?

— «Мастер и Маргарита» и Лермонтов...

— Конечно, «Демон» Лермонтова, — Левшинов почему-то делал ударение на предпоследний слог. — До чего же вы предсказуема, Людочка... И что ж вас так демонит? Вы бы попроще что-нибудь взяли... — Поженственней. Может, русские сказки пойдут. Или там, цветик-семицветик какой-нибудь. Тоже ведь литература. Я не шучу. Просто нельзя рисовать то, чего не понимаешь! Ну, куда вам все эти страсти? Вам до них еще расти и расти... Так, Люда! Здесь не плакать! У меня все плачут в коридоре.

Она схватила свою папку и сумку, выбежала и хлопнула дверью. Может быть, зря. Но думать об этом не хотелось. Хотелось плакать... Настя осталась в мастерской. А она брела по весенним улицам и твердила про себя: «Я все равно буду рисовать то, что хочу. Демона. Да. Всем на зло! Цветик-семицветик... сам рисуй! Урод!»

А дома до глубокой ночи на стол ложились, как лепестки этого самого семицветика, бесконечные этюды — демон страдающий, демон влюбленный, демон поверженный. Но где-то все это она уже видела. И летели на пол в клочья разорванные листы.

Глава 4

Моя родная богатырка —
Сестра в досуге и в борьбе,
Недаром огненная стирка
Прошла булатом по тебе...

Николай Клюев

1906 год. Надтеречное казачество.

В хату через окно лез до того толстый солнечный луч, что казалось, еще немного, и он отодвинет табурет вместе с сидевшим на нем пожилым казаком к самой стене. Казак ковырял шилом какую-то часть конской упряжи, а сам злобно косился на жену: догадается ли баба задернуть занавеску, а если догадается, то как скоро? Жена так невозмутимо выполняла свои немудреные дела по дому, снуя туда-сюда, иногда задевая рабочую руку казака полным бедром, что ему пришла мысль, будто дрянная баба впрямь догадывается, а дразнит его нарочно. Причем, при такой основательной комплекции она умудрялась так быстро проносить мимо супруга свою щедрую природу, что только пуля успела бы ее достать. Куда уж тут шилу?..

— Папаня, а Катена опять черничного варенья взяла, спряталась за конюшней и на бумажке что-то

74

вареньем пишет, — быстро, на одной комариной ноте, пропищало у казака за спиной.

Он, в золотом солнечном окладе, как святой угодник, повернулся на голосок. В дверях стояла девочка лет семи с летними выгоревшими волосками, чумазым носом и таким же хитрым, как у казака, взглядом.

— Что ты такое, Дашутка, гутаришь? — переспросил отец для порядка.

Дашутка повторила все слово в слово на той же самой единственной ноте, после чего, на всякий случай, втянула голову в плечи. Отец, хмыкнув, вогнал шило в деревянный стол от греха подальше. Вот и вожжи, кстати! Табуретка какое-то мгновение балансировала на двух ножках, но тут, должно быть, солнечный луч подтолкнул ее, и она грохнулась об пол.

Но пока табуретка балансировала, как в китайском цирке, Михаил Александрович Хуторной уже выбежал во двор с вожжами наизготовку. Катену по точному донесению младшенькой сестрицы он обнаружил сразу. Отроковица сидела на старой колоде, закусив от усердия темную косу и заведя глаза на манер кающейся Марии Магдалины. Перед ней лежал мелко исписанный листок плотной бумаги и плошка с черничным вареньем. Больше всего Михаила Александровича почему-то возмутило прекрасное гусиное перо, видимо, только что гулявшее на заднем дворе в крыле любимого им боевого гусака.

Казак Хуторной полюбовался еще немного на вдохновенную отроковицу и занес над ней свежепочиненные вожжи. Тут ему и вспомнилась прошлогодняя Москва, восставшие рабочие кварталы, баррикады, дружинники с красными ленточками, гулкий стук копыт по обледенелым мостовым. Вспомнилась ему и демонстрация студентов, когда грудью своего Разлетного он бросил на землю очкастого горлопана, а потом погнался за кем-то, свернувшим в переулок. Когда он занес над головой нагайку, между ушей Разлетного увидел разметавшиеся косы. Баба! Даже совсем девчонка... Не пожалел ее тогда казак Хуторной, всыпал по первое число, но не по лицу, не по голове, а низко пригибаясь к седлу, по-отцовски. Что-то еще демонстрантке наказал на прощанье...

Сразу же перехватило дыханье, подкатило. Прав был старикашка-доктор с жиденькой бородкой: нельзя ему было быстро ходить и руками махать. Пуля дружинников задела легкое, а оно, хоть так называлось, но тяжесть от него была такая, что в глазах темнело. Но ведь ту, чужую деваху, казак Хуторной тогда не пожалел, а свою дочурку, выходит, помилует. Был казак Хуторной честен перед Богом и людьми, потому превозмог себя, перекрыл кое-как мышцами ли, кишками какими дырочку в легком и стеганул вожжами по широкой Катькиной спине наискосок.

Взлетела Катена высоко, взвизгнула еще выше, а перышко гусиное в черничном варенье под плетень полетело.

— Вы что, батяня?! Больно же бьетесь! — закричала уже побасовее.

— Ах, тебе больно, бумагомарака?! — удивился Михаил Александрович. — Я же хотел тебе медку еще к вареньицу принести. Пусть, думаю, Катена сладеньким на бумажке напишет. Так решил — вожжами-то будет сподручней. Вожжами на спине писать куда как легче.

Он опять замахнулся, на этот раз с левого плеча. Катена стояла перед ним, загородившись от гневного отца мелко исписанной бумажкой, как иконой. От последней строчки двумя струйками бежало вниз еще не высохшее черничное варенье. Михаил Александрович прищурился орлиным оком и медленно, с расстановкой, прочитал первые попавшиеся строчки:

> Люба мой, казак-душа,
> Отойдем до камыша...

Аж дырка в легком присвистнула у казака Хуторного! Тут уж ударил он, не глядя, а куда Бог пошлет. Теперь полетел вверх исписанный сладкими строчками и рассеченный вожжами листочек бумаги. На лету он повернулся обратной стороной перед озлобленным лицом казака Хуторного, и тот узнал такие знакомые красно-черные буквы. Листок словно метнулся к своему знакомцу, приклеился вареньем к его ладони, и Михаил Александрович опять был вынужден читать: «Во славу святыя единосущныя животворящия и неразделимыя Троицы, Отца и Сына и Святаго Духа: благословениемъ высокопреосвященнейшаго Алимпия Старообрядческаго митрополита Московскаго и всея Руси напечатася сия книга "Молитвенник" во граде Москве от Адама 7346». Добралась, стерва, до святой бумаги!

— Зарезала! — над станицей Новомытнинской пронесся душераздирающий крик казака. — Зарезала бесовская дочь!

На крик его выбежали во двор домашние, вытянули из-за плетней любопытные шеи соседи. Но, поняв скоро, что Хуторной выражался образно, потеряли к скандалу всякий интерес. К тому же все знали, что на серьезный сабантуй Михаила Александровича после ранения уже не хватает. Сейчас вот покричит, а потом сядет, будет долго кашлять, сипеть и скрести пальцами простреленную грудь. Постепенно он затихнет, будет испуганно прислушиваться к внутреннему свисту и, как обычно, скажет напоследок:

— Не свисти ты — денег не будет...

Прошлый год в казачьей семье Хуторных приключилась беда. Что подранили главу семейства, казака Михайлу Хуторного, то большой бедой не считалось. На то он и казак, чтобы жизнь положить за царя и Отечество. Другое здесь приключилось, не в пример злее. Народился в семье Хуторных писатель, а это для любой российской семьи — большая беда, тем более среди вольного терского казачества, где заразы этой отродясь не было.

Поначалу думали, что девка влюбилась. Стали замечать за Катеной странную задумчивость прямо посеред работы. Месит, веет или отбивает, но вдруг встанет столбом, глаза сделаются лукавые, точно у пьяного цирюльника, и губами шевелит. На гулянки однако ж Катена не ходила, семечки с девками да парнями не лузгала. Неужто уже долузгалась?

Сводили ее к бабке Серафиме на осмотр и консультацию. Бабка никаких пробелов в девке не нашла, но на всякий случай бросила Катене за воротник живую лягушку и окатила ее неожиданно холодной водой. Девка от этого лечения заболела, несколько дней провалялась на лежанке. Бабка Серафима сказала, что это из нее болезнь с лихорадкой выходит. Болезнь действительно вышла, то есть вылилась на бумагу в виде нескольких стихотворных строчек.

Михаил Александрович посмотрел на написанное, читать, правда, не стал, но заметил, что обычно люди пишут поубористее, чтобы бумагу экономить. Чего же, спрашивается, она четыре строки намалевала, а кругом письма еще свободной бумаги оставила. Михаил Александрович в Москве даже газету читал, так и там поля узенькие оставляют. Поэтому бумагу Катене он трогать запретил, а чернила и подавно.

Однако Катена запрет тайно нарушала. Ничего с собой поделать она не могла, стихи из нее так и перли. Бумагу она находила где придется, вместо чернил придумала использовать варенье. Что писать можно молоком и кровью, она узнала много позднее.

Наказывал ее отец жестоко, как принято в казачьих семьях. Случалось, попадало ей ни за что.

Например, перебирает Катена пшено, а батяня тут как тут — подкрадывается. Думает, что раз притихла, то опять бумагу дочка марает. Стеганет ее радостно, пшено на землю. Слезы, ругань, тут и старуха бежит с колотушкой... Беда с этими писателями.

Михаил Хуторной был мужик башковитый, кроме того, кое-какого сыскного опыта набрался в революционной Москве. Поэтому тайным агентом своим назначил младшенькую дочку Дашутку, любимицу. Теперь проколов у него не случалось. Коли Дашутка сказала, что бумагомарака опять принялась за свое, значит, бей не глядя.

Катена была девкой здоровой, вся в мать, постоять за себя могла бы, особенно против инвалида первой русской революции, который дышал одним легким. Но сочинительство ее заметно ослабило, смягчило. Где бы размахнуться да кулаком наподдать, она все больше задумчиво созерцала. Поэтому была регулярно бита, но творить стихи не переставала.

Однажды Михаилу Александровичу пришла в голову мысль: если Катена действительно пишет что-то стоящее, может, ей в газетах платить еще будут? Говорят, эти щелкоперы приличные деньги имеют. А Катена и работает по хозяйству, и сочиняет одновременно. Но для начала сводил ее к хорунжему, который казачьих детишек в станичной школе грамоте и счету учил. Степан Рудых — мужик образованный, говорит долго и непонятно, даже по-японски здороваться умеет, а по-английски прощаться. Пусть он сначала почитает опытным глазом, а то как бы на весь мир не опозориться.

Хорунжий Рудых взял тогда на выбор один листок, подгоревший с одного бока, но спасенный все-таки Катеной из огня и стал читать вслух:

Степь моя ковыльная,
Я сама кобыльная.
А душа все плачет,
Кто ж на мне поскачет?..

Степан крякнул, словно водки хватанул вместо воды, но дальше стал читать про себя. Катенины стихи его заметно взволновали. Он прочитал их все, некоторые даже перечитал. Потом попросил жену подать кваску холодненького. Пока та ходила, смотрел просвещенным взором на Катену. Перед тем, как высказаться, долго пил из глиняной кринки. Вспомнил, наконец, о Михаиле Хуторном, который ждал его приговора:

— Я тебе, Михайло, скажу по дружбе нашей откровенно. Стихи Катенины, конечно, сыроваты, но не лишены, так сказать... Да, соль в них есть. А в стихах, поскольку судить могу в этом вопросе достаточно вполне, это главное. Но нет еще изящества образов и в рифме, я бы сказал, нет легкости окончаний. Вот вспомним классический пример. «Кавказ подо мною...» В смысле, это Пушкин написал. Так вот. Есть чему поучиться у Пушкина. Не грех, значит, поучиться. Так что сразу отсылать такие произведения в газету не полагается. Скандал, разумею, может случиться. Потому, Михайло, по дружбе нашей старинной могу за это дело... — тут Степан посмотрел на монументальную Катенину грудь, — за дело, стало быть, взяться. Стихи я очень уважаю, разбираюсь в этом деле, как в кобылах. Смогу девке помочь...

По воскресным дням Катена стала захаживать к хорунжему для постановки изящного стихосложения. Как известно, для пения требуется развитие грудной клетки, для танцев — ног, а какой орган собирался развивать ученице Степан Рудых увидела случайно зашедшая в горницу жена хорунжего. Одной рукой преподаватель гладил Катену пониже спины, другой же одновременно орудовал под ее расстегнутой кофточкой. Так и осталось неясным, насколько действенной была методика хорунжего, потому что после того знаменитого скандала в его доме, с битьем посуды и разрыванием одежды, уроки стихосложения прекратились.

Теперь Михаил Хуторной окончательно понял, что стихи — дело в высшей степени греховное и девушке решительно противопоказанное. И еще он вспомнил, как в Москве после посещения одного общественного заведения мучительно страдал и долго лечился. Так вот девка Манька, через которую он наказание это принял, тоже ему стишки читала. Значит, от стихов этих одна зараза.

К лету Михаил Александрович почувствовал себя значительно лучше, легкое заживало. Брали свое казачья порода и терская природа. Поэтому и Катене доставалось теперь больше прежнего. То и дело слышался писклявый голосок Дашутки на одной долгой комариной ноте:

— Папаня, Катена опять сидит и пишет на бумажке, и губы вот так делает, а глазами страшно таращит... Бумага-марака...Бумага-марака...

2003 год. Москва.

В пятницу позвонил Алекс. Тот самый, с которым она познакомилась на премьере. Она ждала его звонка. Но к этому времени ждать уже перестала. Услышав его вкрадчивый голос, разволновалась. Отвечала односложно. На вопрос: «Ты все такая же обворожительная?» послушно смеялась, потому что не знала, как лучше ответить. Сказать: «Все такая же» — а вдруг он разочаруется, когда ее увидит, все-таки тогда она была в черном платье? Сказать:

«Нет. Уже не такая», — тогда он не захочет с ней встречаться.

Будь он ее ровесник, она бы говорила с ним совершенно иначе. Ровесников она ни во что не ставила. Издевалась, как хотела. А Алекс был взрослый. И это как-то ужасно на нее действовало. Иногда ей казалось, что именно об этом она и мечтала. Но вместе с волнением от его звонка где-то в глубине души поднималось нечто вроде протеста. Какое-то противное чувство раздражения.

О встрече договорились на воскресенье в полдень. Странное время для свидания. Тогда, когда они познакомились, был приглушенный свет. Атмосфера соответствовала. А что будет в полдень посреди улицы?

Тогда она выглядела по-королевски. А сейчас, как ей казалось, явно сдала. Учеба. Творческие мучения. Правильная новая жизнь, от которой уже явственно проступали темные круги под глазами. Веки, припухшие от ночных стенаний в подушку.

В воскресенье родителей дома не было. Они еще в субботу укатили на дачу со всей съемочной группой для торжественного расставания. «Вот что в кино ужасно, — часто говорил отец, — что всегда приходится прощаться с хорошими людьми. Работаешь, работаешь. А потом расстаешься с ними навсегда. И судьба больше не сводит».

С Алексом договорились встретиться возле церквушки рядом с домом на улице Неждановой. Мила как-то нервничала. Не понимала сама почему. Он не нравился ей так, как должен нравиться мужчина.

Он просто был ей нужен.

Ее уже окончательно доконала эта непринадлежность никому. Женская сущность рвалась наружу. Хотелось жить в любви. И даже это чувство в душе уже было свито, как свивают птицы гнездо для еще только планирующихся птенцов. Все в ее душе уже было сделано под ключ. Вот только ключа ни у кого пока что не находилось.

Она сначала накрасилась. Потом все смыла, чтобы он не подумал, что она хочет ему понравится. Решила одеться просто, так, как всегда. Долго молча смотрела на свои ботинки на грубой рифленой подошве и переводила взгляд на мамины сапоги на шпильке. В конце концов, после долгого мысленного просчета ситуации, выбрала мамины.

«Что ж мне так плохо-то...» — подумала обреченно. Вдохнула глубоко. Решила успокоиться. Но на душе было противно. Как будто делала она что-то не то. «Ничего. — Она себя успокаивала. — Не понравится — уйду. Что такого?»

Возле церкви его не было. Такого Мила совсем не ожидала. Покрутила головой направо-налево и почему-то с чувством глубокого облегчения направилась прямиком на другую сторону улицы. Но тут от стены дома отделилась фигура, и она почувствовала, как внутри что-то падает.

Он подошел к ней. Высокий до неприличия. В клетчатых штанах на палец короче, чем надо. В голове у нее отпечатались светло-коричневые ботинки невероятно большого размера.

— Привет! И что, ты вот так бы сразу и ушла? Не стала бы меня ждать? — он говорил, чуть наклонив голову набок, так ласково, что ей стало не по себе.

— Да. Не стала бы. Здравствуйте! — Ей было неловко назвать его по имени. Она его имени еще вслух никогда не произносила. Почему-то всегда ей в таких ситуациях казалось, что запомнила она имя неправильно. И если назовет, то непременно ошибется.

Теперь она не знала, куда девать руки. Все пошло по самому ужасному сценарию, какой только она могла ожидать. Вместо того, чтобы держаться независимо и с чувством собственного достоинства, она боялась даже посмотреть ему в глаза. Но не потому, что была смущена его присутствием, а потому, что боялась нагрубить. И сказать деловым и не подлежащим обсуждению тоном: «Знаете, Алекс, не звоните мне больше никогда. Извините». Но вместо этого она упрямо глядела в сторону и молчала. А он улыбался, как будто все понимал. И за это она его хотела просто убить. Не надо этого проникновенного взгляда! Иди, куда шел.

— Ну, что, куда ты хочешь пойти? — спросил он наконец.

— Вас, кажется, Алекс зовут? — спросила она небрежно и хотела продолжить, но он перебил:

— Какая у тебя блестящая память...

— Алекс, пойдемте просто куда-нибудь идти, — сказала она какую-то чушь, ужасно на себя злясь.

Она быстро зашагала по улице. Он ее догонял.

— Послушай, ну, школу-то, надеюсь, ты уже закончила? — спросил он, когда им удалось поравняться друг с другом.

— Нет. Не закончила. Но остался всего месяц. Вы подождете? Или это что-то меняет? — Ей хотелось найти какую-то опору. Вот если бы он сказал какую-нибудь глупость, она бы его долго и с удовольствием топтала. Но он ничего плохого пока не сказал. И, судя по всему, не собирался.

— Да нет. Это ничего не меняет. Зато многое объясняет... Ты просто похожа на девочку, которая впервые вышла одна погулять. — Он быстро шел рядом. — Да, слушай, у тебя с собой нет случайно иголки? Занозу где-то посадил...— Он взял в рот палец, потом подул на него и, казалось, был очень на этом сосредоточен.

— Я не ношу с собой иголок, — сказала она как можно равнодушнее. Ее не проведешь. Ведь он просто хочет, чтобы она его пожалела.

— А мне показалось, что ты вся в иголках сегодня. Нет? — Алекс смотрел ясно и улыбался. Он явно приглашал ее к миру и дружбе.

— Нет! — ответила она, как трудный подросток. И сама уже готова была заплакать оттого, что никак не могла нащупать брод в топи своего настроения.

Какое-то время они шли молча. Быстро, как будто ужасно торопились. Мила завернула за угол и шла уверенно к какой-то одной ей ведомой цели. Он не мешал ей. Но и не отставал. Она стремительно начала переходить улицу по диагонали, не утруждая себя тем, чтобы посмотреть сначала налево, как учили в детстве.

Когда раздался визг тормозов, она уже бежала по противоположной стороне. Водитель обругал ее трехэтажным матом. Алекс перейти не успел. Стоял на той стороне. Она остановилась на тротуаре, одну руку уперев в бок, а другой закрыв лицо. Постояла так молча с минуту. Потом почувствовала, что он переминается с ноги на ногу рядом. Потом берет ее за руку и куда-то ведет.

Она не слушала, что он говорит. Смотрела на зеленые листочки. Когда она пришла в себя окончательно, оказалось, что они сидят на скамейке в скверике. Он рассказывал ей какую-то историю. Она посмотрела на него. Зачем она тут сидит? Зачем ей этот мужчина? Какой-то слишком породистый, правильный, заботливый и почему-то жутко раздражающий.

— Ты читала Умберто Эко? — он спрашивал и видно было, что знает ответ наперед.

— Нет. Не читала. — Больше всего на свете она не любила признаваться в том, что чего-то не читала. У них в семье считалось хорошим тоном все время читать. Вот других она частенько подлавливала. А сама считала, что читала больше, чем все вокруг. Но разве ему объяснишь, что я не такая. Вообще-то я начитанная и умная. А дурой выгляжу только сегодня и исключительно в вашем высоком присутствии.

— Ничего. Я тебе дам. Это обязательно нужно прочесть. — Он ее еще будет учить, что читать...

— Мне нужно идти. Извините, — сказала она, перебивая его на полуслове. И поднялась. Он встал тоже. Остановил ее, став поперек дороги. Она смотрела ему в грудь. Потом он взял ее подбородок и слегка приподнял.

— Может быть, тебе кажется, что если мы встречаемся, то я буду навязывать тебе интимные отношения?

Ей стало мерзко. Она сощурила глаза, как партизанка и твердо сказала, делая эффектные паузы между словами:

— Думаю, это зависит от меня.

— Умница, — одобрил он. И она поняла, что больше не выдержит этого хорошего и умного дяденьку. Она высвободила лицо из его руки.

— Алекс, — сказала она, наконец, обретая уверенность и радушно улыбнувшись. — Не надо, пожалуйста, мне больше звонить. Никогда.

— Как скажешь, — ответил он покладисто и легко.

— Всего хорошего. — Она повернулась и пошла, чувствуя, как весна мгновенно заполняет все освободившееся пространство ее души.

Она не оглядывалась.

Она освободилась.

Все. Все. И не вспоминать. А то стошнит.

Личная жизнь отошла на второй план. Зато на первом замаячил Левшинов.

С тех пор, как она хлопнула дверью, на занятия к нему она не ходила. Пропустила уже дважды. И как из этого положения выбираться, совершенно не представляла. Пьянящее чувство свободы потускнело. Его место заняла глухая неудовлетворенность собой. И что делать дальше? Уроки отец оплатил до конца учебного года. По крайней мере, еще целый месяц она должна была ходить в мастерскую, как зайчик.

Каждый раз, когда раздавался телефонный звонок, она вздрагивала. Боялась, что Сергей Иванович сам позвонит отцу. Однажды вечером она даже набралась наглости и вытянула шнур от телефона из розетки. Детская выходка. Ведь, если родителям нужно было бы позвонить, они бы все равно воткнули его обратно, да еще стали бы докапываться до истины.

Надо было что-то решать. Сказать родителям, что больше ходить к нему не будет, она не могла. Во-первых, такие разговоры она начинала уже не однажды, особенно по первости. А во-вторых, среди последних ее эскизов стало появляться нечто более-менее сносное. И хотя она уже сама начала относиться сверхкритично к тому, что делала, в душу закралась тщеславная мыслишка, что показать мастеру уже есть что. Вот только как к нему вернуться?

— Ерунда, — сказала ей Настя, когда забежала в гости. — Извинись, да приходи. Делов-то. Он, кстати, спрашивал, не заболела ли ты. Ничего такого ужасного про тебя не говорил.

А потом, помолчав, спросила:

— Как ты сама-то? Че грустная такая? Не из-за Левшинова же... Чего твой? Появлялся?

— Звонил вчера. Обещал на выходные приехать. Номер в гостинице снять.

Мила врала привычно. Но почему-то без прежнего удовольствия. Видимо, эту историю нужно будет как-то плавно закруглить. Она начинала мешать. Потому что о реальном положении дел даже самой близкой подруге рассказать она уже не могла. И не сможет никогда. В таких вещах не признаются.

— Прямо тайны мадридского двора у тебя, Люська, — рассмеялась Настя. — Только не нравится мне это. Мужчина, который прячется, нам не годится. Поверь моему опыту.

— Да. Мне тоже начинает все это надоедать, — совершенно искренне призналась Мила. — Пошлю подальше. Опыт уже есть. Я тебе не рассказывала еще — я же с Алексом встречалась!

— Ну и... — выжидающе посмотрела на нее Настя, сидя на диване с поджатыми под себя ногами.

— Обидела мужика. Даже жалко теперь. Шлея под хвост попала. Но уж больно он хороший. У тебя так бывает? Да? Чем лучше, тем хуже... Кошмар просто какой-то...

Когда они с Настей вырулили на реальные события, Миле стало лучше. Вообще-то, она не собиралась рассказывать подружке об этом ничего не значащем свидании. Но сейчас это было предпочтительнее, чем колдыбать по ухабам потерявшей свое обаяние сказки. А когда Настя ушла, Мила решила со сказкой покончить навсегда. И так и записала в своем дневнике.

«Хватит врать. Надо начинать жить! Все не так, как надо. Это потому, что я плыву по течению. А надо бороться. Иначе это плохо кончится...»

А кончилось все тем, что часов в одиннадцать вечера, когда она сидела за своим столом и жаловалась дневнику на неудовлетворенность жизнью, на столе у нее запел соловьиными трелями мобильный. Номер не высвечивался. Она довольно долго на телефон смотрела. Сразу испугалась, что это Алекс. Потом все-таки ответила. Решила заодно загладить свою вину перед ним.

— Да.

— Людмила. Это Левшинов. Добрый вечер.

Она обалдело молчала.

— Хватит, Люда, от меня прятаться. Я вас не съем. Слышите?

— Да, — пролепетала она.

— Ваш папа, которого я, кстати, очень ценю, хотел у меня на днях узнать, как успехи его дочери. Так что мне ему ответить при случае?

— Сергей Иванович, скажите ему, что успехов у меня никаких нет. Пусть не надеется. И всем сразу станет легче. И вам, и мне, и папе.

Он вздохнул.

— Люд, не валяйте дурака. Я жду вас завтра в обычное время.

И повесил трубку.

Она еще какое-то время просидела за столом, успокаивая сердце, которое колотилось, как бешеное.

Назавтра она пришла. Больше речь о ее прогулах он не заводил. Зато все остальное ничуть не изменилось. Он, конечно, не съел ее. Да. Слово свое он сдержал. Но легче ей от этого не стало.

— Лермонтова принесли, — сказал он со своим излюбленным ударением на предпоследнем слоге. И в предвкушении разноса хищно потер руки.

Не годилось все. Единственное, что изменилось — смотрел он ее рисунки внимательнее. Вглядывался. И пытался что-то понять. Видимо, ее упрямство в выборе темы на него некоторым образом подействовало. Но форма донесения до ученика информации осталась прежней.

— Вы, Люда, что, в оперетту часто ходите? — Он вскинул на нее пронзительно острые глаза. — Демоны у вас какие-то опереточные, искусственные. Какие-то ряженые. Как будто роль играют, а потом пойдут домой пирожки с капустой есть и детям козу делать. Вы сами-то в них верите? На самом деле?

Она растерялась. Никогда об этом не думала. То, что в Бога верит, сомнений не было. Ну, раз в Бога, получается, что и... Но отвечать не пришлось. Он все прочел на ее лице.

— Вы не внешних эффектов ищите. Вы суть характера поймите. Гордыню непомерную. Страсти, сжигающие все внутри. Трагедию. — Он остановился и внимательно на нее посмотрел. — Ведь это же трагедия. — А потом добавил с сомнением: — Вы, вообще, представляете себе хоть немного, что такое страсть? И что такое необузданность? — Она неуверенно кивнула. — Вот и сочините себе характер. Не зацикливайтесь на этих узорах и плащах. Ваш любимый Врубель, между прочим, демонов голыми рисовал. А все равно понятно, кто перед тобой. А ваших раздеть, так просто новобранцы какие-то, прости Господи...

Что это был за урок! У нее лихорадочно горели щеки, а чистый лист перед ней светился, как крыло ангела. Левшинов стоял с ней рядом и рисовал ее рукой, взяв ее своими сильными длинными пальцами.

И слишком горд я, чтоб просить
У бога вашего прощенья:
Я полюбил мои мученья
И не могу их разлюбить.

Она прочувствовала, как это бывает с избранными. Как из-под карандаша начинает смотреть на нее страшный бездонный глаз. Как гордыня заламывает бровь. А вечная печаль змеится вертикальной складкой над воспаленными глазами. Искусанные в кровь губы и обтянутые кожей скулы... Она видела, как рождается чудо. У нее на глазах, из-под ее руки, руки, которой водил мастер.

Настя затаилась за своим планшетом и боялась даже вдохнуть. Такого она еще не видела.

— А теперь нарисуй сама! Нарисуй мне два лица. Здесь лицо ангела. А здесь то, что с ним стало потом. И объясни почему. Словами. Я хочу понять твою логику.

И она, как зомби, ринулась в бой. Пропал зажим, ушло стеснение. Мысли прояснились, чувства обострились. Он раскрывал ее. У него получалось. И сам он в этот момент смотрел на нее с искренним восхищением, как на ребенка, который делает первые шаги.

Потом она возвращалась домой, выжатая, как лимон. Ей казалось, что она просто рухнет прямо на улице, что до дома не доползет. Позже она уже не могла даже вспомнить, как это у нее получилось. Как будто канал, открытый для вдохновения, опять зарос толстой непробиваемой кожей.

Но факт оставался фактом — домой она уносила две совершенно чужие работы, сделанные ее собственной рукой. Ей они не принадлежали. В нее как будто вселился кто-то, и она списывала то, что увидела своим внутренним взглядом. Она могла поклясться, что лицо, которое пробивалось к ней из другого измерения, было ею вовсе не придумано. Она его видела воочию.

Что-то с ней тогда произошло. И Сергея Ивановича бояться она перестала. Все к нему приглядывалась. Все пыталась понять — что за сила в нем сокрыта. Она научилась с ним говорить и понимать, чего он от нее хочет. Плакать больше не хотелось. Хотелось только дожить до того дня, когда хоть что-то в ее самостоятельных работах заставит его одобрительно кивнуть. Пока что с ней такого счастья не случалось. Если, конечно, не считать того памятного урока и ее первого прорыва.

Насте и то везло больше. Она, правда, работала в другом жанре. Ни на какую конкретику не нарывалась. Купалась в своей излюбленной абстракции. Но Сергей Иванович относился к ее цветовым экзерсисам вполне благосклонно. И Мила подруге завидовала.

Дома к ее работам всегда относились, как к шедеврам. Мама каждый раз всплескивала руками. Лучшие на ее взгляд утаскивала в свою спальню. И там у нее был уже маленький Милин музей. Отцу нравилось тоже. И хоть он не успевал так планомерно, как мама, следить за тем, что она делает, зато был уверен, что из нее выйдет толк. И он обязательно нажмет на все свои связи, чтобы ее послали на стажировку в самую лучшую школу Европы. Для чего еще, думал он, надо было зарабатывать деньги, как не для своего собственного ребенка?

Может быть, именно своими восторгами они ее и разбаловали. И едкая критика Левшинова была единственным способом заставить ее работать. И теперь она это понимала.

Глава 5

Если б я был твоим рабом последним,
сидел бы я в подземелье
и видел бы раз в год или два года
золотой узор твоих сандалий,
когда ты случайно мимо темниц проходишь,
и стал бы счастливей всех живущих в Египте.

Михаил Кузмин

1906 год. Северный Кавказ.

Если бы Аслана спросили: скажи, джигит, как ты можешь — сутки сидеть в засаде, не шелохнувшись, не сомкнув глаз, не потеряв ни толики внимания? — он бы, наверное, не ответил, а задумался. А, задумавшись, уже не смог бы сидеть в засаде так, как прежде. Нет, Аслан, конечно, думал, переживал происшедшее с ним недавно, но отстраненно, не позволяя посторонним думам захватить себя полностью, без остатка, замутить внимание, заманить в сети нечаянного образа и сладкого сновидения.

Он очнулся три дня назад в тени кизилового куста около дороги на Кизляр. В себя Аслан пришел от острого чувства, которое, словно ведро холодной воды, вылилось на него. Это чувство было острее шашки и кинжала. Имя ему — неутоленная месть.

С этим чувством он встал на ноги, с этим чувством осмотрелся и сориентировался.

Аслан Мидоев возвращался пешком в свой родной аул Дойзал-юрт. Его оскорбили и унизили, как мокрохвостого щенка. Значит, теперь он должен убить Давлет-хана? Но, убив обидчика, он смоет оскорбление, но не вернет себе имя джигита. Что он должен был предпринять? Как опередить скорую горную молву, которая того и гляди разнесет по чеченским аулам весть, что юного Мидоева рано записали в лихие джигиты? Аслан даже зашагал быстрее, словно молва действительно уже бежала впереди него.

Чувство мести туманит головы равнинным народам, толкает их на поспешные, неразумные поступки. Но чеченец находит в нем силу, отвагу, хитрость, терпение и хладнокровие. Оно вооружает его неким древним знанием, про которое ничего не сказано в священных книгах. Он пьет из сокровенной чаши возмездия, и чаша эта остается полной до краев, пока не свершится обряд отмщения.

Это чувство подсказало Аслану план дальнейших действий. Не следует отнимать жизнь у Давлет-хана, который запросто мог убить его, но не сделал этого. Надо заставить его заплатить сполна и за Меченого, цена которого за эти дни выросла, за оскорбление и унижение, за волосяной аркан ногайца на его шее. Он назовет ему другую цену, и на этот раз Давлет-хан будет платить во что бы ни стало. У Аслана Давлет-хан украл коня, он же потребует у князя выкуп за украденную... жену.

Он уже много часов смотрел на дом Давлет-хана с таким же неослабеваемым интересом, с каким его сверстники в столичных городах глазели на светящийся экран синема под аккомпанемент тапера. Зеленая бурка, искусно сплетенная из травы и листьев, превращала его в едва заметный холмик в усадебном саду под тутовым деревом. Он и был в этот момент кучей листьев, кротовьей норой, торчащим корнем. Он сам верил, что нынешней весной пророс сквозь перегной и увидел солнце. Без этой веры он не стал бы невидимым.

Давлет-хан все-таки усилил охрану, опасаясь поспешной мести несдержанного мальчишки. Весь день вокруг дома сновали вооруженные слуги. Ногайцы выезжали пару раз осматривать окрестности усадьбы в сопровождении огромных волкодавов. Но собаками охранялась только хозяйственная часть усадьбы Давлет-хана, чем и воспользовался Аслан. На боевой башне дежурили два человека и сменялись они чаще, чем обычно.

В остальном поместье жило своей обычной жизнью. Слуги в ливреях важно ходили с подносами, за углом, исподтишка слизывая мороженое и отхлебывая прохладительные напитки. Из открытых окон слышались неуверенные, спотыкающиеся фортепьянные пассажи. Один раз Аслан услышал конское ржанье где-то за домом, в манеже, и признал голос Меченого. Это был недопустимый для правильной мести соблазн, и Аслан смирился.

Наконец, в дверях на деревянной галерее он увидел стройную фигурку в белом платье. Молодая женщина накручивала на палец темный локон и смотрела задумчиво на тутовое дерево, под которым притаился Аслан. Только у чеченки даже на таком приличном расстоянии можно рассмотреть черные, как уголь глаза. Никакой европейский шелк не спрячет стройность дикой газели и гибкость лесной кошки. Вот она — жена врага.

Эту женщину в белом платье он увидел еще раз рядом с двумя мальчиками-погодками, одетыми тоже по-европейски. Маленькие чеченята напоминали диких волчат, которых нарядили в панталоны для болонок и повязали атласные бантики. Стоило женщине отвернуться, как они начинали наскакивать друг на друга, хищно скалиться, при этом сохраняя молчание. Старший умудрился в одну из таких «волчьих» минуток даже запустить камнем в верхнюю бойницу боевой башни. Чеченцы редко промахиваются. Даже Аслан, получеловек-полурастение, улыбнулся, расслышав раздавшийся высоко над усадьбой крик и, судя по интонации, самое страшное ногайское ругательство.

Теперь Аслан пил из чаши возмездия маленькими глотками, не спешил. Он знал, что кем-то неведомым ему обязательно будет подсказан тот единственный момент, когда следует перестать быть травой и землей, когда надо вылезти из кротовьей норы и серым волком ворваться в овечье стадо.

Когда усадьба погрузилась в сумерки, на помощь зрению пришли иные чувства. Обострился слух, расширились по-звериному ноздри. Интуиция его настолько приблизилась к реальности, что Аслан мог видеть все происходящее в усадьбе даже с закрытыми глазами. Он мог предсказать дуновение ветра и падение яблока в саду, перелет ночной птицы с ветки на ветку и кашель часового на башне. Он почувствовал, что сейчас должна открыться дверь в галерею на третьем этаже, и она действительно открылась. Хозяин, сам Давлет-хан, в светлом бешмете тихо идет по галерее. Аслан до того точно прочитал ночные желания Давлет-хана, что сам неосторожно заворочался под уже засыхающим от его тепла травяным плащом.

Спина его взмокла. Он зачем-то вслушивался в шорохи и плохо скрываемые звуки на женской половине. Сердце его билось сильнее, чем во время недавней погони. Он вдруг подумал: что испытывает волк, когда видит в кустах любовь оленя и оленихи? Может, инстинкт самца хотя бы на мгновенье побеждает инстинкт хищника? Или голос крови все-таки сильнее? Или это почти одно и тоже?

Он слышал, как Давлет-хан вернулся к себе. Сейчас князь упадет бессильно головой на персидские подушки и забудется сладким, медовым сном. Предрассветный сон победит стражу и настанет его время. Надо только слушать тишину. Ему все подскажут.

Аслан сам не знал, как почувствовал, что пора действовать. Сердце чуть громче стукнуло, толкнулось в грудной клетке, и юноша выскользнул из укрытия. Крался он тихо не из предосторожности, а чтобы тело после многочасовой неподвижности успело обрести гибкость и быстроту.

У двери на третьем этаже галереи Аслан опять вспомнил волка, смотрящего из-за кустов на брачные игры оленей. Он хотел переждать, но вдруг обозлился на себя и на эту женщину в белом платье, осторожно открыл дверь и вошел в комнату. Его тут же охватило со всех сторон тепло, излучаемое растревоженным женским телом. Еще мгновение, и он бы забыл, зачем сюда вошел, но из темноты его позвал тихий голос на незнакомом языке. Аслан встряхнулся, быстро подошел к постели, наступая в темноте на разбросанные подушки и простыни. Рука нащупала талию женщины, и, заскрипев зубами, чтобы не потерять голову, Аслан схватил ее в объятья.

Женщина вскрикнула чуть слышно, но не от страха. Она проворно, как змея, обвила тело юноши руками и ногами. Опять она зашептала что-то на неизвестном, ни на что не похожем, языке. Тут она еще раз вскрикнула, и это уже был крик удивления и испуга. Руки ее вцепились в черкеску юноши, она уже раскрыла рот, чтобы издать крик ужаса, но Аслан во время сунул ей в рот заранее приготовленный платок, стиснул ее стальными тисками объятий и легко, как и положено волку, помчался со своей добычей прочь, туда, где был спрятан его боевой конь, к сожалению, не Меченый...

В пещере он развел огонь, чтобы холодные ветры, дующие откуда-то из горных щелей, не простудили княгиню. Он дал ей чеченскую одежду и поразился тому, как неумело облачилась она в традиционный горский наряд. Что будет с чеченским народом, если его женщины забыли язык предков и разучились повязывать платки, как принято? Аслан поставил перед ней нехитрую горскую еду, она ударила по чашке, сверкнула глазищами и опять заговорила на чужом языке. Язык этот нравился Аслану, женщина тоже.

Когда он вел к Давлет-хану похищенного у абазинцев коня, то играл мыслью, что может оставить Меченого себе. Теперь похожая мысль предложила ему ту же игру. Жена Давлет-хана смотрела на него блестящими от испуга глазами. Но разве в них блестел только страх? Или это ему лишь кажется? Нет, нельзя ему так долго находиться с этой женщиной наедине. Надо возвращаться в усадьбу к Давлет-хану, где, наверное, уже поднялся переполох. Пора назвать ему цену его жены. Ведь она стоит гораздо больше, Аслан чувствовал это, но боялся долго об этом думать.

Усадьба встретила его удивительно спокойно. Два ногайца хотели принять у Аслана коня, но он проскакал между ними. На дворе он пустил коня кругами и закричал в распахнутые окна между богатых, толстых колонн:

— Маршалла ду хьога, Давлет-хан! Здравствуй, князь! Давно ли ты видел свою жену? Не успел еще соскучиться по ней, Давлет-хан? Наверное, ты думаешь, что она убежала в степь с одним из твоих ногайцев или калмыков? Я могу вернуть ее тебе живой и здоровой. Договоримся, Давлет-хан! Или ты опять предложишь мне пятьдесят рублей? Сколько стоит твоя красавица-жена? Посмотрим, как ты ее любишь!..

Аслан ожидал приступа бешенства со стороны Давлет-хана. Он даже готов был услышать выстрелы, хотя надеялся, что дело ограничиться только проклятьями и выхватыванием кинжала, ведь условия сейчас диктовал он, джигит Аслан Мидоев.

Но Давлет-хан опять удивил его. Он стоял на каменных ступенях между пузатыми колоннами и улыбался.

— Какой горячий и невоздержанный юноша! — говорил она, качая седой головой. — Украл жену у мужа и требует теперь богатый выкуп. Ай-ай-ай! Настоящий бандит! Ай-ай-ай! Сколько же ты хочешь, юноша?

— Две тысячи рублей серебром, Давлет-хан! — крикнул Аслан и конь под ним взвился на дыбы, как бы повышая цену выкупа. — Только жену я тебе приведу и так, бесплатно. Две тысячи я прошу у тебя за Меченого, того коня, что привел к тебе три дня назад. Жену же я привезу тебе из большого уважения к твоему благородному имени.

— Благодарю тебя, джигит, — усмехнулся себе в усы Давлет-хан. — Ты привел мне черного, как ночь, коня, теперь же готов вернуть мне солнце. Я ничего не пожалею, чтобы отблагодарить тебя. Почему же ты так мало просишь? Я думал, что ты настоящий джигит, а награду ты запросил, как жалкий раб. Разве столько стоит моя жена-красавица? Хочешь обидеть Давлет-хана?..

Князь говорил сладким голосом, и чем приторнее он становился, тем тревожнее было Аслану. Да и его боевой конь занервничал, задрожал черными ноздрями, захрапел. Тут-то юноша и рассмотрел нукеров Давлет-хана, которые крались к нему за кустами, охватывая его кольцом.

— Берегись, Давлет-хан! — крикнул он, выхватывая из чехла ружье. — Если я не вернусь до захода солнца в условленное место, мои друзья отрежут голову твоей красавице-жене! Слышишь меня?..

Давлет-хан только расхохотался на его слова. А кольцо продолжало смыкаться. Теперь ногайцы и калмыки уже не таились, несколько ружей ловили на прицел не стоявшего на месте Аслана, несколько шашек уже показали свои стальные языки из ножен. А Давлет-хан уже отступил за колонну, вместо него на ступенях перед Асланом встали трое его лучших нукеров.

— Мальчишка! — услышал юноша княжеский голос. — Я подарил тебе жизнь, вместо того, чтобы кинуть твое дохлое тело шакалам. Так-то ты платишь за доброту! Но ты оказался слишком глуп и самоуверен! Отрезать голову моей красавице-жене?! Второй раз ты не будешь прощен!..

Аслан понял, что почва ускользает из-под его ног. Где-то он здорово ошибся, раз Давлет-хан ведет себя подобным образом. В чем же его ошибка? Самое главное, что времени на поиск просчета у него уже не было. До смерти оставались считанные мгновения...

В этот момент, когда весь мир, словно затаился, заткнув уши перед выстрелом, отворилось окно на втором этаже, и послышался красивый и властный одновременно женский голос:

— Кто говорил про жену Давлет-хана?

Аслан увидел в окне лицо царственной красоты, немолодое, но отразившее в себе прожитые годы только в самом прекрасном — едва заметную печаль в уголках глаз, тень невеселых раздумий на лбу и добрые чувства, отпечатавшиеся на губах.

— Мне послышалось, что торговались из-за моей отрезанной головы? — спросила она и так посмотрела на Аслана Мидоева, что он, рискуя быть подстреленным первой же пулей, остановил ходившего под ним коня.

— Дукха йехийла хьо! Живи долго! — сказал Аслан, пораженный не своей, еще не до конца осознанной ошибкой, но взрослой красотой этой женщины. — Клянусь тебе, йоккха стаг, прекраснейшая из всех женщин, что ни один волос не упадет с твоей головы! Прости, что потревожили твой покой...

— Как зовут тебя, юноша? — она улыбнулась ему, и Аслан понял, что под покровом ее улыбки с ним ничего не случится.

— Аслан Мидоев, — он спрыгнул с коня и поклонился ей.

Если бы она сейчас велела, он бы рассек себя кинжалом, кинулся в пропасть, сжег бы себя на костре, но она только улыбалась.

— Ты хотел получить за меня выкуп?

— Нет, йоккха стаг, я хотел получить плату за коня, — ответил юноша, — за тебя невозможно получить выкуп. Во всей России, на всем белом свете не найдется сокровищ, чтобы заплатить за одну твою улыбку...

Она рассмеялась и подарила ему еще один из своих взглядов. Сколько их было у нее, необыкновенных, неповторимых?

— Значит, ты готов выполнить мое небольшое поручение? — спросила жена Давлет-хана.

— Да я готов... — поспешил ударить себя в грудь кулаком Аслан, но она прервала его останавливающим движением руки.

— Дело в том, что у нас пропала гувернантка-француженка, воспитательница моих сыновей. Аслан, помоги нам разыскать ее. Поможешь?

— Я сейчас же поеду на поиски и к вечеру привезу ее живой и невредимой.

— Спасибо тебе, добрый юноша, — она наклонилась над подоконником. — Ты где, дорогой?

— Я здесь, моя дорогая, — Давлет-хан вышел из-за колонны и задрал вверх голову, становясь похожим на пьющую птицу.

— Пожалуйста, заплати юноше за коня, сколько он попросит. Ради меня. Хорошо? Или я неправильно поняла возникшее между вами недоразумение? Может, ты от меня что-то скрываешь, дорогой?..

Давлет-хан даже подпрыгнул и заходил кругами под ее окном, как конь Аслана. Он был согласен на любые условия, только бы не продолжать этот почему-то очень пугавший его разговор.

Всю дорогу до усадьбы Давлет-хана и обратный путь в родной аул Дойзал-юрт Аслан удивлялся этим людям. Удивлялся этой чужеземке, которая задрожала от ужаса, когда он вошел опять в пещеру, а по дороге к своим хозяевам страстно прижалась всем телом к юноше и что-то нежно шептала ему. Удивлялся он и чеченскому князю, который, видимо, не уважал и не любил свою жену и в то же время трепетал перед ней, как жалкий раб. Но больше всего он удивлялся этой женщине. Что в ней было удивительного? Все...

Он пожимал плечами, вспоминая движение ее руки, поворот головы. А чтобы вспомнить ее глаза, он смотрел на перстень с огромным темным агатом, ее подарок за «найденную» гувернантку.

2003 год. Московское море.

Гражданин Аслан Гешаев был человеком мрачным. Но никто не смог бы точно сказать отчего. От умудренностью жизнью, от ноющего шрама под лопаткой или от того, что Сатурн при его рождении был в соединении с Солнцем. Он не считал себя молодым. Иногда он даже считал себя старым. И в тайне ужасался. Ему тридцать. Это конец. Или, во всяком случае, начало конца. Куда ушла жизнь? Почему все тело болит, а лицо чернее тучи?

По утрам в ванной он не любил смотреть на себя в зеркало. Поэтому брился редко. А когда не брился несколько дней, то смотреть не хотелось вовсе. Это был замкнутый круг.

Ему казалось, что нет на свете ничего, что заставило бы его искренне радоваться. Или это ему именно сегодня так казалось? На него иногда накатывало. Потом отпускало. Но попадаться ему на глаза в этом настроении лучше не стоило. На его внешние реакции полагаться было делом совершенно бесполезным. Обычно он был невозмутим, как индейский вождь. Мог полчаса слушать чей-нибудь бред, а потом просто бросить что-нибудь вроде «расстрелять». Конечно, в эмоциональном смысле.

Родился он в Грозном. Такую вот шутку сыграла с ним судьба. А ведь мог, наверно, родиться где-нибудь в другом месте, где жизнь на ближайшие лет пятьдесят никаким изменениям бы не подлежала. Но судьба есть судьба.

Был он старшим сыном в семье. Успел школу закончить, пару лет поработать на нефтезаводе... И тут началась война. Родителей, людей пожилых, и братишку Зелимхана удалось переправить к родственникам в Дагестан. А самому пришлось остаться и воевать. Ему тогда только-только исполнился двадцать один год...

Он вернулся с войны после ранения. И больше не хотел туда возвращаться. А что он умел еще делать?.. Дядя Вахид взял его работать к себе. А он торговал. Всем, чем только выгодно. И поставил на передний край Аслана. После крайне опасных историй Аслан на наркотиках не работал. У него было новое занятие — контрабанда. И велась мало-мальская торговля в Москве. Дела шли неплохо.

Темперамент у Аслана, говорят, был. Когда-то. И кое-кто даже мог это подтвердить. Но вот только вспышки этого темперамента уже давно обросли легендами. То ли просто с годами он стал мудрее. То ли после ранения в привычку вошло беречься. Ведь целых полгода, вместо привычных резких поворотов и громких рыков, ему приходилось поворачиваться осторожненько, и отвечать тихо. Дыхания из-за простреленного легкого не хватало. Он и не ожидал, что это будет иметь такой эффект. Теперь соотечественники, в пылу эмоций машущие друг у друга перед носом руками, затихали, когда он начинал говорить тихим и чуть хрипловатым голосом. Видимо все чувствовали, что сила — это спокойствие.

А быть сильным — единственное, к чему он сознательно стремился с тех самых пор, как себя помнил.

Олег Николаевич Колошко постоянно нуждался в деньгах. Собственно, все люди в них нуждаются. Но у большинства аппетит притупляется зарплатой. А у Олега Николаевича, казалось, система удовлетворения дала сбой. Или была в ней какая-то брешь. Деньги утекали. При этом голубой мечтой капитана было заработать один раз столько, чтобы потом о деньгах не думать вообще. Жить с процентов. Ему казалось, что где-то этот куш рядом. Только надо на него выйти. О том, за что такие деньги платят, он не задумывался. Потому что чувствовал в себе вполне стойкую уверенность, что может сделать все, что угодно. И надо-то — всего разок.

Колошко батрачил на судне. Возил с Волги груз. Когда-то считался госслужащим. А позже перешел на договор. Кому надо, тому и возил. Были в этом и плюсы и минусы. Регулярность госрейсов давала чувство стабильности. Хоть что случись, а зарплата медленно, как струйка из песочных часов, перетечет в карман Олега Николаевича. Но его такой темп не устраивал.

Когда же он вступил в частное пароходство, получился просто сумасшедший дом. Он старался успеть во все рейсы. Разругался с женой, ввиду тотального своего отсутствия. И, в конце концов, понял, что всех денег не заработаешь. Зато к ним можно прийти другим путем. Он ввязался в нелегальный бизнес. Переправлял какие-то таинственные контейнеры. Прятал среди серых мешков парочку коричневых. И получал по прибытии в порт назначения сразу столько, сколько за десять простых торговых рейсов. Однако этих денег все равно не хватало. Отваливать из бизнеса и жить на проценты пока что было так же нереально, как раньше.

В последнее время он постоянно работал на Аслана. Возил с Волги черную икру. Он знал, что это дело проходит на ура. Разница в цене при покупке и продаже была такой, что вам и не снилось! Ну, а вместе с икоркой провозили кое-что и покруче. Об этом Колошко в известность не ставили. Но он не сомневался ни секунды, что так оно и было.

Если бы не патологическая страсть к деньгам, все бы у Олега Николаевича было нормально. Но чтобы купить себе новый автомобиль, взял он в долг довольно крупную сумму. А отдавать надо было под большой процент. И не отдавалось. Ну, никак. То одно, то другое. Кредиторы занервничали. Показали пушку. Назначили время, чтобы деньги собрать и привезти.

И как-то так получилось, что смотрел он, смотрел на товар Аслана, который вез, и его вдруг осенило.

На Аслана Олег Николаевич продолжал смотреть честными глазами. Тот сначала скрипнул зубами, но ничего не сказал. Стал проверять у поставщиков.

Через пару рейсов Колошко с кредиторами расплатился. Перевел дух. Порадовался жизни. И честно говоря, думал, что к нему не подкопаешься. Сколько мешков получал, столько и сдавал. А взвешивать их — не взвешивали.

Правда, вместо того, чтобы замять это дело и больше не рубить сук, на котором сидит, Олег Николаевич решил, что глупо отказываться от такого источника питания. Тем более, что это никак на нем не отражалось.

Он должен был уже уходить в рейс, как подкинули заказ. Покатать выпускников по Московскому морю. Отказываться от денег, которые сами лезут в руки, он не привык. Тем более, что один раз откажешься, больше могут и не позвать. Катать молодежь отправились три пароходика. И «Слава» в том числе. Палуба — большая. Танцевать есть где. Музыку и свет приспособить брались специалисты. Работа — простая. И потом, на танцующих девочек посмотреть на собственном, можно сказать, рабочем месте — за это удовольствие Олег Николаевич еще бы и сам приплатил.

По такому случаю был надет белый китель и фуражка. Ну капитан, так капитан! Мужик еще не старый. А то, что рожа потрепанная какая-то и шея красная, так на то он и морской волк.

Так что, когда вчерашние дети были торжественно погружены на борт парохода «Слава», Олег Николаевич даже ощутил некоторую приподнятость настроения.

Он поднялся к себе в каюту, чтобы глотнуть коньячку для изжития комплексов советского воспитания. Беспечно мурлыкая себе под нос «Капитан, капитан, улыбнитесь...», открыл дверь и встретился лицом к лицу с Асланом, который сидел в его капитанском кресле.

Игривый настрой пропал.

А рука инстинктивно опустилась в карман, отчего взгляд стал несколько увереннее.

— Ты, Олег, знаешь, зачем я пришел. Вижу. — Пронзительные глаза Аслана показались капитану похожими на дырки, проколотые циркулем в портрете.

— Здравствуй для начала, — попытался Олег вести себя непринужденно. И даже улыбнулся. Мол, рад видеть. Но улыбка съехала на сторону. — Так о чем ты? В рейс не поехал? Так вот видишь, какое дело. Выпускники. Ночь отбарабаним, а утром двинемся. Задержка небольшая.

— Я не о том. И ты знаешь.

Такого тона Олег Николаевич у чеченцев не любил. Не понимал, что там у них на уме. С русскими мужиками договориться удавалось всегда. Свои люди. Все понятно. А этих черных он не любил. Да кто их любит?

— Я за деньгами пришел, которые ты мне задолжал. — Аслан говорил спокойно, но это было какое-то обманчивое спокойствие. Олег чувствовал себя, как на минном поле.

— За какими деньгами, Аслан? Я вроде у тебя в долг не брал. — Он хотел усмехнуться, но вовремя остановился. Ему казалось, что у него в каюте сидит злая собака и пока только рычит, следя за каждым его движением. Но чуть что — бросится.

— За теми, которые ты у меня украл. Я поеду с тобой. И мы вместе встретимся с моими людьми в Костроме. Посмотрим, что ты им, сука, скажешь.

— Аслан, — Колошко примирительно поднял обе ладони, — давай поговорим. Я у тебя ничего не брал...

Но он не договорил, потому что пароходик дернулся, и Олег с размаху налетел на стол. Аслан сидел, а потому не сразу понял, что произошло. Что-то громыхнуло. Кто-то завизжал на палубе. Он только глянул в иллюминатор и удивился тому, как высоки волны. Достают аж до капитанской рубки. И только потом почувствовал, как все вокруг валится на бок.

Колошко молниеносно просек все. И понял, что шанс упускать нельзя. Придерживаясь за ручку двери, выхватил из кармана малокалиберный «бульдог» и, подавляя непрошеный страх, может быть, чуть истерично бабахнул в неприятного до дрожи чечена. Нет человека — нет проблемы. И еще, вылетая из каюты, успел подумать, как это оказывается легко. Даром, что столько лет держался.

Аслан, удивляясь всему одновременно, согнулся пополам и прижал руку к левому боку. Чиркнуло, как горящей спичкой. И он еще не понял, жив или нет. Он знал, что боль приходит потом. И эти десять секунд, которые он пережил на войне, когда его ранило в первый раз, опять показались ему сделанными из другого материала. Как заплатка на теле времени.

Больно. Да. Он отнял прижатую к рубашке руку и, морщась, взглянул на нее. Кровь. Но он вполне может идти. И даже бежать. Это он осознал уже тогда, когда выбирался на палубу. А потом боль на время отступила, оглушенная мощным всплеском холодной воды.

Она оперлась о бортик и смотрела на воду. Вокруг одна вода. И легкий туман, поднимающийся в холодное предрассветное небо. И ни одной звездочки. Музыка на палубе грохотала, в свете разноцветных прожекторов лиц было не разглядеть. Мила танцевать уже не хотела.

Инка Уфимцева подошла и обняла ее за шею. На ней уже были брюки и вязаная кофта.

— Тебе, Люська, не холодно? Я уже задрыгла тут.

У Инки был низкий приятный голос. И она это знала. Поэтому всегда говорила небрежно и с ленивой такой артикуляцией. Был в этом, какой-то порочный шарм. Как будто она лет десять простояла на панели. Бывалая, в общем. Хотя на самом деле Инка закончила школу с тремя четверками, — остальные пятерки! — собиралась на юридический и отличалась стойкими моральными принципами. С пятнадцати лет жила с одним и тем же мужиком.

Она вынула из кармана кофты пачку сигарет. Подмигнула Миле.

— Покурим? На прощание... — Она взяла зажигалку, заслонила сигаретку ладонями и закурила. Профессионально. Покрутила перед Милой пачкой. — Ну, будешь? Не будешь?

— Я, Инка, вообще-то не очень... Короче, не пробовала никогда. — А потом быстро прибавила. — Ну, ладно. Давай.

Взяла сигарету. Выпятила нижнюю челюсть, чтобы достать до огонька зажигалки. Но раскурить не получалось.

— Да ты не так! Ты в себя втягивай. Во — смотри: как будто соску сосешь. Поняла? — И с хихиканьем глядя на Милкины неудачные попытки, не выдержала: — Ладно. На мою. Я тебе прикурю.

— И че дальше? — Мила картинно отставила пальцы с изящно зажатой в них сигаретой. Ощущение было новеньким.

— Вдыхай. Набери глоточек и вдыхай. — Инка шикарным жестом показала.

— Ой, елки-палки! Ноги ватные... Предупреждать надо.

— Ну, это потому что с непривычки. А меня уже не берет.

— Да ну.... Не-е, мне не нравится. Гадость. — Они по-взрослому засмеялись. Во всяком случае так показалось обеим.

Мила решила, что сейчас пойдет вниз, спустится по противной лесенке и найдет там среди кучи сумок свой рюкзак. Пока никого нет, надо переодеться. Инка сообразила раньше. Холодно. А ей в свитере хорошо...

Ее качало от стены к стене. Колбасит не по-детски, вспомнила она анекдот. Это про меня. Какая все-таки коварная штука это шампанское. Мерзкий вкус винограда. И холод. Надо было пить водку.

Обхватив себя за плечи и растирая их после холодных порывов ветра, она подумала, что лучше сейчас все-таки было бы не на воде, а у костерка с шашлыками, чтобы разговаривать можно было и в глаза смотреть тем, с кем, судя по всему, приходится расставаться на всю оставшуюся жизнь.

А эта палуба и предрассветная сумеречная вода вокруг... И что это за мудовая традиция? И вообще, поспать бы, дома, под одеялом.

Так нет. Надо крепиться. И получать удовольствие. Запомнить на всю жизнь. Что запомнить-то? Как Барашкин неумело пытается ее очаровать, глядя по-собачьи в глаза и неприятно приближая свое юношеское, опушенное свинским волосом лицо? Леша, иди в баню! И зачем она с ним поцеловалась?.. Теперь, того и гляди, притащится, переодеться не успеешь.

Ее каблуки скользили по железной обивке ступеней. Она схватилась за поручни, чуть не свалившись. Черт-те что... Горела тусклая круглая лампа перед входом в застекленный зал. А в нем царил полный мрак.

Мила споткнулась о чьи-то мешки и больно ударилась ногой чуть выше колена. Зашипела и стала усиленно тереть ушибленное место. Ну все, синяк будет.

Она стала пробираться между рядами намертво пришитых к полу стульев. Удивляясь про себя тому странному повороту головы, при котором ей лучше всего было видно окружающую обстановку. Со стороны — это зрелище. Как баран какой-то иду. Шампанское и бессонная ночь заставляли ее глаза, измученные еще за время экзаменов, упорно сходиться у переносицы. И в какой-то момент она подумала, что нет смысла их все время разгонять по углам. Им так удобнее, как кошке, которая сворачивается клубком, а не спит по стойке смирно.

Когда она нашла свой рюкзак, силы оставили ее окончательно. Она села на стул, неграциозно расставив колени, разбросав руки и уронив голову на грудь. Странно было то, что опьянело только тело. Сознание бдело. И думало — во как мы сидим красиво, видали? Но через секунду она стала отчаянно клевать носом. Ну вот, как алкоголик в метро. Жаль, соседа нет. Она уже собиралась забраться с ногами на сдвинутые в рядок кресла, подложить под голову рюкзак и укрыться своим свитером, но, посидев две минуты отчетливо поняла, что все-таки придется искать туалет. Иначе ей не заснуть. Она натянула свитер прямо поверх выпускного платья и потащилась обратно. Уж походка! Уж осанка! Ужасанка! Ей стало безумно смешно. Это они придумали с Настей, когда, погибая от смеха, волочились однажды на полусогнутых домой. С тех пор так и повелось. Ужасанка!

Туалет где-то был. Это она помнила точно. Куда-то под лестницу и...Чего-то не то. Возвратимся опять. Под лестницу и... Вот это что-то похожее. Две двери напротив друг друга. Она попыталась открыть одну наугад. Ой, извините. На нее с негодованием смотрели два явно прерванных на полуслове мужика. Ухожу, ухожу. Она попятилась спиной и захлопнула дверь.

Да вот же он, родимый. И буковки такие правильные WC. Как хорошо под Москвой найти такое по-русски названное заведение. ВЦ — это, конечно, Вижу Цель. Как, черт возьми, верно подмечено.

Но видеть цель и добраться до нее — далеко не одно и то же. Уже в тот момент, когда она протянула руку, чтобы открыть дверь, неведомая сила рванула ее, и она ударилась спиной о противоположную стену коридора. Совершенно не понимая, что происходит, она почувствовала, что пол меняет положение и лезет прямо в руки. «Ну, это же надо так напиться», — пронеслось в ее совершенно трезвом сознании.

Но тут под ногами, где постоянно ощущался размеренный гул двигателя, что-то заскрежетало и треснуло, как пораженный артритом сустав. Неожиданно погасла тусклая лампочка, стало темно и как-то странно тихо. Слышен был только плеск воды. Так отчетливо. Совсем рядом. И когда она решительно сделала шаг к лесенке, чтобы выбраться наверх, оказалось, что ноги ее шлепают по воде. «Кран, что ли, прорвало?» — подумала она и почувствовала, как сердце звонко ухнуло прямо в горле. Лесенка заваливалась на левый бок, в то время как Мила уже была совершенно трезва.

Наваливаясь на перила и опираясь ногами о стенку, она на четвереньках вылезла на верхнюю палубу и увидела, что левый ее край зачерпывает волны. Она поскользнулась и съехала по доскам к самому краю, как в детстве съезжала с горки с той лишь разницей, что по дороге расцарапала себе все ногти в кровь, пытаясь хоть за что-нибудь зацепиться. Вода обожгла неожиданным холодом. С этой стороны палубы не было ни одной живой души. Она была одна. Откуда-то издалека слышался визг.

«Круг, — пронеслось в голове. — Я же видела. Где? Должен быть». Но его нигде не было. Палуба накренилась сильнее и вдруг стремительно стала уходить под воду. Милу накрыло с головой. Все это было похоже на страшный сон. Только холод был резкий и совершенно реальный. Страх парализовал руки и ноги.

Нет! Я не хочу! Она глотнула воды и инстинктивно стала барахтаться. Десять метров по-собачьи она бы еще могла проплыть. Если бы не захлебнулась. Нет! Так нелепо! Воздуха не хватало, она кашляла и уходила под воду опять. Она слышала только свое истеричное дыхание, периодически перебивающееся секундами полной тишины под водой. В голове мигающей красной лампочкой билась паника. Нет! Она беспорядочно молотила руками и тратила силы почем зря. Ведь где-то здесь, совсем рядом, все наши. Крикнуть. Но хлебнула она основательно и не то, чтобы крикнуть, никак не могла как следует вдохнуть. Ну кто-нибудь, Господи!

Она сдавала позиции и уже понимала, что уходит под воду. Тянула подбородок вверх, и вдруг ее жадные руки нащупали опору. Она изо всех сил вцепилась в нее, пытаясь подмять под себя и вынырнуть над водой как можно выше. На секунду ей это удалось. Но уже через мгновение спасительная опора стала оказывать отчаянное сопротивление.

Отброшенная чьей-то ногой, Мила отлетела в сторону и опять окунулась с головой. Рядом с ней слышалось фырканье

— Отвали от меня! — прошипел кто-то сдавленно.

Она среагировала на звук и рубанула в этом направлении рукой. Рука вцепилась во что-то мягкое. Чье-то лицо? Рядом глухо застонали, и ее рука была отцеплена.

Но Мила не собиралась умирать от скромности и чувства такта. Воздуха не хватало. Жизнь, ее жизнь казалась мыльным пузырем, который вот-вот лопнет. Ей удалось из последних сил прокашлять «Спасите!» Последний слог она говорила уже в воду, булькая и захлебываясь. Еще пара движений руками перед собой — и отчаяние. Хвататься стало не за что. Она устала от своих беспорядочных движений. И перед глазами поплыла черная муть воды. Вот она, смерть. Так близко.

Но что-то вытащило ее на поверхность. Оказавшись на спине, она увидела над собой чуть посветлевшее небо. И чей-то локоть не давал ее подбородку опуститься в воду. Она опять затрепыхалась в надежде схватиться руками. Но хвататься было не за что.

— Не дергайся ты, дура! — услышала она над ухом задыхающийся хриплый голос. — Дыши!

И она судорожно вдохнула, закрывая глаза от брызг, которые сыпались на нее сбоку от мощных гребков спасавшего ее человека. Дышать. Дышать. Кроме этого ничего и не нужно. Носоглотку саднило от попавшей туда воды, горло было обшарпано будто наждаком. И все еще нестерпимо хотелось кашлять. Она кашляла до хрипоты. Наконец, дыхание кое-как восстановилось.

— Больше за меня не хватайся, идиотка. Поняла? — запыхавшийся от борьбы голос был для нее все равно что труба ангелов. И вдруг Мила, как в пропасть, опять рухнула в невесомость. Свистящий вдох. Успела набрать воздуха и опять погрузилась в ватную тишину. Вынырнула, услышала плеск волн и шум ветра.

— Все. Плыви, — сказали ей отрывисто. — Туда. К своим.

И рука подтолкнула в нужном направлении.

Она перевернулась на живот и изо всех сил погребла по-собачьи обратно к нему, поймав под водой за ногу. Нога больно лягнулась, но Милка ее не выпустила. Только опять на секунду наступила давящая на уши тишина. А потом снова стереоэффект открытого воздуха, фырканье и отплевание водой.

— Я не умею! Ну, помогите же! — в отчаянии проорала она.

— Твою мать! — ругательство потонуло под водой. — Учись! — услышала она, не веря, что такое вообще возможно.

— Помогите! — она опять пошла под воду.

Теперь на поверхность ее вытащили за косу. И какое-то время тащили. От этой безумной борьбы у нее перед глазами забегали белые мухи. Она была по уши в воде, поэтому ей казалось, что дистанционным управлением ей вырубили звук. Только изредка, когда волна откатывала, она успевала услышать тяжелое дыханье. Свое или чужое, она не понимала...

Ей казалось, что это никогда не кончится, что это будет длиться всю оставшуюся жизнь. Она старательно тянула голову к небу, но волны от плывшего чуть впереди человека то и дело накатывали ей на лицо. Она слышала только свои прерывистые выдохи и судорожные свистящие вдохи. Это были единицы ее времени. А фоном для них был страх. Страх того, что под ними глубина, такая же, как если смотреть вниз с ее балкона. Она отгоняла эти мысли, но прямо таки копчиком чувствовала под собой пустоту.

Да, она молила Бога о спасении. Но слов не находила. В голове, как язычок свечи на ветру, моталась из стороны в сторону одна только мысль, один мощный бессловесный призыв: Господи! Помоги! Господи! Помоги!

Повернуться и посмотреть, далеко ли берег, она боялась. Пока ее не бросили и тащат за волосы, шанс на спасение у нее оставался. Внутри все дрожало от недавно прошедшей битвы не на жизнь, а на смерть. А может быть от холода. Когда она перестала бить руками и ногами в воде, ее стал пробирать леденящий пронзительный холод. Казалось, мерзнет само сердце.

А они все плыли и плыли. Она вспомнила, что в последний раз, когда она смотрела с пароходика на берег, он был и вправду не близко, тонкой полоской вырисовываясь в дали.

— Далеко еще? — прокричала она.

— Заткнись. — Она скорее догадалась, чем услышала.

Она решила терпеть. А что еще оставалось делать? Она впала в какое-то забытье, только вдох и выдох, вдох и выдох. И серое пустое небо. Но что-то заставило ее напрячься. Прежнего неуклонного движения вперед она не ощущала. И постепенно вода стала наползать ей на лицо. Она испуганно перевернулась и, вытянув шею, начала бешено загребать под себя руками.

Первое, что ее поразило — это лежащий на воде человек. Он лежал на спине, покачивался на волнах. Глаза у него были закрыты. А в руке он сжимал ее косу.

А второе, что она увидела, был берег. Высокие деревья по пояс тонули в тумане, который поднимался от воды. До него еще было метров двести. Или сто? Не все ли равно, если ты умеешь только еле-еле держаться на воде. Но совершенно не умеешь плавать.

Она, как сумасшедшая, стала брызгаться, противно завязая ногами в прилипающей юбке. И медленно подобралась к тому, кто покачивался на воде. Потом инстинктивно ухватилась за него, как за плавающее бревно.

Он тут же ушел под воду.

А вынырнул в двух метрах от нее.

Но она этого не видела.

Потеряв опору, она опять впала в панику. Но теперь ее паника была замешана на кошмарной усталости. И она поняла, что сейчас, когда берег уже в двух шагах, она утонет, и ничего ее не спасет. Куда же он делся? Господи, ну куда же он делся? Я все ему отдам! Только спаси! Но темная вода вокруг сомкнулась над ней, и Мила безвольно пошла ко дну...

Глава 6

Мы — два грозой зажженные ствола,
Два пламени полуночного бора;
Мы — два в ночи летящих метеора,
Одной судьбы двужалая стрела.

Мы — два коня, чьи держит удила
Одна рука, — одна язвит их шпора;
Два ока мы единственного взора,
Мечты одной два трепетных крыла.

Вячеслав Иванов

1907 год. Подмосковное имение Бобылево.

Дворянская молодежь приспособила под театр бывший каретный сарай. Мужики за пару часов сколотили сцену. Распахнулись широкие ворота, получились кулисы.

Люда Ратаева, две ее кузины Даша и Маша, Алексей Борский и студент университета, помощник и лаборант профессора Ратаева Борис Белоусов составили актерскую труппу бывшего каретного сарая. Дело оставалось за малым — выбрать пьесу, отрепетировать и сыграть ее.

Как раз по первому вопросу возник горячий спор. Людмила хотела играть «Гамлета» или, еще лучше, «Отелло». Она представляла, как помешанная Офелия или убиенная Дездемона рассыплет перед изумленной публикой золотое море волос, и не хотела слышать про другой репертуар. Даша и Маша хотели ставить Ибсена, Боря Белоусов — «Горе от ума». Алексей Борский соглашался на все, только с Людмилой Ратаевой в главной роли.

В конце концов, самый рассудительный из всех Боря Белоусов предложил исходить при выборе пьесы из имеющегося в их распоряжении театрального реквизита. Молодежь полезла на чердаки и в бабушкины сундуки. Среди слежавшегося, изъеденного молью хлама были обнаружены потертая кавказская бурка и такая же старая меховая шапка. Но особенно порадовал молодежь огромный заржавелый старинный кинжал. Прадед Людмилы Михаил Азаров служил когда-то на Кавказе.

Единодушно решили ставить что-нибудь кавказское — Пушкина, Лермонтова или графа Толстого. Тут Алексей Борский, до этого молчавший и смотревший на суетящуюся, раскрасневшуюся Людмилу, впервые заговорил:

— Сейчас многие цирки ставят пантомимы. Я видел такую на Нижегородской ярмарке. Цирк-шапито представлял пантомиму «Руслан и Людмила» с джигитовкой, полетами под куполом цирка, дрессированными зверями...

— Ты предлагаешь кому-то из нас полетать под куполом сарая? — заметил Боря Белоусов. — Я, например, покорнейше благодарю. Рожденный ползать и все такое. А дрессированные звери Жучка и Белан уже и так обмочили все углы нашего театра...

— Погоди, Боря, — перебил его Алексей, — я вот что хотел предложить. Давайте, соединим два жанра — традиционную театральную постановку и пантомиму. Поглядите, мы же можем выйти за рамки сцены. Чеченец в бурке поскачет на настоящем коне. На моем Мальчике, например. Мы раздвинем сцену до горизонта, деревья, цветы и трава примут участие в спектакле-пантомиме как полноправные актеры...

Людмила смотрела на вдохновенное лицо Алеши Борского и не узнавала его. Куда-то делась странная туманная поволока с его взгляда. Глаза загорелись трепетным внутренним огнем, а пепельные волнистые волосы были словно этим же пламенем опалены. Он был очень хорош сейчас, этот Алеша Борский.

Несколько дней назад на железнодорожной станции Ратаева услышала фамилию Борский. Разговаривали две молодые барышни. Отчего-то Люда вспыхнула и мгновенно возненавидела двух болтающих кокеток. Она даже не почувствовала ни малейшего стыда, хотя отдавала себе отчет, что приблизилась к ним для подслушивания. Разговор шел о каких-то стихах, о какой-то Панне, Новой Мадонне, Софии, Христианской Венере и прочем вздоре. Но имя Алексея произносилось ими с придыханием. Какое ей, в конце концов, дело до Борского? Такое же, как до Софии... Люда быстро прошла мимо жеманных барышень, невежливо задев одну из них плечом, и даже не извинилась.

А потом Борский приехал опять на своем Мальчике и подарил ей свежий номер альманаха «Северные цветы». Теперь Люда знала, что Алексей не просто пишет стихи, как все гимназисты, он — настоящий поэт, не меньший, чем Фет или Апухтин. В стихах Борского она нашла и Панну, и Софию, и Христианскую Венеру, и Юдифь. Это были все имена одного и того же существа женского пола, за которым угадывалась реальная девушка с темными глазами и копной густых золотистых волос.

— Мне понравилась идея Алексея, — услышала она голос Белоусова. — То, что он предлагает, в высшей степени оригинально и, я бы сказал, органично. Спектакль-пантомима... Что скажут наши барышни? А не поставить ли нам на сцене Лермонтовскую «Бэлу»? Печорин, Казбич, Бэла, конь Карагез...

Все тут же решили, что ставить надо «Бэлу» из «Героя нашего времени» и ничего, кроме «Бэлы». Но когда Алексей и Борис в один голос предложили на роль чеченской девушки Людмилу, кузины Даша и Маша обиделись. Припомнилось, что женских ролей в этой истории больше нет. Пришлось тут же досочинять за господина Лермонтова пару чеченок и еще пару казачек, так как кузины соглашались только на несколько ролей в спектакле в обмен за одну главную женскую.

В день премьеры спектакля в Бобылево было на редкость многолюдно. Перед уже не узнаваемым каретным сараем на креслах и стульях сидели семьи обоих профессоров, соседских помещиков и гости. Сколоченные на скорую руку лавки заняли местные крестьяне — прасловские и таракановские. Народу было больше, чем на недавнем кулачном бою между двумя этими деревнями.

За кулисы лезли ветки бузины, подставляя переодевающимся артистам свои зеленые листья, как для автографа. Теплый ветер теребил занавес и требовал начала представления. Чернобородый Еремей, прасловский кузнец, известный во всей округе силач и кулачный боец, которому был как раз доверен занавес, строго смотрел на публику, чувствуя свою значительность и даже власть.

Наконец, Еремей торжественно стянул занавес на сторону, и зрителям предстали нарисованные на огромном холсте снежные вершины, чеченский аул на склоне горы и пасущаяся отара овец. Коричневой краской был нарисован бегущий Терек, больше напоминавший российскую, разбитую колесами и распутицей, дорогу. По сцене прогуливался Печорин-Белоусов и произносил монолог, переделанный из диалога с Максимом Максимовичем.

На сцену выскочили в танце две чеченские девушки, то есть кузины Даша и Маша, а потом в белой черкеске с узкой талией, но с бумажными газырями, показался Борский в роли Казбича. С красной бородой и подведенными черными бровями он прошел по краю сцены, злобно шипя и сверкая глазами на публику. Деревенские бабы вскрикнули и запричитали.

Казбич закричал так, что на дворе залаяли собаки Жучка и Белан, поднялся на носочки и пошел отплясывать лезгинку вокруг Даши и Маши.

— Эвон, как молодой барин выделывает! — зашумели одобрительно крестьяне. — Сразу двоих барышень охаживает, точно петух красноборсдый!

— А кинжал-то у него, должно, настоящий?

— Знамо дело, настоящий, а вот борода клеенная!

К танцующему Казбичу подошел чеченский юноша Азамат — деревенский пастушок Петька Трынов, встал рядышком и открыл рот. На репетициях он хоть и нудно, без выражения, но произносил свой текст, хвалил коня Казбича, предлагал ему деньги и свою сестру, а перед зрителями растерялся.

— Что, Азамат, нравится мой конь? — подсказал ему Борский, Петька в ответ закрыл рот, но стал ковырять в носу.

Тогда на сцену вышел Еремей, тоже наряженный чеченцем и дал Петьке такой подзатыльник, что тот слетел со сцены.

— Ишь, нехристь, как ребенка турнул! — прокомментировали эпизод зрители на лавках. — Ничего ж ему мальчонка не сделал, а вот дерется, окаянный. Дикий народ...

Казбичу пришлось рассказать Еремею и подошедшему Печорину, как он любит своего коня Карагеза и не продаст его ни за какие деньги. На сцене первый раз появилась Бэла, она стала танцевать перед Печориным и петь ему величальную песню.

Профессор Ратаев гордо оглядел соседей. Дочка его действительно была очень стройна и гибка, чеченский наряд ей шел. Но с крестьянских мест донеслось:

— Ишь ты, как выделывается перед барчуком! Это Бобылевская барыня, что ли?

— Не разберу никак. Морду-то платком занавесила, где тут рассмотреть.

— На нашу Глашку похожа, та тоже к парням сама ластится, а опосля плачет горючими слезами.

Азамат привел к Печорину Бэлу, по пути показав кому-то на заднем ряду кулак. Печорин старательно скучал, лежа на кушетке. Бэла вилась вокруг него. Народ понял сцену упрощенно, задние ряды загоготали. Тогда на сцене появился Еремей в солдатском картузе и стал высматривать в рядах несерьезно настроенных. Смех сразу же стих.

Но сцена похищения Бэлы была встречена сочувственно. Людмила присела на край сцены, разулась и опустила голые ноги в воображаемый поток. Обязательных для настоящих чеченок шаровар на ней не было, и зрительный зал замер. Люда Ратаева, почувствовав, что она «держит зал», позволила себе оголить ноги до колен. Мужская половина зала вздохнула, женская зашепталась. Люда поняла, что в этот момент Россия обрела в ее лице еще одну великую актрису.

Из кустов на белом коне, жующем лист бузины, выехал Казбич. Бэла его упорно не замечала, даже тогда, когда конь ткнулся губами ей в голые ноги. Коварный чеченец схватил ее за талию, но конь по кличке Мальчик пошел дальше. Казбичу пришлось отпустить Бэлу, повернуть коня назад и повторить захват. Наконец, девушка была перекинута через седло. На сцену выбежали Печорин, солдат Еремей. Они стали кричать и целиться в Казбича из ружей, но почему-то не стреляли. Видимо, боялись попасть в Бэлу. Но когда они опустили ружья, за сценой послышались хлопки.

Бэла тоже закричала и стала биться руками и ногами. Все удары, правда, достались тихому, старому Мальчику. Он вскинул задние копыта, тряхнул хвостом и вдруг поскакал мимо зрителей в залитое щедрым летним солнцем поле.

Край седла больно давил Людмиле в живот, земля неслась перед ее глазами. Ей было действительно страшно, казалось, что конь несется бешеным аллюром. Но Мальчика надолго не хватило, он пошел шагом, потом остановился и, как ни в чем не бывало, потянулся в траву за розовым клевером. Борский соскочил на землю. Людмила увидела прямо перед собой мохнатую шапку, надвинутую на самые глаза, черные подведенные брови и красную всклокоченную бороду.

Люда закрыла глаза. Она была во власти дикого горца. Страшного и жестокого, который не знал по-французски, не читал и тем более не сочинял стихов. Сейчас его жесткие, сильные руки схватят ее и бросят на траву прямо под копыта такого же дикого, как хозяин, горского скакуна...

Чеченец обнял ее за плечи и стал стаскивать на землю. Людмила явно была слишком тяжела для него, да еще Мальчик пошел к очередному островку клевера. Девушке пришлось упираться коленями, помогая джигиту. Он принял ее в объятья, но не удержался на ногах, и они упали в траву.

Красная борода съехала в сторону, черная бровь размазалась. Людмила сорвала с себя платок и рассыпала свои золотые волосы над запрокинутым в небо лицом Борского.

— Я люблю тебя, — сказал бутафорский чеченец, — как никто никого не любил на этой земле. Я словно весь мир вижу теперь через золото твоих волос. Мне теперь без тебя никак нельзя, я умру без тебя. Без тебя нет ничего — ни стихов, ни России. Согласна ли ты стать моей женой?

Людмила потянулась к его уху, чтобы шепнуть «да», но в рот ей полезла мерзкая крашенная борода...

2003 год. Московское море.

Первое, что она почувствовала — пальцы, вцепившиеся в землю. И неровную твердь этой земли под собой, под всем своим телом. Это ощущение было потрясающим. Чего можно бояться на земле, когда тебе есть на что опереться?

А второе — блаженное ощущение тепла. Щеку пригревало поднявшееся уже довольно высоко солнце. Оно светило через какую-то тусклую дымку. Но это мягкое тепло было самым лучшим ощущением, какое Миле когда-либо приходилось испытывать.

«Я — живу, — мысленно проговорила она. — Как славно...» И она опять закрыла глаза. Ей не хотелось шевелиться. Всем своим существом она прониклась этой мыслью — жива! Это был приятный сюрприз.

Господи! Спасибо тебе! Прости меня, Господи, грешную рабу твою Людмилу. Я все поняла. Ты — есть.

Она все-таки собралась с силами и приподняла голову. С трудом стряхнула со щеки прилипшие сосновые иголки. Рядом на прибрежном песке лицом вниз лежал человек в джинсах и грязной рубашке. Песок в его черных волосах казался сединой.

— Эй! — позвала Мила.

Но никакой реакции не последовало.

Она встала на четвереньки и подползла поближе. Хотела потрясти за плечо. Но в самый последний момент отдернула руку.

На песке под рубашкой растекалось широкое кровавое пятно.

Мертвый?

Что произошло? И почему тогда жива я? А может быть?.. Она в отчаянии огляделась вокруг. Довольно густой лес, кустарник.

Тишина. Никого.

Беспечно поет какая-то птица. Как в детстве на даче. Чиу-чиу-чиу-чи-лю. Чиу-чиу-чиу-чи-лю.

Совсем нет ветра. И полная беспечности тишина.

Она на минуту замерла, прислушиваясь к тому, как бешено заколотилось сердце. Может быть, там, в лесу, кто-то есть и сейчас смотрит на меня. Я этого не выдержу. Бежать куда глаза глядят.

Так. Спокойно. Без паники. Паники и так уже было предостаточно.

Можно, конечно, сейчас встать и побежать, не оглядываясь, бегом вдоль берега. Рано или поздно прибежишь туда, откуда отчалила.

Только вот я другого боюсь. Я боюсь узнать, жив он или мертв. Тот, кому я обязана жизнью. И как это узнать наверняка?

А если он мертв ...

У нее тут же пробежал по телу ток и растаял в кончиках пальцев.

Он лежал к ней затылком. И лица его она не видела.

Она посидела еще на коленях. Закрыла лицо руками, собираясь с духом. Потом резко отняла их, выдохнула и решилась. Стоя на коленях и опираясь на руки, медленно вытянула шею, заглядывая в лицо лежащего рядом человека.

Бледное до синевы. Впрочем, пробивающаяся на щеках черная щетина могла сделать синим даже здоровяка. Это еще не показатель.

Он явно был не русским. Каким-то южным. Темные густые брови, сомкнутые ресницы и профиль, словно состоящий из одних четких геометрических линий. Прямая, угол, прямая, угол. Как будто кто-то на спор нарисовал человека с помощью карандаша и угольника.

Она на секунду прикрыла глаза, борясь со своими страхами. Потом осторожно протянула руку и потрогала его лоб.

Прохладный.

Но не холодный. Не такой, какой был у дедушки, когда она целовала его в гробу.

Как-то можно это узнать точнее. Надо послушать сердце. Но он лежал на животе. А переворачивать его она боялась.

Осторожно приложила ухо к его спине. Ничего не слышно. Дышит или нет?

Почему у него кровь? На что-то упал? На камень или корягу?

Мила потянулась к его руке, чтобы найти пульс. Пульса не было. Она попыталась потренироваться на себе. Но и у нее было глухо. Это внушало некоторые надежды на сомнительность диагноза, который она уже была готова ему поставить.

Она опять взяла его руку за запястье и стала, как скрипач струну, сжимать и прислушиваться. Вот свое сердце она слышало прекрасно, причем в горле. Потом вспомнила, что на шейпинге их учили слушать свой пульс именно на шее. И осмелев, она стала пробираться пальцами ему под подбородок.

— Да живой, я. Живой. Хватит уже. Сколько можно! — простонал он, отворачивая лицо в другую сторону.

Мила отдернула руку, словно обожглась. Перевела дух. Как она испугалась! Глядя в его темное лицо с прикрытыми веками, которое теперь было обращено в ее сторону, она лихорадочно думала, что же делать дальше.

— Что с вами? Вы поранились? Тут у вас кровь... Надо посмотреть. Давайте. Перевернитесь.

И она чуть тронула его за плечо. Но, вместо ответа, он молча покачал головой и дернул плечом.

— Вы не волнуйтесь, наверное, нас скоро найдут. Надо только чуть-чуть потерпеть. Там же были еще какие-то пароходы. Не досчитаются и найдут.

Она оглянулась назад, на воду. Поборола приступ кошмарного отвращения к ней. И подумала, что помощь, действительно, скорее всего, надо ждать с воды. Ведь там же столько народу было. Начнут проверять и поймут, в конце концов, кого нет. И будут искать по берегам. Логично.

Незнакомец тоже поднял голову. На лице его отразилось беспокойство. Он попытался опереться на руки, с трудом перевернулся на бок и, зажмурив глаза и стиснув зубы, рывком перевалился на спину.

Милка зажала себе рот рукой, чтобы не закричать. Вся рубашка спереди была красной от крови. Она никогда столько крови не видела. Глаза ее перебегали с его лица на рану и обратно. Он был очень бледен, на лбу выступили капли пота. Милка подумала, что и она, скорее всего, сейчас выглядит не лучше.

Он оперся на локти и, морщась от боли, чуть приподнялся. Потом снова лег, одной рукой расстегнул пуговицы на рубашке, осторожно отлепил намокшую ткань от раны. Потрогал вокруг пальцами, прислушиваясь к чему-то внутри. Все пальцы тут же окрасились кровью. Он, не глядя на нее, хрипло сказал:

— Завязать нужно. Помоги.

Она тут же встрепенулась и стала соображать, чем бы. Ей хотелось отплатить ему быстрой и скорой помощью. Сама не любила, когда кто-то столбенеет в решительный момент. Однако судить других и негодовать оказалось гораздо легче, чем легко соображать самой.

Не подавая виду, что она с трудом решает эту задачу, Мила рванула подол своего разорвавшегося по боковому шву платья. Теперь уже все равно. Но ткань поперек рваться не желала. А значит, укоротить подол на ширину бинта не представлялось возможным. Поддавалось только вдоль.

А что из этого получится, она решила сейчас не думать. Ведь поверх платья на ней был надет довольно длинный свитер. Она даже устыдилась своих имиджевых страданий в то время, как ей нужно было оказать помощь раненому человеку. Который кстати, ее спас — напомнила она себе.

И она решительно стала рвать платье так, как рвалось. А порвалось снизу до самого ворота. Сбоку на оголившемся до свитера бедре теперь не хватало полоски сантиметров десять в ширину. Свернула материю рулончиком, чтобы удобней было бинтовать. Склонилась.

— Чем же это вы так? — спросила недоуменно, вскинув на него глаза. Но он смотрел в сторону и отвечать ей, похоже, не собирался.

Она нервно вздохнула, приложила ткань к ране и начала бинтовать вокруг его живота и спины. Чтобы перехватить бинт руками под спиной, пришлось практически обнять его. Она почувствовала, как он отстранился, чтобы не касаться ее волос лицом.

Одного бинта оказалось мало. Он тут же пропитался кровью.

Но не обязательно же ей сдирать с себя все до нитки. Первое оцепенение прошло и голова заработала практичнее. Лучше бы пустить на это дело его рубашку.

— Надо бы еще… Не хватает. — Она как-то особенно четко выговаривала слова. Как часто бывает, когда говоришь с незнакомым человеком, да еще сомневаешься в том, что русский для него родной. Он смотрел на нее таким болезненно-странным взглядом, что ей казалось, что он с трудом ее понимает. — Давайте вашу рубашку!

Мила требовательно и уверенно потянулась обеими руками к рубашке, чтобы пустить ее на перевязку. Но он неожиданно резко перехватил ее руку. И, сверкнув на мгновение глазами, покачал головой.

— Свое рви. — Он не говорил, а приказывал.

Милу это неприятно царапнуло по нервам. И даже самодовольное удовлетворение от того, что она так благородно ему помогает, ощутимо померкло. Нет чтобы смотреть благодарными глазами... Чучмек... Одно слово. Успокоила она себя, заряжаясь порцией равнодушия к сложившейся ситуации. Примерилась к собственному подолу, собралась уж было оторвать, но потом подумала, что поднимает юбку и глупо оголяет ноги до самого верха. Тогда она демонстративно повернулась к нему спиной.

Но он этого не заметил, потому что опять закрыл глаза, с трудом сглотнул и облизнул пересохшие губы.

Потом она сидела на земле, прислонившись спиной к стволу старой сосны. Кора была толстая, сухая и пахла смолой. Наверно, если бы она пошла навстречу тем, кто должен ее искать, все произошло бы гораздо быстрее. Но как она может сейчас уйти? А он? Человек, который вытащил ее из этой переделки. Мелкие волны плескались о берег. Покрикивали чайки. И все было бы ничего, если бы не раненый человек рядом с ней. Она так и не поняла, что с ним произошло. Сначала подумала, что, может быть, он наткнулся на какую-то острую железяку в воде? Но как же он тогда мог плыть? Впрочем, для Милы было загадкой и то, как вообще человек может так долго плыть... Или, может быть, он напоролся на что-то уже тогда, когда они выползли на берег? Но на том месте, где он лежал до перевязки, никаких сучьев и корней видно не было. Только осталось страшное кровавое пятно. Не хотела бы она ходить по пляжу и вдруг наткнуться на такой след. Хотя, наверно, все это до первого дождя.

Он лежал с закрытыми глазами и только пару раз еле слышно произнес: «Ничего. Ничего. Я сейчас встану». Да уж лучше пусть лежит. Зачем вставать...

Она не сомневалась в том, что их найдут. И просто ждала. Вся превратилась в терпение и ожидание.

Постепенно ее разморил сон. Солнце грело сильнее. Вода плескалась монотонно и глаза просто сами закрылись, и она провалилась куда-то в черноту.

Ей приснилось, что мама наклоняется над ней и говорит: «Куда же ты делась? Ведь точно помню, что на Новый год еще была!»

Она проснулась резко. Встрепенулась. С трудом вспомнила, где она и что с ней. Где-то вдали, рассекая волны, неслась моторка. Мысли в голове ворочались лениво. Рев мотора становился все слышнее. И тут до нее дошло — это же за ней! Она вскочила и бросилась к берегу. Но нога ее за что-то зацепилась. Она споткнулась и упала, ободрав о песок коленку. Тут же попробовала вскочить и снова побежать. Но ногу освободить не удалось.

— Сядь и не высовывайся! — услышала она и, оглянувшись, увидела, что его рука крепко держит ее за ногу, а взгляд давит с такой мрачной силой, что вырваться она не посмела, а только захлопала глазами от полного непонимания того, что происходит. Моторка пронеслась мимо и скрылась из поля зрения. Многообещающий звук мотора стих чуть позже.

— Что, обалдел? — сказала она довольно противным хамским тоном. — Пусти сейчас же, придурок!

Он отпустил. А ее грубость пропустил мимо ушей.

— Это же нас искали! — закричала она истерично. — Тебе что, помощь не нужна? Ты посмотри на себя! Ты же синий! Помереть хочешь, что ли? Ты кто вообще такой, чтобы мне приказывать?

Он скривился, как музыкант от фальшивой ноты.

— Так много говоришь... В ушах звенит. — А потом, после небольшой паузы, добавил: — Ты уходи. Я тебя не держу. Уходи. Будет лучше всем. Только у меня к тебе одна просьба...

Он посмотрел на нее. Между бровей залегла страдальческая складка. Она с удивлением на него смотрела. Говорил он практически без акцента. Только неуловимо проскальзывала какая-то несвойственная русским неторопливость.

Потом он отвернулся и на нее больше не смотрел. Глядел куда-то в сторону. Он явно не знал, как свою просьбу сформулировать. И поэтому мучился.

— Ну, в общем, я тебе помог, девушка. Помоги и ты мне. — Она вздохнула. «А то он думает, что ли, что я ему могу не помочь...» — Не говори никому, что я здесь. Никто не должен знать, что я вообще есть. Скажешь, за бревно схватилась и выплыла. Поняла?

Она не поняла ничего. А то, что услышала, казалось ей полным бредом. Потом до нее вдруг дошло.

— Так ты террорист?! Это ты нас всех потопил! Да? Вот сволочь... А я с ним вожусь тут...

Она смотрела на него с такими расширенными от возмущения глазами, что он не выдержал, усмехнулся и, откинув голову на песок, обреченно вздохнул. Сказал устало.

— Нет. Я не террорист. И никого я не топил, если ты еще не заметила. Я прошу по-хорошему — уходи и забудь. А прошу я редко. Или мне задушить тебя надо, чтобы ты молчала? Так на хрена я тебя тогда вытаскивал за косу?

Он разозлился и, пытаясь говорить громче, только сильнее хрипел. Потом, видимо, все-таки силы у него кончились. Он прикрыл глаза. Она не двигалась с места. Он сказал тихо:

— Просто возьми и уйди. Это же так просто. — А потом прохрипел: — Да убирайся же ты, дура, отсюда к чертовой матери!

Она повернулась и пошла. Ей было ужасно обидно. Она терпеть не могла, когда на нее орут. Да на нее и не смел никто орать. И потом, разве она сделала что-то не так? Ведь нет! Она, между прочим, своим платьем для него пожертвовала. Хотела как лучше. А он смотрит таким зверем. И ноздри раздувает. Слава Богу, что раненый. А то бы задушил, наверно. Ну и пошел к черту. Урод черномазый... Вот и вправду — чурка.

Глава 7

1909 год. Подмосковье.

В небе с утра непогодилось. Серая непроглядная пелена повисла над Бобылево, Фешино, Праслово, окрестными деревнями и всей Среднерусской возвышенностью. Нижним небом проносились лохмотья черных туч, в который раз принимался дождь, капли падали вразнобой, и тогда сверху давалась команда: «Отставить!»

На земле тоже не ладилось. Венчание было назначено на полдень, а до сих не поспел заказанный в Москве букет цветов. Вдова профессора Борского Софья Николаевна оборвала весь фешинский цветник, бесконечно посылала людей к соседям, но собственный поспешно составленный букет так и выглядел поспешным. Астры смотрелись взъерошенными перед дождем курами, и все время вылезали в сторону какие-то зеленые перья, доводившие Софью Николаевну до истерики. А когда шафер, Борис Белоусов, увез уже букет в невестино Бобылево, явился, наконец, заказ из Москвы. Он был ничем не лучше домашнего. Софья Николаевна посмотрела на него и заплакала, то ли от досады на небогатую жизнь, которая началась после прошлогодней кончины супруга — профессора Борского, которая теперь заставляла считать каждую копейку, то ли это были положенные родительские слезы.

Шафер Борис Белоусов ехал на нарядной тройке хороших лошадей. Он сидел за празднично одетым ямщиком, привязанные к дуге разноцветные ленты летели по ветру и щекотали ему лицо. Борей владело грустное и мечтательное настроение. Он скакал в Бобылево словно с невидимой невестой, с той самой Мировой Душой, про которую без устали твердил этот «несусветный везунчик» Борский. Ложь и неправда совершится сегодня в полдень. Любушка-голубушка будет отдана этому чокнутому рифмоплету, юродивому, правда, популярному в некоторых петербургских кружках, может, даже знаменитому. Но ведь это — фантазии, воздушная кукуруза! Людмила Афанасьевна девушка земная, не в смысле, что доступная... Боже упаси! .. а правильная, настоящая, из плоти и крови... Как там говорил Базаров? «Проштудируй-ка анатомию глаза, откуда там взяться таинственному взгляду?» А ведь Люда Ратаева — это и есть анатомия, ах какая анатомия!

Боря вспомнил, как читал он на профессорской любимой веранде книгу по физическим явлениям давления и плотности. Люда подошла сзади, заглянула через плечо. Чем-то заинтересовавшись, она наклонилась над ним, ее маленькая, крепкая грудь коснулась его плеча и не отпрянула, не отстранилась. Белоусов и теперь чувствовал это ни с чем не сравнимое давление. Что может понимать этот Борский в таком давлении?!

«Коснись меня, Панна, заветным крылом...» Вот и искал бы себе невесту с крыльями, жалкий фанфаронишка! Ничтожество!

Прав был профессор Ратаев, когда сказал, что не променял бы и одного лаборанта на всех символистов и акмеистов вместе взятых. Боре тогда показалось, что Афанасий Иванович намекает на него, но оказалось, что профессор использовал «лаборанта» ради красного словца.

Одиноко было вечному студенту Белоусову. Весь мир отвернулся от него, как этот ямщик, который радуется предстоящему угощению да и вообще радуется, просто так, беспричинно. Экая сволочь! Хоть бы революцию какую-нибудь ямщики и пролетарии поскорее устроили! Чтобы сгинули в водовороте событий символисты вместе с Борским. А они с профессором останутся. Любому режиму требуются позитивно мыслящие практики, отбирающие у Бога последние островки, не дающие старику укрыться ни на звездах, ни в частицах вещества.

Где ты, ветхозаветный старик? Может здесь? Боря заглянул в букет, сунулся носом в самую огромную белую астру... Как там у этих придурашливых поэтов? «Я хотел бы быть мотыльком...» Вот-вот. Боре тоже захотелось поселиться в астре, подстеречь Людмилин наклон к цветку, дотронуться до ее губ, скользнуть вместе с каплей росы по ее груди, потом ниже... Его аж подбросило!..

— Эй, куда ты так гонишь, черт сиволапый! Чуть не вытряхнул на дорогу!

— Не серчай, барин! Больно хочется поскорее таинство лицезреть. Дело-то хорошее!

— Хорошее... Тебе-то, дураку, все хорошо...

В старой, еще екатерининских времен, церкви Михаила Архангела народу уже собралось много. Ждали невесту и прятались от мелкого летнего дождика. Жених Борский был в студенческом сюртуке, очень серьезный, сосредоточенный, как на экзамене по древнегреческой грамматике.

Стали прибывать гости невесты. Они ревниво осматривали фигуру жениха, но тот был безупречен в смысле юной поэтической красоты. Родня пошепталась и осталась женихом довольна.

Когда пошел серьезный дождь, церковь быстро дополнилась людьми случайными. В открывающиеся двери проникал шум дождя. Дождь был невелик, но с крыши будто бы вода уже побежала в ведро или корыто — зазвенело. Нет, это издалека приближается звон со стороны. Бубенцы... Конечно, бубенцы невестиной тройки!

Мальчик идет впереди, несет образ. Профессор Ратаев в орденах, чистый генерал. Несколько шаферов — все сплошь символисты, только Боря Белоусов — служака точных наук.

— Гряди голубица... — затянули певчие, когда показалась белая, воздушная невеста с дождевыми каплями на померанцевых цветах и фате. Маленькая девочка, похожая на ангела, несет за невестой длинный шлейф.

Отец Даниил, как про него говорили, человек грубый и резкий, старинный неприятель профессора Ратаева, а также всей его семьи, с доброй улыбкой умиления сейчас смотрел на молодых. Афанасий Иванович Ратаев и Софья Николаевна Борская плакали от избытка родительских чувств. Многие из присутствующих дам подносили к глазам платочки, деревенские бабы утирали слезы краешками косынок. У Бори Белоусова то чесался нос, то какая-то соринка попадала в глаз.

Волей отца Даниила обряд совершался неторопливо, и никто не выражал нетерпения. Наоборот, всем хотелось любоваться прекрасной парой бесконечно, к тому же на улице дождь уже лил, как из ведра.

По бережно сохраненному в деревенской церкви Михаила Архангела обряду венцы не держали над молодыми, а надевали прямо на головы. «Силою и славою венчай я...» Царь и царица в окружении подданных вступали во владение великой страной любви. Венчание уже кончилось, но что-то не отпускало молодых, и они еще долго, раз за разом прикладывались к образам. Подданные не смели их торопить, отец Даниил, обычно строгий и жесткий, только кивал им согласно.

Единственное, что несколько омрачило венчание — неловкость жениха, когда он надевал кольцо невесте. Кольцо скользнуло вниз, все расступились. Смотрели под ногами и не находили. Жених и невеста побледнели, у Людмилы задрожали губы. Но тут мальчик, тот самый который нес образ, заметил колечко, блестевшее в наряде невесты. Оно попало в батистовую складку, а значит, не упало. Все присутствующие облегченно вздохнули.

Алексею Борскому показалось, что все это будто бы уже было где-то. Видел ли он, читал ли об этом, он сейчас не мог припомнить. Кажется, тогда обручальное кольцо скользнуло в широкий рукав. Почему-то Борскому казалось, что это происходило где-то на Кавказе, где он никогда не был, но помнил отчетливо. Потом он выразит это неясное воспоминание, странный сон в одном из своих лирических стихотворений.

Перед церковью молодых встретило поделенное надвое небо — прозрачная лазурь и отступающая серая пелена — и крестьяне Праслово, Таракановки и других окрестных деревень с белыми гусями в руках. Румяная баба, подмигивая молодым, в основном, жениху, поднесла им хлеб-соль. Солнечный луч упал наискось на долину. В чистом воздухе хрустально ударили колокола, мелким звоном им ответили бубенчики тройки лошадей. Молодые поехали в Бобылево. Вслед за ними потянулись гости.

Жена профессора Ратаева Мария Дмитриевна, досадуя на непонятный ей обычай, запрещающий матери невесты присутствовать в церкви, из-за которого она накануне свадьбы в который раз поругалась с отцом Даниилом, издалека высмотрела тройку и теперь сбегала вниз по скрипучим ступеням. Послышался извечный крик прислуги, исполняемый обычно неприятным, визгливым голосом — «Едут!», и бубенцы зазвенели уже в конце еловой аллеи.

Мария Дмитриева спешила всем своим непослушным, дородным телом навстречу, но ее обогнала старая няня. Молодые выходили из экипажа, а старушка осыпала их хмелем, страшно волнуясь при этом, словно исполняла главный номер сегодняшней свадебной церемонии. А в ворота въезжали уже многочисленные гости, за ними спешили деревенские бабы и мужики.

В той самой гостиной, которая в глубине старых зеркал хранила отражения Людмилы, любовавшейся своим телом, был установлен огромный стол. Гости рассаживались, бутылки и закуски привлекли к себе часть всеобщего внимания, но ненадолго. Встал слишком взволнованный, среди общего успокоения и деловой застольной суеты, Борис Белоусов. Он поднял бокал с шампанским и, видя, что рука его дрожит со все увеличивающейся амплитудой, поспешил выпалить:

— За здоровье молодых!

Со двора донеслось громкое пение. Это ярко разряженные бабы величали молодых, их родителей и гостей:

Во палаты белокаменные, грановитые,

Не дубовые столы пошаталися,

Не берчатые скатерки зашумели,

Не пшеничные ковриги сокатилися,

Не полужены братины соплеталися,

Не серебрены подносы забренцали,
Не хрустальные стаканы защелкали.
Во-первых, наша Люда снарядилася,
Она во белые белила набелилася,
Во алые румянцы нарумянилася,
Пред князьями-боярами поклонилася...

Народная поэзия пробудила поэта от жениховства. Алексей Борский слушал величальную песню и думал о народной магии слова, которая стремится закрепить за величальным лицом богатства и добрые качества сказочных князей да бояр. Опять весь мир со свадебным столом и молодой женой в центре наполнился для него символами и иносказаниями, поэтические образы пришли к нему в качестве свадебных гостей.

«Браки свершаются на небесах», — подумал Борский, вкладывая сейчас в эти истрепанные слова иной, как ему казалось, высший, таинственный смысл. Глаза его опять заволокло туманом, который так не любила его невеста, а теперь молодая жена.

— Кольца, кольца, круг замкнулся... — зашептал Борский.

2003 год. Московское море.

Мила шла по берегу босиком. Туфли свои она утопила в первые же минуты после того, как оказалась в воде. Свитер был мокрый. Разорванная юбка цеплялась за колючки и кусты, которые то и дело наползали на самую кромку воды. Дальше идти по берегу было практически невозможно. Нужно было сворачивать в лес и пробираться через него. Или искать какую-нибудь тропинку. Ведь не необитаемый же тут остров. Если идти прямо, не сворачивая, обязательно выйдешь к людям. Вот только в какую сторону идти, не сворачивая, она не знала. Судя по всему, она находилась на противоположном от причала берегу. И с одинаковым успехом можно было идти в разные стороны. Земля, как известно, круглая.

Мила замедлила шаг и в нерешительности стала смотреть вдаль на воду. Никаких признаков жизни видно не было. Вот только высоко в небе пролетел самолет, оставляя за собой белый след. Но ему маши не маши — все равно.

Она никогда не чувствовала себя такой одинокой. Вроде бы люди есть всюду. А уж под Москвой и подавно. Но что-то не густо. Не густо.

Она решила зайти в лес. В принципе там вполне могла найтись дорога. Мила взобралась по невысокому склону, хватаясь за кусты и больно наступая на колючки. Но лес на этом не кончался. Непроходимая куща простиралась далеко в глубину. И босиком тут идти она не решалась. Змеиное какое-то место. Тьфу-тьфу-тьфу, конечно...

Но чем дальше она уходила от того песчаного берега, где оставила его лежать, тем, казалось, сильнее затягивалась на шее петля. Так нельзя. Это неправильно. Надо найти людей, чтобы помогли его вытащить отсюда. Надо только найти людей!

Она решила все-таки пробраться вдоль берега еще хоть чуть-чуть. Если вдруг встретится какой-нибудь пляж или бухточка, в которой можно купаться, то тропинку от нее найти будет несложно.

Но сложно оказалось продвигаться вдоль этого дикого и совершенно нехоженного берега. Песок был только в том месте, в котором они выбрались на берег. А здесь, сколько она шла, дно все время было илистое, противное. Вряд ли здесь можно было купаться. И она шла и шла. Иногда по колено в воде, обходя растущие в воде камыши. Иногда продираясь сквозь кустарник. Но ничего вокруг не менялось.

Солнце стояло высоко. Мила не понимала что ей делать дальше. Села на поваленное дерево и стала ждать. Может быть, и моторка еще проплывет... Заурчало в животе. Хотелось есть. Голова слегка кружилась от бессонной ночи и последующих потрясений.

Она сидела, забравшись на бревно с ногами. Обхватила колени. Положила на них подбородок. Надо как-то собраться с мыслями. Она никак не могла осознать, что еще вчера, да что там, еще на рассвете у нее была совершенно другая жизнь. А потом вдруг все изменилось. Что же это было? Очередной теракт? Но никакого взрыва не было. Зато был какой-то черный, с бандитской мордой. Который хочет остаться в тени... Да... Зачем тогда он меня вытащил? Но ведь он сначала хотел от меня избавиться. И лягался. А почему тогда спас? Странный для террориста поступок.

Мы так привыкли жить в своих безопасных норках, ездить по сигналу светофоров, тормозить на красный, покупать в супермаркете филе и все готовенькое к употреблению, делать прививки от всех болезней, принимать анальгин от головной боли, в любую минуту звонить по мобильному. А стоит на один шаг отступить от проложенной дороги — и все, ты ощущаешь себя муравьем. Вот нету у меня ни мобильника, ни туфель — и все. Никакой независимости и самостоятельности.

Это нам только кажется, что мы хозяева своей судьбы. А ведь каждую минуту то, что мы себе придумали, может дать сбой. Да что там — наступишь в один прекрасный день на канализационный люк, а он окажется открытым. И всем привет.

Нечто похожее произошло и с ней. Вода. Коварная вода, которую она с детства не любила, оказывается, отвечала ей взаимностью. Какой кошмар она пережила. Она уже успела попрощаться с жизнью. И не просто для красного словца. А на самом деле. В этом вся разница. Если бы не оказалось рядом этого мужика, она бы сейчас здесь не ходила. И в этом заключалась единственная непреложная на данный момент истина. Она обязана ему жизнью. Так же, как она обязана жизнью матери. А разве маму бы ей пришло в голову бросить одну в лесу, с кровавой раной?

А он там лежит. Ему плохо. Один. Разве она смеет оставлять в таком положении человека, который ее спас. И как он доплыл? Где же он так поранился?.. Можно тихонько вернуться. Благо с дороги тут не собьешься. Все — по берегу. А там уже осторожно обогнуть поверху и подкрасться с тыла.

И что? Сама себе возразила. Так и будем сидеть, от людей прятаться? Надо придумать, как ему помочь. Какой смысл возвращаться? Если возвращаться, так с бинтами, обезболивающим и носилками. А так-то зачем?

Да. Задача ясна.

Мила встала, потянулась. И решила во чтобы то ни стало выйти к людям. А значит — вперед, вглубь, в лес.

Босиком по лесу ходить — удовольствие сомнительное. Вот уже который раз она шипела от боли, накалываясь на прямо таки специально заготовленные для нее острые сучки. «Если так дело пойдет, то я в конце концов не смогу идти». Лопухи, что ли, травой привязать?.. Она потянулась рукой к жирному пушистому лопуху, завернула им стопу, как портянкой, и принялась привязывать длинными сочными травинками. Но они безбожно рвались, стоило их только завязать узлом. На пятой попытке она сломалась. Так не получится. Мила стала лихорадочно шарить глазами вокруг, пока не наткнулась на свой собственный болтающийся на одном бедре обрывок платья.

Она взяла в руки подол и, уже ни о чем не жалея, оторвала длинный узкий лоскут. Его порвала надвое. Им и завязала. Получилось очень даже ничего. Мягко и уютно.

Ровно через пять шагов удобные лиственные тапочки превратились в обвисшие лохмотья. Пришлось оборвать. Она взяла веревочки, получившиеся из оторванной от платья материи и завязала ими пальцы на ногах. Хоть чуть-чуть поменьше будут чувствовать.

Пошла дальше. Пригибаясь под ветками и разводя их в стороны руками. Солнечные лучи сюда, наверно, никогда и не попадали. Здесь под ногами практически ничего не было. Негустой папоротник и влажная земля. Мешали только завалы тонких, согнутых в дугу стволов. Ей все время приходилось перешагивать через них, а через высокие перебираться. Голые ноги уже были основательно исцарапаны. Подол свой она завязала узлом, потому что он то и дело зацеплялся за колючие ветки.

Она в очередной раз занесла ногу над мешающей веткой. А когда собиралась опустить, перекинув через препятствие, ей почудилось какое-то движение. Она быстро выхватила его глазами и окаменела. Прямо из-под ее еще не поставленной на землю ноги, обмотанной почти разорвавшимся в клочья лопухом, струилась черно-серая лента змеи.

Мила завизжала так, что на какое-то время оглохла. Обеими руками она обхватила голову, визжала и пятилась.

Потом она помнила только, как хлестали по лицу ветки. Как она задыхалась от бега с препятствиями, как болели ноги, исцарапанные мерзкими непроходимыми прибрежными зарослями. Она вылетела к воде и остановилась. Зашла по колено и умылась, все еще тяжело дыша. Потом, не задерживаясь, понеслась по всему пройденному ею пути обратно. По кромке воды, туда, где она оставила беспомощного человека. А в этом мерзком лесу только ляг — и на тебя сразу наползут, ужалят, убьют.

А он там один! Дура я, дура! Обиделась, видите ли. Боже мой! Только бы он был жив! Только бы с ним все было в порядке!

Она уже, кажется, узнавала места. Здесь лес из лиственного постепенно становился суше. Там где они с ним были, стояли сосны. Это она точно помнила. Завидев оранжевые сосновые стволы, она забрала резко в глубину берега. Ей нужно было его обойти, чтобы он ее не заметил. Она сбавила скорость и тихонько, стараясь не наступать на ветки, как в любимых с детства книжках про индейцев, стала приближаться к тому месту, где его оставила.

Почти не дыша, она выглянула из-за сосны на песчаный пляж.

Но там никого не было.

А о том, что место она не перепутала, говорило темное пятно крови на белом песке.

Глава 8

О, споры! Вы, что неизбежны,
Как хлеб, мы нудно вас жуем.
Солдаты! люди! будьте нежны
С незлобивым своим ружьем.

Не разрешайте спора кровью, —
Ведь спор ничем не разрешим.
Всеоправданьем, вселюбовью
Мы никогда не согрешим!..

Игорь Северянин

1909 год. Северный Кавказ.

Аслан Мидоев покинул свой аул и родные горы не потому, что боялся нукеров Давлет-хана, он оставил Дойзал-юрт потому, что в речке Акатай виделось ему отражение ее прекрасного лица, одинокий камень он принимал за женскую фигуру, а в крике ночной птицы слышал призывный голос этой женщины. Вообще, творилось с ним что-то неладное. На охоте он нервничал и не мог себя заставить выстрелить в олениху, ее глаза мешали ему убивать. Конокрадство и вовсе повергало его в непонятное томление. Странная сила влекла его в имение Давлет-хана, чтобы отдать коня за один только взгляд жены князя, Мадины.

Тогда он и оставил родимые места, ведь согласно древней пословице — от тоски джигита могут вылечить только хорошие враги. Русские уже не были врагами, а если и были, то плохими. Поэтому Аслан пошел к хевсурам, извечным врагам вайнахского племени.

К удивлению Аслана, не один он такой скитался по горам, покинув родной дом. В те годы много было на узких горных тропках Северного Кавказа всяких бесприютных бродяг. Быстро менялась жизнь вокруг, и многие не находили себя в ней, отправлялись искать иной жизни.

Ночевал Аслан в ингушских аулах. Смотрел на жизнь братьев-вайнахов, разговаривал, слушал ингушских стариков. Вечерами они рассказывали множество старинных историй и легенд. Одна же сказка особенно запомнилась Аслану Мидоеву. Была она про Хамчи.

В стародавние времена, когда и солнце ходило не с Востока на Запад, а наоборот, и горы были такие высокие, что звезды кочевали по их склонам, как отары овец, жили в этой стране нарты. Нарты были людьми необыкновенного роста, силы и отваги. Врагов у них других не было, кроме них самих, как не бывает врагов у реки, ветра, горы.

Жили в племени нартов старик со старухой. Детей у них никогда не было. Вот однажды старуха запеленала камень и стала его качать. Качала, пока не уснула. Проснулась от громкого плача. Посмотрела в пеленки, а там ребенок. Обрадовались старики, назвали мальчика Хамчи. Не успели порадоваться его босоногому детству, как Хамчи уже стал богатырем. Даже среди могучих нартов таких богатырей не было. Никто не мог победить Хамчи в состязаниях.

Только заскучал Хамчи. Захотел посмотреть, что находится за той горой, дошел, а там еще гора, за ней еще. Так зашел Хамчи далеко от родимых мест. Прилег отдохнуть. Только задремал, почудилось ему, что кто-то через него перепрыгнул. Посмотрел по сторонам — никого. Опять задремал, и вновь кто-то перемахнул через него. Что за чепуха? На этот раз Хамчи спящим только притворился. Слышит — кусты шуршат. Приоткрыл один глаз, видит — бородатый джигит к нему подъезжает. Но до того маленький, что вместо коня едет верхом на зайце. Подскакал к лежащему Хамчи и прыгнул через него. Хамчи зайца на лету за уши поймал одной рукой, маленького бородача схватил другой.

— Вот, кто мне спать мешает! — говорит. — Кто ты таков есть? Отвечай!

— Меня зовут Сипуни, заячий джигит, — отвечает тот. — Отпусти меня!

— Как бы не так, — сказал ему Хамчи. — Умеешь проказничать, умей и ответ держать. Сейчас зашвырну тебя на самое высокое дерево, всю жизнь будешь с него слезать. Или брошу тебя в пропасть самую глубокую, всю жизнь будешь лететь.

— Что же, джигит, дело твое, — вздохнул Сипуни. — Только разреши мне напоследок бороду свою причесать.

— Хорошо, причеши, заячий джигит, — согласился Хамчи. — Только недолго. Очень уж мне спать хочется.

Опустил он Сипуни на землю, а зайца не отпускает, чтобы тот не удрал. Сипуни схватился за бороду, быстро выдернул из нее волосок и бросил его на Хамчи. Не успел Хамчи и глазом моргнуть, как оказался опутанным волоском с ног до головы, как муха паутиной, даже пошевелиться не может.

— Кто ты таков? — спрашивает его Сипуни. — Отвечай!

— Меня зовут Хамчи, из племени нартов. Отпусти меня!

— Как бы не так, — говорит ему Сипуни. — Сейчас зашвырну тебя на самое маленькое дерево, оно тебя до смерти защекочет. Или брошу тебя в самую маленькую пропасть, голова твоя в ней застрянет, и ты задохнешься.

Взмолился джигит, стал Сипуни предлагать коня, шашку и кольчугу. А заячий джигит только смеется себе в бороду.

— Ничего мне такого не надо, ведь маленький я. На коне мне не удержаться, шашку не поднять, кольчуга меня раздавит.

— А хочешь, я тебе дом построю?

Обрадовался Сипуни. Говорит, что дома у него нет и не было никогда. Под кустом он ночует, на камешке обедает. Ведь маленький дом кабан копытом раздавит, волк хвостом снесет, веткой упавшей завалит. А большой ему не построить.

— Я построю дом крепкий, большой, но для маленького человека.

Освободил его Сипуни. Построил ему дом Хамчи, как обещал. После этого подружились два джигита на всю жизнь. Много всякого с ними приключалось, но сила Хамчи и хитрость Сипуни, а главное их крепкая дружба, выручали их всегда.

Когда пришла в горы весть, что Западная царевна созывает женихов со всего света, побороться за ее руку и сердце, решил и Хамчи попытать счастья. Как ни отговаривал его Сипуни, все без толку. Поругались друзья впервые в жизни, и Хамчи поехал на Запад один.

Много женихов съехалось в Западное царство. Все они были сильны, храбры, красивы. Но никто из них не мог сравниться с Хамчи. Победил он на всех состязаниях. Оставалось последнее испытание — поединок с самой Западной царевной. Вышла против него царевна в серебряных доспехах, шлем лицо закрывает, в руках меч со щитом. Бились они так долго, что у мальчика, который подносил им напитки, выросли усы.

Наконец, стал Хамчи одолевать. Видит Западная царевна, что противник побеждает, а ни разу до этого она еще не проигрывала. Скинула она с себя доспехи и одежду, рассыпались до самой земли ее золотые волосы. Встал перед ней Хамчи остолбенело, руки у него опустились, глаза затуманились. Тут и ударила его царевна мечом и зарубила его.

Увидел Сипуни красную росу на траве, заметил он красные перья у скворца и красные маки в долине, понял, что случилось с Хамчи несчастье. Нашел он в поле мертвого друга. Когда же пришла Смерть за Хамчи, связал ее ловко волоском из своей бороды. Взмолилась Смерть, чтобы отпустил ее заячий джигит, ведь пока она связана, расселится по земле столько народа, что выпьют всю воду в реках, съедят все зверье в лесах.

— Отпущу тебя, если оставишь ты моего друга в живых, — сказал ей Сипуни.

— Будь по-твоему, — согласилась Смерть, — только дай мне кого-нибудь взамен.

— А возьми тогда Западную царевну, — ответил ей маленький джигит.

На том и порешили. Спустилась Западная царевна к реке, там ее ужалила змея, и она умерла. Ожил Хамчи, но, узнав, что погибла Западная царевна, затосковал, ведь он успел полюбить ее...

Так рассказывали Аслану древние ингушские старики. После этих историй ночные горы наполнились для него таинственными существами, которые прятались в кустах и за камнями, но взгляды которых джигит чувствовал. Он не боялся, наоборот, его это радовало. Ведь в родных горах ему везде мерещилась Мадина, жена Давлет-хана, здесь же — дивы и джинны, до которых Аслану не было никакого дела.

В одну из таких ночей с горной тропы он увидел освещенный вход в пещеру. Человек это или джинн, но он должен пригласить ночного путника к огню.

К тому же у Аслана в кожаной седельной сумке было мясо убитой этим утром лани. Не с пустыми руками следовал он к хозяину пещеры.

По теням, отбрасываемым пламенем на каменный свод, Аслан сосчитал количество людей у костра, и смело вошел внутрь. В пещере был всего один человек. Он поздно заметил постороннего, и рука, потянувшаяся к оружию, явно запоздала. Человек понял это и смело посмотрел в лицо ночному гостю.

— Ассалам алайкум! — поздоровался Аслан.

Человек у костра не ответил, только кивнул в знак приветствия и жестом пригласил путника к огню. Аслан понял, что перед ним человек чужой веры, хотя и горец.

— Я рад гостю, — сказал человек по-русски. — Присаживайся ближе к огню. Жаль, мне нечем угостить тебя. Охота моя закончилась неудачно... Меня зовут Балия Цабаури. Я — хевсур из Гудани.

— Я — Аслан Мидоев из Дойзал-юрта.

— Ты кистин?

— Нохча... чеченец.

— Давно не видал я чеченцев в наших горах, — сказал гость, но продолжать не стал, решив, что расспрашивать человека вот так сразу неприлично. — У меня осталась еще кукурузная лепешка. Давай, разделим ее с тобой.

— Ты не обидишься, Балия, если я сам угощу тебя? Мне на охоте повезло сегодня больше, чем тебе.

Он достал из сумки окорок и протянул его хевсуру, тактично решив, что хозяину пещеры и распоряжаться приготовлением пищи. Балия сделал неловкое движение навстречу, но что-то помешало ему протянуть руку. Аслан понял, что нога хевсура спрятана под бурку не просто так. Видимо, неудача на охоте заключалась не просто в отсутствии добычи, а в серьезном увечье.

— Ты ранен? — спросил чеченец.

— Я сорвался со скалы, когда подкрадывался к туру. Кажется, сломал ногу. Ты бы видел, Аслан, как потешался надо мною рогатый разбойник. Он посмотрел на меня сверху вниз со скалы, потряс бородой и злорадно заблеял, засмеялся. Ты никогда не видел смеющегося тура?

Аслан улыбнулся. Хевсур, видимо, был веселым и добрым человеком. Судя по всему, был он небольшого роста, не богатырь, но легкий и проворный. Травма причиняла ему сильную боль, но он не показывал виду, только бледнел, и капелька пота сбегала по его виску и высыхала на щеке.

Чеченец закопал мясо в горячие угли.

— Давно ты здесь? — спросил Аслан.

— Второй день.

— Я не такой, конечно, лекарь, как наш старик Дута, но все-таки позволь посмотреть твою ногу. Может, я чем-нибудь смогу помочь.

Балия откинул бурку, и Аслан увидел распоротую штанину и белевшую в рваной ране сломанную берцовую кость. Нога распухла и посинела.

— Тебе надо вправлять кость, — сказал чеченец. — Этого я делать не умею. У меня есть с собой немного сандаловой воды. Она снимет опухоль и облегчит твои страдания. Утром я отвезу тебя в твое селение. У вас есть хороший лекарь?..

Аслан никогда так много не говорил, как в эту ночь у костра. Он уверял себя в том, что говорит только для того, чтобы отвлечь Балию от боли, но чувствовал, что лукавит сам перед собой. Аслан словно знал этого хевсура всю жизнь, только чьей-то злой волей тот потерял память, и теперь Мидоев спешил рассказать другу все, что тот забыл. Хевсур тоже хотел говорить, но Аслан не разрешал ему тратить силы.

Рассказал он Цабаури и услышанные им недавно ингушские легенды про богатыря Хамчи и его верного друга Сипуни. Хевсур посмеялся и сказал, что это история про него, Балию, что он и есть тот самый заячий джигит, только потерявший волшебную силу бороды. Над ним до сих пор потешаются в Гудани за маленький рост.

— Но ты не подумай, Аслан, — сказал он, забавно хмурясь, — Балия Цабаури никому не прощал насмешек. Пусть я — заячий, но настоящий джигит. Спроси об этом любого в Хевсуретии, и тебе скажут, что я не лгу.

До Гудани добрались только на рассвете следующего дня. В горах была гроза с порывистым ветром, и им пришлось переждать ее. Когда на окраине большого села показался незнакомец, который вел в поводу коня с сидевшим на нем Балией, навстречу выбежала стайка чумазых и оборванных ребятишек. Они что-то закричали на своем наречии и побежали по селу.

— Что они такое говорят? — спросил Аслан.

— Они говорят, что страшный кистин привез Маленького Цабаури. Так они меня называют. Но я не сержусь на детей. Не сердись и ты, Аслан.

Они ехали по хевсурскому селению. Из всех дворов им приветливо кричали, только около одной сакли, перед тем как повернуть к родному дому Балии, они услышали низкий, грубый голос. Широкоплечий чернобородый горец, как понял без перевода Аслан, говорил что-то обидное и дерзкое его спутнику. Балия тоже ответил, что-то не менее громкое и раскатистое.

Когда они отъехали, Аслан спросил, что кричал ему этот горец и что ему ответил Балия.

— Это Чалхия Миндодаури, — пояснил Балия. — Мы с ним в ссоре. Я же говорил, что никому не позволяю смеяться надо мной, кроме женщин и маленьких детишек. Мы должны были встретиться с ним на шугли.

— Что такое шугли?

— Это такой поединок между поссорившимися мужчинами. Теперь он крикнул мне, что я специально сломал на охоте ногу, потому что испугался встретиться с ним в шугли.

— Что же ты ему ответил?

— Я сказал, что даже без рук, без ног выйду на поединок, чтобы наказать этот дрянной бурдюк, наполненный прокисшим вином.

— Хорошо ответил!

Отец и мать Балии — старики Цабаури — встретили Аслана, как самого дорогого гостя. Аслан был молод, первый раз в жизни он уходил так далеко в чужие края, первый раз он был в гостях у иноверцев, и первый раз ему так искренне радовались совершенно чужие люди. Он даже позволил себе наесться больше обычного, чтобы не обижать стариков, хотя всегда соблюдал старинную заповедь: есть за столом столько, чтобы в любой момент можно было броситься в бой, сохраняя легкость в теле.

К Балии пришел старик-костоправ. Он поставил кость на место, к удивлению Аслана, наложил на перелом свежую, еще липкую, шкуру барана внутренней частью к телу и крепко стянул повязку ремнем. Точно также поступали и чеченские лекари. Аслан сказал об этом. Старик-костоправ ответил, что в молодости ходил по всему Северному Кавказу, учился у разных народных лекарей. Бывал он и в Чечне.

— Все лечат по-разному, но кости у всех одинаковые, — сказал старик, уходя.

Вечером в саклю Цабаури зашли молодые хевсуры и сказали, что Чалхия Миндодаури ждет хвастуна Балию на шугли. Балия вскочил на ноги и тут же стал падать на руки стоявших поблизости. Ни о каком поединке не могло быть и речи.

— Нет! — кричал хевсур, чуть не плача. — Привяжите меня к дереву! Я буду драться! Я не позволю радоваться этому наглецу и грубияну! Я заставлю его уважать Цабаури!

Тогда поднялся Аслан.

— Может ли друг оскорбленного мужчины пойти на шугли? — спросил Аслан.

— Он твой друг, Балия? — спросили удивленные хевсуры.

— Аслан — мой самый большой друг, — сказал гордо Балия, смотря на Аслана снизу вверх, так как едва доставал головой ему до груди.

— Ты можешь, Аслан, участвовать в шугли, — сказали хевсуры, посовещавшись.

— Каким оружием проводится поединок? — испытывая необычайный душевный подъем, спросил Аслан. — На шашках? На кинжалах?

— Нет, — ответили хевсуры, — на сатитенях.

— На сатитенях? Никогда не слышал про такое оружие... Что это такое?

— Постой, Аслан, — вмешался Балия. — Ты не можешь драться за меня. Это невозможно. Ты никогда не надевал сатитени. Ты не умеешь ими драться. Я не позволю тебе...

— Покажите же мне эти сатитени! — воскликнул Аслан.

Один из хевсуров протянул ему руку. На его большом пальце Аслан увидел стальное кольцо с длинными острыми шипами в два ряда.

— У тебя есть такое же? — спросил чеченец своего друга.

— У каждого хевсурского мужчины есть сатитени, — гордо ответил тот.

— Давай его сюда и покажи еще, что с ним надо делать...

На площади у родника, одетого в камень и украшенного простой горской резьбой, собрались жители селения, чтобы посмотреть шугли. Эти поединки проходили здесь достаточно часто, но впервые на шугли собралось почти все население Гудани. Ведь сегодня будет драться чужак-чеченец, который никогда не надевал на палец сатитени. Все, даже те, кто симпатизировал Балия Цабаури, болели в этот вечер за Чалхию. Да никто и не сомневался в его победе. Кто, кроме хевсуров, умел так ловко драться боевыми кольцами? Никто на всем Кавказе! Так пусть иноверец узнает, что такое хевсурские сатитени!

Балия Цабаури сидел тут же на камне, вытянув сломанную ногу и опираясь на свежевырезанный костыль. Аслан стоял рядом, немного волнуясь перед странной, незнакомой ему схваткой.

— Запомни, Аслан, — говорил ему Балия, — шугли служит для проверки боевого духа воина, приучает его не бояться крови и переносить боль. Никто не увечит и не убивает противника. Удары наносятся только в голову, выше трех лобных складок. Вот сюда! Здесь крепкая черепная кость, ранения сюда не убивают противника. Смотри — не промахнись, не то вступает в силу кровная месть. Не забудь сорвать с него шапку, как я показывал. Бей прямо, наотмашь или сбоку. Держись, Аслан! Я буду молиться за тебя...

Как маленький Балия собирался драться против здоровенного Чалхии, так и осталось для Аслана загадкой. Хевсур был одного с ним роста, но старше, шире в костях, плотнее. На пальце у него было такое же кольцо, как у Аслана, но с тремя рядами остро отточенных зубьев.

Но как же неудобно держать это самое кольцо на большом пальце. Как тут ударишь? Не кинжал и не голый кулак. Да и забыл спросить Балия — кто же побеждает в этой странной схватке?

Аслан не знал, когда надо начинать, есть ли в шугли какой-нибудь особый ритуал, приветствие противника. Поэтому он ничего не предпринял, когда к нему быстро подскочил Чалхия, сорвал рукой мохнатую шапку, и, пригнув этой же рукой его голову, ударил кольцом сверху вниз.

Он не почувствовал боли, выпрямился, схватил руку противника. Но тот успел за это время несколько раз полоснуть Аслана по голове. Сатитени хевсура попало в уже кровоточащую рану, и теперь острая боль обожгла его. Он только успел сбить шапку с Чалхии, а его собственная кровь уже текла по лбу и заливала ему глаза.

— Сражайся, Аслан! — услышал он истошный крик Балии. — Я с тобой! Бей его!

Хевсур опять подскочил к противнику и попытался схватить его за шею или воротник, но запястье его попало словно в металлические тиски. Вооруженные руки бойцов встретились, кольца порвали широкие рукава черкесок.

Что же ты, Аслан? Неужели ты еще не понял это оружие? Это та же самая боевая сталь, которая режет в виде кинжала, рубит шашкой, летит пулей. Разве ты не узнал ее смертельный холод, не почувствовал ее жаждущих чужой крови зубьев? Надо только не мешать оружию, надо только немного помочь ему, и оно само справится с податливой человеческой плотью.

Отступить и ударить сверху. Полоснуть справа — налево, еще так же. Вот и на противнике уже кровавая маска. Почувствовал, как содрогнулось его тело под очередным ударом? Слаба человеческая плоть, слаба. Ведь он уже ничего не видит и почти ничего не понимает от крови и боли. А ты наоборот все видишь, все понимаешь. Вот враг опять отшатнулся, а маленький Балия вскочил с камня и выронил из рук костыль. Какая-то девушка упала в обморок от вида крови, и ее несут к роднику. Мужчины-хевсуры следят, не отрываясь, за поединком, а старики кивают в такт ударам седыми головами. Если бы не кровь, залепляющая глаза, он бы рассмотрел и птиц в небе, и листья на деревьях, весь этот ужасный и великолепный мир окинул бы он взглядом, рассмотрев каждую ничтожную песчинку! Как прекрасна жизнь!..

В этот момент Аслан почувствовал, что бить больше некуда. Чалхия сидел на земле и держал, заслоняясь, руку с окровавленным кольцом над головой.

— Ты победил, Аслан! — закричал Балия куда-то в небо, будто его друг был там, а не стоял растерянно на земле залитый кровью. — Это мой друг и брат, хевсуры! Это великий воин Аслан! Наш друг и брат, хевсуры!..

2003 год. Московское море.

Ушел... Это ведь прекрасно. Она пыталась сама себя уговорить и не расстраиваться. Но чувствовала, что готова заплакать. Прижимала обе ладони к лицу и затравленно озиралась по сторонам. Лес и так был не очень-то гостеприимным. А теперь она знала, что где-то совсем недалеко от нее этот человек. Он не мог уйти далеко. Это точно. А больше всего Мила с детства боялась внезапности. Однажды она чуть не упала в обморок, когда добрый папа, чтобы поиграть, кинулся на нее с хищным возгласом из темной кухни.

Она могла решиться на любой подвиг, но только ей нужно было время, чтобы на него настроиться и морально подготовиться. Прошлой весной она два месяца подряд регулярно смотрела, как в парке прыгают с тарзанки смельчаки. Она приходила, вставала у дерева и смотрела. Прошло два месяца. И однажды она пришла, с ледяным спокойствием бывалого человека подписала необходимую бумагу о том, что все происходит по ее личной инициативе, поднялась на вышку и прыгнула. Инструктор был в шоке. Она в эйфории. Но если бы ее заставили прыгать в первый же день, она бы ни за что не согласилась. Страшно.

Следы на песке очень быстро терялись в траве, но если ее приятеля не сильно шатало из стороны в сторону, то направление она примерно поняла. Особых вариантов тут не возникало. Идти можно было только туда, наверх. В глубину.

Никакой примятой травы. Никаких следов крови. Это только в кино все следы вывешиваются прямо перед твоими глазами. А в жизни — их надо искать. И она искала. Возвращалась и начинала сначала. Сидела на корточках, рассматривала траву и крутила головой.

Но так ничего и не обнаружила.

Теперь она брела вглубь леса, все дальше и дальше удаляясь от берега. Лес в этом месте был посуше. И бурелома не было. Вот бы только на ноги что-нибудь — и, в общем, пережить можно. Иногда она замирала, вся внутренне подбиралась, прислушивалась.

Один раз ей показалось, что она слышит что-то. Шорох какой-то совсем рядом. Но когда она ринулась в ту сторону, из зарослей взлетели в небо две довольно крупные птицы. Мила только заморгала от неожиданности.

Солнце куда-то пропало. Она и не заметила, как небо заволокло тучами. Лес вокруг сразу утратил оптимистичность. Стал мрачным. Затаившимся.

Она остановилась и набрав побольше воздуху крикнула:

— Аууу!

И долго слушала...Тишина.

Когда она увидела, что вдалеке, за темными деревьями, начинает проглядывать какой-то свет, то сил у нее сразу прибавилось. Она рванула на этот свет, только успевая отводить от лица ветки. За лесом было поле. Но заросшее высокой, по пояс, травой. И никаких признаков близкого жилища людей пока не наблюдалось. А вот идти по нему было гораздо труднее, чем по лесу. Ноги вообще не могли нащупать, куда ступить. Кругом под травой росли обжигающе занозистые колючки. Пришлось обходить поле по краю.

А когда она обогнула лесистый мыс, то чуть не закричала от радости. Прямо в уютном уголке, спиной к деревьям, окнами к полю стояла маленькая одинокая избушка.

Когда Мила подошла, то с замиранием сердца увидела, что дверь заперта на замок. Но рядом в сарайчике кто-то топтался.

Куры.

Значит, хозяин рано или поздно вернется.

Она села на ступеньки и стала ждать...

Мила сидела и думала, что получилось просто ужасно. Что человек, которому она обязана жизнью, сейчас пытается пройти через тот же лес, и что каждый его шаг отдается ужасной болью. Но у него ведь точно такая же цель, как и у нее — выйти. Не станет же он теперь жить в лесу. А значит, она его попросту бросила на произвол судьбы. Дура.

Она надеялась, что обязательно найдет его. Но даже если он шел в десяти метрах от нее и не хотел, чтобы она его видела, она бы его не увидела.

Ну куда ей за ним идти? Куда?

Небо совсем затянуло. Пошел мелкий дождик. Мила спряталась под крыльцо.

Она просидела так очень долго. Когда где-то вдалеке послышался собачий лай, она встрепенулась. Встала. И увидела, как из-за дома к ней несется небольшая рыжая дворняжка, а за ней, опираясь на палку, вышла бабка в платке и в полиэтиленовой накидке.

Мила кинулась ей навстречу. Собака прыгала вокруг, виляла хвостом и звонко лаяла. Никаких претензий у нее к Миле не было.

— Бабушка! Милая! Помогите!

И она рассказала ей все, совершенно не придавая значения тому, о чем он просил не говорить. Бабка поцокала языком, покачала головой, поахала. Постояла, подумала и сказала, что искать потерявшегося человека в лесу надо бы с Белкой.

— Ты, эта вот, быстро ходишь, молодая. Бери ее, да беги. А я следом пойду.

— Да я не быстро... У меня вон, смотрите, все ноги сбиты. Может, найдется у вас чего-нибудь. А то совсем не могу уже идти...

— Найдется.

Бабка была сухонькая, бодренькая. В тонусе. С умными серыми глазами. И какая-то несуетливая. Это успокаивало. И Мила подумала, что теперь-то они вместе все сделают как надо.

Бабка отперла замок, вытерла ноги о половичок, на котором так долго сидела Мила, и вошла в дом. Вынесла Миле резиновые галоши. Чуть велики оказались. Но в Милиной ситуации это было даже лучше. Ничто ноги не сжимало.

Бабка привязала к ошейнику веревку и сказала:

— Дойдешь до леса — веревку сними. Пусть эта вот бежит сама где хочет. Ты ей только повторяй все время: «ищи, Белка». Ой, она у меня умная такая... Если не ушел далеко — найдет. И я тож за вами потихоньку.

Мила побежала за Белкой. Веревка, оказывается, была нужна для того, чтобы тащить за собой Милу, а не Белку.

В лесу она ее отпустила. И сказала, вкладывая в приказ все свое желание найти того, кто спас ее и кого она зачем-то, как полная идиотка оставила.

— Ищи, Белка! Ищи, дорогая!

Белка, счастливая, что может помочь, умчалась.

Как поступают охотники с охотничьими собаками, Мила не знала. Что дальше — идти вперед? Но не стоять же...

Она пошла. Белка наматывала вокруг гигантские круги, все время прибегая к Миле. Вот только дождь, который недавно прошел, наверно, очень сильно Белке мешал. Никаких следов после него уже не осталось. Но Мила верила в успех. Уж больно сосредоточенно работала собака.

То, что она мокрая по пояс, ее уже не особенно беспокоило. В ней проснулся азарт. И когда Белка отчаянно залаяла где-то далеко справа, Мила знала — нашла!

Он сидел возле дерева и уговаривал Белку заткнуться. Та держалась от него на приличном расстоянии и продолжала задиристо лаять. Хвостом не махала. Чувствовала, что человек ей совсем не рад.

Затравленно обернулся в сторону Милы, и она заметила, что на лице его застыло напряженное ожидание. Судя по всему, ее увидеть он никак не ожидал. Готовился к встрече с чужими.

— Ну, как? — она кинулась рядом с ним на колени. — Плохо тебе совсем?

Он дернул уголком рта, что означало «не очень». Она посмотрела на его запачканную кровью рубашку. Края пятна были размыты. Рубашка была абсолютно мокрая. Это она скрывалась от дождя на крылечке. Он же промок до нитки, даром что сидел под деревом.

— Зачем ты опять?.. — Он бессильно мотнул головой. Проворчал: — Собаку притащила. Кого теперь ждать?

— Знаешь, я ведь за тобой пришла... А ты спасибо даже не скажешь.

Она подождала, сидя рядом на коленях. Посмотрела на него. Но он упрямо глядел на небо сквозь верхушки деревьев.

— Вставай, хватайся. Недалеко здесь... Дом. Там старушка живет. Ну, давай я тебе помогу.

— Я сам. — Хрипло так сказал. Страшно. И начал тяжело подыматься, опираясь руками о ствол дерева. Встал, но распрямиться во весь рост не мог. Так и стоял, согнувшись и опустив голову, тяжело дышал.

Мила тоже стояла. Не знала, как ему помочь. Чувствовала, что помощь ее он не примет. Уж больно упрямое выражение было на его бледном лице. Белка настороженно смотрела, склонив голову набок.

— Ну, давай же. Пойдем!

Он продолжал стоять. Потом попробовал сделать несколько шагов и опять привалился к другому дереву. Надо было что-то делать.

— Обопрись на меня, попробуй. Зря я, что ли, тут стою? Ну же!

— Не нукай мне, женщина! — он сказал это тихо, но очень мрачно.

Мила возвела глаза к небу.

— Подойди поближе, — сказал он и добавил, медленно закрыв глаза: — Пожалуйста.

Он принял ее помощь без шуток. Навалился всей тяжестью. Но она пыхтела и шла. Белка куда-то пропала. Больше к ним не возвращалась. А с неба опять посыпался мелкий противный дождь.

Они прошли немного. Но теперь она не совсем понимала, куда им идти. Пока кружили на месте, ориентацию она потеряла совершенно.

— Отдохни, — сказал он и схватился рукой за дерево. Прижался лицом к коре. — В глазах темно. Не вижу ничего.

— Сядь. Тебе посидеть надо. Это ты крови много потерял. До головы не доходит. Сядь.

— Если я сяду, я уже не встану.

Он слабел и уже просто висел на ней. Колени у нее подгибались. Она упала, больно наткнувшись коленом на шишку. Зашипела. Тяжело дыша, с остервенением и ненавистью смотрела в траву на убегающих от дождя муравьев. Наверно, будь она умнее, можно было бы придумать что-то мудрое и полезное. Носилки там или не знаю что еще. Шалаш... Хотя на фига нам тут шалаш.

— Ну! Миленький! Ну, пожалуйста! Еще чуть-чуть! Ну не падай, хороший мой!

Она никогда в своей жизни не имела дела с человеком, которому было бы так плохо. И бледной синевы лица такой тоже не видела. Когда-то, когда она приехала в больницу к дедушке, она, проходя по коридору, видела каких-то серых больных, заросших щетиной. И тогда еще старалась не очень на них смотреть. В голове вертелось какое-то киношное: «Не жилец». Ей и к дедушке идти не хотелось. Но мама сказала, что это необходимо. Не прийти в больницу нельзя. А потом дедушка умер. И она была рада, что все-таки успела к нему прийти. Потому что он был в трезвом уме и ясной памяти. А каким он был потом, когда умирал, она не знала.

Ей казалось, что от старости умирают медленно. Может быть, даже всю жизнь.

Тому же, кто был рядом с ней, умирать было явно рановато.

Однако сознание он терял.

— Ну куда же нам теперь? — И она поднялась и стала звать. — Белка. Белка. Ко мне!

Она услышала, как шелестит трава. Как мчится счастливая Белка. А за ней очень быстро для своих лет идет бабка. Только чуть-чуть припадает на одну ногу. У бабки через плечо перекинут был плащ. Она молодец. Прихватила.

Он лежал на земле, а они подсунули под него плащ, взялись за рукава и запряглись, как две лошади. Где можно было, волокли, где нельзя — тащили. Начинало темнеть. Сил почти не осталось. Но бабка бодрилась. Не сдавалась и Миле отдыхать не давала.

Сама же Мила превратилась в какую-то живую силу и больше ни во что. Мыслей в голове не осталось. Желаний тоже. Ей даже было комфортно в этом состоянии борьбы, когда все так ясно и усилия идут прямо по назначению. Было в этом какое-то наркотическое забвение, удивительная гармония причины и следствия. Все испытания, выпавшие на ее долю, и неощутимый в эту минуту голод отодвинули ее собственное «я» куда-то далеко внутрь. И оно если и было, то сидело, словно в колодце, и видело над собой только маленький пятачок пасмурного неба.

Когда же они неожиданно оказались у самого дома, уже совсем смеркалось. И когда она осела на сухой пол рядом с ним, первый осмысленный вопрос, возникший в Милиной голове, был: «И почему он такой тяжелый?». Но об отдыхе не могло быть и речи. Теперь нужно было думать только о том, чтобы спасать раненого.

Они промокли насквозь. Вернее, они так и не высохли за весь этот день с самого утра до глубокого вечера.

Сначала решили уложить его на лежак. Мила под мышки, бабка за ноги. Потом она отошла в уголок и, порывшись у себя в сундуке, протянула Миле аккуратненько сложенные вещи.

— На, доча, переоденься. Мокрая же вся и в рванине.

— Спасибо, — сказала Мила и подумала, какая это все-таки непозволительная роскошь — крыша над головой и сухая одежда.

Дала ей бабка ситцевую юбку в выцветший мелкий цветочек и старенький коричневый трикотажный свитер. Юбку закололи на булавку, чтобы не падала. Галоши поставили сушить.

Пока она переодевалась, бабка ловко стянула с него всю мокрую одежду и накрыла одеялом. Его бил озноб.

Он лежал на спине, хрипло и тяжко дышал. Глаз не открывал. Губы почернели и запеклись. Тусклая лампочка под потолком светила так, как будто в глазах потемнело. Было в этом освещении что-то предобморочное.

Бабка подошла, села рядом и развязала повязку. Мила отвернулась и отошла. Боялась смотреть на открытую рану. Под коленки побежала щекотная волна слабости. И казалось, что рана тут же перекидывается на нее. Вот и левый бок застонал, и она прижала к нему ладонь.

За окошком темнело. Показался вдруг маленький кусочек синего глубокого неба с одиноко мерцающей звездой. Верхушки елок, как кардиограмма живучего человека, тянулись от одного края до другого. Уютная белая занавесочка закрывала окошко лишь наполовину.

Она обернулась, вздрогнув от того, как он застонал. Бабка отошла к рукомойнику, висящему тут же над тазом. Сполоснула руки.

Потом подошла опять к нему. Постояла, посмотрела на него долгим скорбным взглядом, прижав край платочка ко рту. Губы поджала, старушка старушкой. Вокруг запавшего рта лучиками расходились морщины. Как печеное яблоко. Она ли это всего час назад тащила его на пару с Милой через весь лес, как бульдозер!

Перекрестилась. Пробормотала заученно, без выражения: «Господи, спаси и помилуй». Перекрестилась еще раз. Постояла. Молча, чуть прикрыв глаза. То ли думала о чем-то, то ли молилась.

Подошла к ведру с чистой водой. Налила полный ковш в кастрюлю. Поставила греться на электрическую спиральку.

— Войны-то нет уже давно. А раненых земля полна.

Странно было, что здесь электричество. Бабке оно не шло.

— Пуля там. Вынимать надо, девонька. А то отдаст богу душу парень твой. Вон скрутило-то как. Сгорит.

— Пуля? — до нее только сейчас дошло. Она расширенными глазами смотрела на бабку и понимала, что попала. И сейчас ей придется принимать какие-то вселенски важные решения. А как она это может сделать. Она? Девочка Мила? — Как вынимать? Здесь, что ли, прямо? Надо к врачу ехать! Есть же у вас тут где-нибудь больница, в конце концов!

— Нету тут никаких больниц. Придумала тоже. Лес кругом. Фельдшерица на станции живет. Так ты его на себе туда не дотащишь. Да и толку...— Бабка удрученно покачала головой. — Здесь она, пуля, прямо под ребром. Крови много утекло... — И сказала неожиданно твердо: — Ждать нельзя. Самим вынимать придется. Будешь помогать.

Мила почувствовала, как становятся ватными ноги, а внутри нарастает лихорадочный ужас. Нет, товарищи! Каждый должен заниматься своим делом. Здесь какая-то ошибка. Она, Мила, вообще здесь ни при чем. Бежать отсюда надо. Дотащили и славно. А дальше — дело врачей. Скорая помощь, обезболивающее, капельница. Не в каменном же веке живем!

— Я сейчас. — Прошептала она и выбежала на крыльцо.

Горящие щеки охладила влажная прохлада вечернего леса. Дождь продолжал тихонько моросить и шуршать в листьях растущих рядом с крыльцом кустов. Она спустилась по ступенькам наощупь. Но под ногами уже не было видно ничего. Она отошла на пару шагов от дома. Маленькое окошко светилось таким мягким уютным светом, как будто не было там внутри никакого несчастья. А вокруг дома было так страшно, так черно, что Миле понятно стало, что убежать ей не удастся.

Придется вернуться и пройти все до конца.

Она судорожно вздохнула. И решительно направилась обратно. Поворачиваться спиной к лесу было жутковато. Поэтому по ступенькам она просто взлетела. И заходя уже в дверь, вспомнила, что когда-то в детстве хотела быть врачом. И как ей только такое в голову могло прийти!

Бабка хлопотала. Шуршала какими-то бумажными пакетами. Пахло травами. Булькала на плитке вода. А на беленькое полотенчико, разложенное на столе, она выкладывала все, что, видимо, могло пригодиться. Ножницы, вату, йод и что-то еще. Мила разглядывать не стала. Ей опять стало худо. Она вцепилась бабке в руку и прошептала:

— Бабушка, миленькая, я не умею! Может быть, не надо? Ведь ему больно будет! Как же без наркоза?!

— А как раньше?.. Думаешь, на войне-то пули как вынимали? Вот так вот и вынимали. Под крикаином.

— Как? — переспросила Мила.

— Под крикаином. Пока кричит, значит, живой.

— Так вы умеете? Врачом, что ли, были? — с проблеском надежды в глазах выдохнула Мила.

— Нет. Врачом не была. А рядом приходилось когда-то... Давно, правда, это было... Но что делать. Послал Бог испытание. Придется вспоминать. Водки нет, жалко... Но ничего, парень крепкий, авось переживет.

В стакане уже почти остыла заваренная бабкой ярко и незнакомо пахнущая трава. Она подошла к нему и погладила по волосам вечным материнским жестом. Он откликнулся. Повернул голову вслед ее руке. Чуть приоткрыл глаза.

— На, сыночек, выпей. — Она ловко подняла ему голову и заставила выпить до конца.

— Что это? — тихо спросила Мила.

— Усни-трава. Дурман. — Про усни-траву ей в детстве сказки читали. И Мила не поняла, шутит бабка или правду говорит. Но та невозмутимо про должала: — Много там всего... Полетает немножко. Всяко полегче будет.

— А что теперь? — Мила маялась оттого, что не знала, что же ей нужно будет делать. Лучше бы уж узнать скорее.

— А теперь...— Бабка посмотрела сурово и моло-до. — А теперь вот что.

Мила не смогла бы заснуть, даже если бы было можно. Да и нельзя было. Каждые пять минут она меняла тряпку у него на лбу и на руках. Обмакивала их в миску с прохладным отваром. Отжимала и сно-ва прикладывала к его огненному лбу и запястьям.

Все, что происходило этой ночью, она помнила смутно.

Помнила тусклый обморочный свет лампы.

Помнила, как смотрела на потолок, закусив губу, чтобы не видеть, как бабка будет бередить едва зак-рывшуюся рану своим железом. Помнила, как, при-готовившись к яростному сопротивлению, изо всех сил держала его руки. И ей это удалось на удивле-ние легко. Она вообще не почувствовала, чтобы он пытался сопротивляться.

И уж что запомнила на всю жизнь, так это жут-кий зубовный скрежет. Звук, от которого леденело сердце. Наверно, такое приходится слышать только палачам.

А потом отрывистый и короткий звон железа о стекло. Пуля, как мышь в мышеловке, оказалась в стакане.

И кровь. Кровь. На которую не смотреть уже было нельзя. Потому что надо было что-то делать. И она делала, совершенно забыв о том, что чего-то вообще боится...

А потом наступил рассвет. Невероятный. Такой, какого она не видела никогда. Да и, честно сказать, видела она их, настоящих летних рассветов, за свою ленивую жизнь всего-то раз-два да обчелся. И ей казалось, что она родилась заново, и вот это-то и есть та самая новая жизнь, которую она с таким трудом каждый раз начинала.

Только засветло она почувствовала себя уставшей. У нее болело и ныло все. Шея, — оттого, что она все время сидела над ним, склонившись. Проколотая сучком пятка. И все-все мышцы, после памятного заплыва.

Бабка тоже спать не ложилась. Все возилась со своими травками. Пересыпала. Смешивала. Заваривала. И теперь у нее на столе стояла целая батарея кружек и стаканов под крышками — «кровь растить», как она странно выразилась.

Вчера ночью, когда все самое страшное уже было позади, они с бабкой познакомились. Ее звали Таисия. Баба Тася.

Глава 9

Было поздно в наших думах.
Пела полночь с дальних башен.
Темный сон домов угрюмых
Был таинственен и страшен...

...Мы не поняли начала
Наших снов и песнопений.
И созвучье отзвучало
Без блаженных исступлений...

                    Константин Бальмонт

1910 год. Санкт-Петербург.

Кто из поэтов не мечтал поселиться в башне из слоновой кости да еще с музой в качестве законной супруги? Алексей и Людмила Борские поселились в странном для Петербурга круглом угловом доме, в квартире верхнего этажа, которая возвышалась над крышами квартала жестяным, пыльным шлемом. Забралом этого шлема был полукруглый балкон, с которого можно было выйти на покатую крышу. В самой квартире было множество неправильной формы комнат. Людмила время от времени нанимала бородатых, краснолицых рабочих, которые ломали какую-нибудь стену, и расширяла таким образом помещения. Но странная замкнутость, закольцованность пространства сохранялась, несмотря на перестройки.

Прошло полгода с тех пор, как кто-то из петербургских литераторов, кажется, поэт Сергей Иволгин назвал их квартиру башней Изиды. Теперь это название было общепринятым не только в среде поэтов-символистов и их литературных противников, но и среди питерских извозчиков, которые, правда, переиначили ее на «башню Зины».

— Так вам, барин, на Шпалерную? Дом Венцеля? Так это за Зинкиной башней, в аккурат. Домчу за милую душу, коли на водку накинете... Коли повезет, сможете Зинку эту увидать. В прошлый раз я офицера вез, так Зина как раз на балконе стояла, пахпироску курила.

— Что же, голубчик, хороша она, как ты изволишь выражаться, Зина?

— Как же, барин! Очень как хороша! Офицер тот, как увидал ее на балконе, на землю сразу соскочил, кричал ей, руками махал... Видать, сильно она ему понравилась.

— А что же она?

— Зинка-то? Докурила свою пахпироску и пошла себе в дом, а на балкон вышел господин с бородкой. Этот господин как заорет по-козлиному...

— Да ты, братец, брешешь!

— Вот-те крест, барин, не брешу. Офицер увидал его, плюнул в сердцах и приказал вести его в ресторацию сей же час. Видать, распереживался. А я так думаю, что там с Зинкой черт живет, а Зинка эта — ведьма и есть...

Башней Изиды квартира Борских была названа не ради красного словца. Впрочем, и ради него тоже. Здесь образовался некий литературно-художественный салон, которых в те годы в Петербурге было немало. Поначалу поэты-символисты приходили сюда к Алексею Борскому, которого считали знаменем символического направления русской поэзии. Но скоро «открыли» и его жену, с которой были уже заочно знакомы по стихам Борского. Сначала их неприятно поразило, что та самая Панна, Новая Мадонна, Христианская Венера, Изида оказалась земной девушкой с золотисто-русой косой и цвета темного пива глазами. Но теоретик символизма, «единственный прямой наследник» философа и поэта Владимира Соловьева, как он сам себя называл, Дмитрий Шпанский сумел теоретически обосновать и русые косы, и темные глаза, и гибкий стан.

По его словам получалось, что Людмила Борская и есть земное воплощение Мировой Души, которую описал в своих философских работах великий философ Соловьев, а явление ее он предчувствовал, предугадывал в своей поэзии. Как Христос когда-то, явилась она — Мировая Душа — на землю, воплощенная в обычную, хотя и красивую, девушку. Идея всеспасительной, всеочищающей любви, в начале двадцатого века выразившаяся в идее Вечной Женственности, жила в неудобной петербургской квартире, замужем за студентом университета. В этом не было никакого чуда. Поэт Алексей Борский, благодаря своей гениальности, поэтической интуиции, узнал ее, принявшую обычный, земной облик и отразил в своих знаменитых теперь стихах.

Культ древней богини Изиды тоже пришелся очень кстати. По теории Шпанского, она была первым дохристианским отражением Мировой Души и Вечной Женственности в мифологии и искусстве. Она оживляла Осириса в Египте, она дала грекам парус, она защищала униженных и угнетенных, покровительствовала женщинам. Теперь она выходила на балкон своей башни в Петербурге и курила тонкую, длинную папироску.

В этот обычный для Петербурга серый вечер, когда небо мокрой застиранной простыней висит на ветках больных деревьев в садах и парках столицы, в башне Изиды, то есть в квартире супругов Борских, собрались близкие им люди. Сегодня гостями были: поэт Сергей Иволгин, их лучший друг, бывший одним из шаферов на свадьбе, философ и публицист Федор Кунак, поэтесса Светлана Цахес и, конечно, универсальный ум эпохи Дмитрий Шпанский.

Сидели беспорядочно на диванах, пили, курили, где и сколько каждый считал нужным, хаотично перемещались из комнаты в комнату. Вообще на их вечерах, по идее великого Шпанского, должна была поначалу присутствовать некая беспорядочность, изначальный хаос. Сам Шпанский вносил больше всего неразберихи. Он то изображал греческого сатира, тряс козлиной бородкой, скакал на полусогнутых кривых ножках, опрокидывал стулья, бил посуду и кричал козлом, то в другой раз ползал на брюхе, изображая рыбу, которую надо ловить сетями Святого Слова. Остальные участники вечеров в башне Изиды не отставали от Шпанского, добиваясь, в конце концов, такой какофонии звуков, что жильцы снизу бежали за дворником и городовым. Но в высшей точке хаоса рождался свет — появлялась Людмила-Изида. Устанавливался Высший Порядок и начиналось священное благоговение перед идолом.

В этот час Изида уже родилась из хаоса, то есть, дворник уже отзвонил в дверь, пригрозил городовым и, получив на водку, ушел к себе очень довольный. Людмила полулежала в розовом платье на диване. У ее ног сидел верный пес Шпанский — трехглавый Цербер, одной головой кусавший реалистов, другой — акмеистов, а третьей — футуристов. Философ Федор Кунак только что вдохнул носом светлый порошок с ногтя и теперь помалкивал в сладком томлении. Поэт Иволгин прочитал свое новое стихотворение «Плавание корабля Изиды». Поэтесса Светлана Цахес сидела в феминистской позе —

нога на ногу, отмеряя поэтические строфы их нервным перекидыванием. Только Борский был сумрачен и смотрел на всех устало и неприветливо.

— Вы видели?! — вскричал вдруг Сергей Иволгин, прерывая свою декламацию. — Она провела ладонью по лицу снизу вверх, поправила волосы и косу опустила на грудь через плечо. Вы видели?!

— Как? Как она это сделала? — Шпанский мгновенно вскочил и забегал вокруг возлежавшей как ни в чем не бывало Изиды.

Изиде не положено было дублировать и трактовать саму себя. Она осталась полулежать, как прежде. По ее нечаянным жестам, которым члены кружка Изиды придавали высший символический смысл, объясняли и предугадывали они грядущие перемены, всемирные катастрофы и тому подобное. На соседний диван поспешно плюхнулся Иволгин и стал повторять ее жесты. Шпанский внимательно наблюдал за ним, теребя козлиную бородку.

— Федор, Федор, светлая голова, — обратился Шпанский к философу Кунаку, — ты как это трактуешь?

Кунак попробовал сфокусировать свой взгляд на Шпанском, потом перевести его на Людмилу, но не смог и расслабленно заулыбался в неопределенное пространство.

— Я, например, полагаю в отношении косы Изиды следующее. Мировая душа, как стремление неопределенное, сама собой не может достигнуть того внутреннего единства, к которому бессознательно стремится. Вот эта коса Изиды и есть символ всеединства, к которому стремятся разбросанные в беспорядке Ее золотые волосы.

— Дмитрий Васильевич, — обратился к Шпанскому лежащий в позе Изиды поэт Иволгин, — в чем же заключено это единство, к которому стремится Мировая душа?

— Оно содержится, голубчик мой Сережа, в Боге, как вечная идея. Оно даст Мировой душе определенную форму.

— Они идут друг другу навстречу, — сказал вдруг философ Кунак, имя в виду свои сходящиеся на переносице глаза.

— Совершенно верно, Федор, — подхватил тут же Шпанский. — Божественное начало стремится к тому же самому, что и Мировая душа. Они стремятся друг к другу. Но Божественное начало пытается воплотить идею всеединства в другом, а Мировая душа хочет получить от другого то, что она не имеет, а, получив эту идею, воплотить ее в материальном хаосе. Это и есть цель мирового движения.

— Прыгают! — воскликнул в этот момент философ Федор Кунак, показывая на стулья.

— Федор опять прав. Приблизиться к истине можно только прыжком, не постепенным накоплением знаний, а прыжком, прозрением. Изида показала нам сейчас, что в мировом абсолютном движении совершился еще один существенный скачок. Мы на пороге великих событий, огромных свершений...

Неожиданно Людмила встала с дивана и вышла на середину комнаты. Присутствующие замолчали, пораженные. Запустив руки в свою толстую косу, она вдруг распустила ее, и на шелковое платье пролился золотой водопад ее волос.

— Дмитрий Васильевич! — закричал в страхе поэт Иволгин. — Что это?! Возвращение первобытного хаоса? Катаклизм вселенский? Мне страшно, братья мои!

В глазах Людмилы блеснул ведьмин огонек. Она опять запрокинула руки, возясь с застежками платья на спине. Близилась кульминация вечера, но в этот момент в дверях позвонили. Изида и ее супруг пошли открывать.

В квартире появился новый гость — профессор Петербургской консерватории Леонтий Нижеглинский, модный композитор, пытавшийся воплотить в музыке символическую картину мира, потому активный участник кружка Изиды. Едва раздевшись, он побежал к роялю впереди хозяев квартиры. Но Нижеглинский бывал здесь нечасто, поэтому проскочил мимо музыкального инструмента, совершил круг по квартире и опять попал в прихожую.

— Людмила Афанасьевна! Алексей Алексеевич! — закричал он сконфуженно. — Меня опять надо встречать...

Когда Нижеглинский, наконец, увидел инструмент, он бросился к нему, как бедуин к колодцу. Звуки новой симфонии распирали его и искали выхода наружу.

— Где же ваши ноты, Леонтий Васильевич? — спросила его Людмила.

— Только жалкий подмастерье нуждается в партитуре, Людмила Афанасьевна, — наставительно сказал консерваторский профессор. — Я же играю по памяти, особенно те вещи, которые написаны сердцем накануне ночью. Господа, позвольте вам представить новую мою вещицу под не очень оригинальным названием «Плавание священного корабля Изиды».

— Ах, как это кстати! — воскликнул Шпанский и, придвинув кресло поближе к роялю, приготовился слушать. Остальные гости тоже расселись в музыкальной гостиной.

— Я думаю, господа, — сказал Нижеглинский, уже занеся над клавишами растопыренные пальцы, как патологоанатом над трупом, — аудитория у нас достаточно подготовленная к новейшей музыке, не говоря уже о мифологической подоплеке моей симфонии. Древние римляне отмечали праздник Изиды спуском на воду ее символического корабля. Это я и постарался отразить при помощи музыки. Итак...

Нижеглинский замер, слушатели тоже. Возникла минута молчания, видимо, в память о сошествии

Изиды в царство мертвых. Но когда пауза затянулась, и поэт Сергей Иволгин недоуменно посмотрел на сидевшего рядом Борского, Нижеглинский резко ударил по клавишам.

Людмила с детства занималась музыкой, неплохо играла на фортепьяно. Ей подумалось, что в данном случае ноты, пожалуй, только помешали бы. Нижеглинский извлекал из инструмента не ноты, а стоны о пощаде. Если он пытался изобразить таким образом спуск на воду корабля, то звон разбитой бутылки шампанского о борт ему вполне удался. Но сколько же можно было бить бутылки?!

Люда незаметно встала и вышла из комнаты. Раньше ей были приятны и ученые философские разговоры, и заунывное чтение символистами стихов, и это коллективное камлание вокруг ее персоны, но сейчас она почувствовала, что очень устала, ей стало даже несколько нехорошо, захотелось на свежий воздух. Она закурила папироску и вышла на балкон.

Таврический сад погружался в темноту. Каркали и хлопотали на голых ветках вороны, устраиваясь на ночлег. Самыми темными были сейчас намокшие стволы деревьев, самым светлым пятном казался передник дворника, шаркавшего метлой у ограды. Людмиле было тоскливо и одиноко.

За спиной откинулась портьера, мелькнул свет лампы, кто-то выходил на балкон. Людмила поморщилась. Сейчас ей было приятнее общество мокрых деревьев, ворон и пьяного дворника. На балкон вышла Светлана Цахес. Даже в полумраке были видны ее рыжие волосы и зеленые глаза.

— Мне иногда кажется, Людмила Афанасьевна, — сказала Цахес, прикуривая от ее папиросы, — что чем трезвее и уравновешеннее вы себя ведете, тем они сильнее заводятся. Попробуйте им, например, сказать, что все они вырожденцы и козлы, так они будут на вас молиться и еще в жертву кого-нибудь принесут. Философа Кунака зарежут жертвенным ножом... Не бойтесь, я пошутила. Они и колбасу зарезать не смогут. Куда им! Что вы на меня так смотрите?

— Я, признаться, думала, что вы во всем разделяете их взгляды, — сказала удивленная Людмила.

— А там нечего разделять. Одно сплошное вырождение. Женщине-поэтессе в России... Впрочем, позвольте мне сегодня не плакаться вам о своей бабьей доле. Я больше расположена поговорить о вас, Люда.

— Обо мне?

— О вас. Вы мне кажетесь цельным, целеустремленным человеком, только на время попавшим под влияние этой сумасшедшей компании, совершенно гнилой и бессильной. Ваш муж, по крайней мере, может из этой дребедени выносить на свет прекрасные стихи. Да он и смотрит на всю эту декадентскую чехарду как-то иначе, чем остальные. Я уверена, что он отряхнется и пойдет дальше, настоящая поэзия его выведет в жизнь. А вы? Вы пропадете в этом мистическом болоте, если не поймете себя вовремя.

— Что же мне про себя понимать? — спросила Людмила, невидимо в полумраке покраснев. — Я же не пишу стихов, рассказов, эссе...

— Упаси вас Бог что-нибудь писать. Нет большего несчастья для женщины, поверьте мне. Впрочем, и для мужчины тоже. Я давно за вами наблюдаю, и мне кажется, что ваш талант — свобода, полнокровная жизнь, любовь, безумство, если хотите, пьянство и похмелье. Мне вы представляетесь такой. Знаете, что больше всего меня привлекает в новом искусстве? Пьянящая атмосфера своеволия, беззаконности, мятежности. Ваш муж пытается выразить это в стихах, а вы должны выразить это в жизни...

— Но как? Что вы имеете в виду?

— Мне кажется, вы меня прекрасно понимаете. Если бы я не чувствовала, что все ваше существо стремится к этому, то не заговорила бы с вами. Идите навстречу своим желаньям, не борите́сь с ними. Это бесполезно... А форма? Форму, приемлемую для окружающих, можно выбрать любую. Алексей, например, рассказывал мне, что вы были увлечены театром, играли на любительской сцене. Сейчас Мейерхольд набирает труппу из молодых артистов. Хотите, я с ним поговорю? Что с вами, Людмила Афанасьевна? Вы плачете?

— Нет, нет, ничего...

Люда скользнула в комнату и побежала прочь от этой странной женщины, которая толкала ее в ту самую пропасть, в которую она сама часто заглядывала в мечтах и сновидениях. Но в музыкальной гостиной все еще царил Нижеглинский со своим «Кораблем Изиды». Куда же ей деваться?

В прихожей звякнул колокольчик. Приход нового гостя спасал ее. Можно было идти открывать дверь, говорить о нормальных человеческих вещах — погоде, здоровье — пока и этот гость не впадет в мистический транс, оказавшись в гостиной.

На пороге стоял Боря Белоусов. Худой, без фуражки, воротник его студенческой шинели был поднят. Глаза вечного студента и лаборанта странно для представителя точных наук блестели.

— Людмила Афанасьевна, я не войду, не упрашивайте. Но мне необходимо с вами поговорить. Я ведь уезжаю в Берлин, продолжу там свою учебу. Что вы улыбаетесь? А у вас, кажется, слезы на глазах. Вы вот стоите и улыбаетесь со слезами на глазах, а я уезжаю в Берлин. Вы плакали, конечно, не по мне?

— Я не плакала, я смеялась до слез.

— Тогда хорошо, что не надо мной. Давайте немного пройдемся, я хотел бы попрощаться с вами. Или я не вовремя? У вас, кажется, гости...

— Что вы, Боря! Я сейчас спущусь, только оденусь. Подождите меня у подъезда.

Вот и бородатый дворник с метлой идет навстречу. Он вовсе не пьяный. Вороны шумят теперь не внизу, а над головой. А деревья стали еще темнее.

— Помните наш спектакль по Лермонтову в Бобылево? — спросил Белоусов. — Вас тогда схватил Казбич. Я целился в него, а этот дурак Петька все не щелкал пистоны. Как мне тогда хотелось выстрелить в него! Если бы я знал, что все так получится, и вы станете его женой, я бы обязательно выстрелил настоящей пулей. А вы знали тогда, как я к вам отношусь?

— Знала...

— Вот как! Тем лучше. Никаких иллюзий, я ведь очень не люблю иллюзии. Это по части вашего мужа. Знаете, что ваш папенька недавно сказал про него в лаборатории? Рад, говорит, что муж моей дочери хотя бы по трем первым буквам связан с точной наукой. И еще добавил, что если бы не это, нипочем бы вас за него не отдал. Борский... Еще мне кажется, что играй он тогда Печорина, а я Казбича, все было бы по-другому. Совсем по-другому... Скажите, Людмила Афанасьевна, вы счастливы с ним?

Что же это такое? Уж лучше сидеть бы ей дурой-Изидой на диване и корчить этим идиотам символические рожи. Что такое сегодня? Что им надо от нее? Почему они вдруг ополчились на нее, заглядывают туда, куда она никого не пускала, не открывалась ни намеком, ни жестом? Нет, постой, матушка! А кто сегодня распустил волосы и вдруг, ошалев от дерзости, уже расстегивал платье, чтобы предстать перед ними настоящей Изидой, то есть голой, желающей земной любви, девушкой? Вот тут-то ее и разгадали, расшифровали. Налетели теперь бесы, тащат куда-то, подталкивают. Что же это такое?

— Вы плачете, Люда?! — воскликнул Боря Белоусов. — Я обидел вас чем-нибудь? Простите меня. Я не хотел. Не отвечайте на мой дурацкий вопрос, не надо. Бог с ним, со счастьем...

— Отчего же, Боря! — с вызовом в голосе ответила Людмила. — Я отвечу. Отчего же не ответить? Значит, счастье... Вам, позитивисту, практику, это будет интересно. Может, формулу какую-нибудь выведете, или таблицу составите. Счастье... Знайте, что я Борскому никакая не жена!

— Как не жена?! — почти закричал Белоусов, не то в испуге, не то от радости.

— В том самом смысле не жена. Что вы так смотрите? Не понимаете? В биологическом. Между нами ничего еще не было...

— Не понимаю, — растерянно произнес Боря.

— Вы лучше, Боря, вообще молчите. Лучше я буду говорить, а то мне противно слышать в вашем голосе глупую надежду и поддельное сочувствие. Я вас все равно не люблю. Вот вам! Я вам, как другу, рассказываю, или как зеркалу. Неважно. Молчите, и все, безнадежно молчите. Нет, скажите. Вы ходили к проституткам когда-нибудь?

— Нет, Людмила Афанасьевна, никогда, — слишком поспешно отозвался Белоусов.

— Ну, вот и врете. А Алеша никогда не врет. Он мне все рассказал. И про проституток, и про публичные дома, и про ужасные болезни. Что вы не смотрите на меня? Вам странно, что я это вам говорю? Вы же — позитивист, практик. Вам это должно быть интересно. У Алеши были вот такие женщины и вот такие болезни. Если бы я все это понимала! Но я же была такой девчонкой! Да я и сейчас такая же девчонка. Дура-Изида. Алеша не хочет слышать ни о каких супружеских отношениях в известном смысле, он не хочет этой, как он говорит, грязи между нами. Он хочет только чистых, волшебных чувств, не опошленных, не обезображенных голосом плоти. Борский верит в любовь по Соловьеву...

— А вы? — решился подать голос Боря Белоусов.

— Я спорю с ним, доказываю, что возможна гармония земных и небесных, возвышенных чувств. А он говорит, что мы живем на историческом изломе, который проходит через каждую семью, через каждое супружеское ложе. Надо сохранить себя для будущих времен, а не впасть во всеобщий хаос... Я попробовала другое средство, самое надежное мое оружие... Мне почти удалось. Но «почти», как я теперь понимаю, в этом деле еще хуже. И для него, и для меня. Теперь мы в ссоре. Алеша не разговаривает со мной. Ночью он жег какие-то свои стихи, писал опять и опять жег... Это невыносимо! Это мучительно! Если бы вы знали, как это мучительно! Что вы хватаете меня? Отпустите! Вот как вы меня поняли, практик, лаборант! Придумали формулу наших с Алешей отношений? Что вы понимаете, ничтожество?! Что вам всем живой человек?!.

В этот момент из темноты послышался стук копыт. Людмила вздрогнула и отшатнулась. Из-за угла показался экипаж. Он приближался к ним.

— Куда изволите? — спросил извозчик.

— Проезжай, милейший, — ответил Белоусов. — Никто тебя не звал.

— Как же-с не звали?! — изумился извозчик. — Кричали же. Разве я глухой? Разве я не слышал? Эх, господа, баловство одно на уме! Но-о-о-о, пошли! Ишь, уши развесили!..

2003 год. Москва.

Следователь из Москвы Никита Савельич Батурин приехал днем. Его откомандировали для расследования аварии на Московском море. Затонул пароход, на палубе которого лихо отплясывали выпускники одной из элитных московских школ. Обошлись даже без МЧС. Всех, кто оказался в воде, через какие-то пятнадцать минут подобрали проплывавшие по соседству суда. Спаслись все. Не нашли только одну девушку. Люду Дробышеву. К сожалению, говорили, что она не умела плавать... К тому же в воде ее никто не видел. Одна ее одноклассница вспомнила, что когда последний раз говорила с ней, то Люда собиралась спуститься туда, где лежали сумки и переодеться. Но после этого ее уже не видели. Получалось, что в момент кораблекрушения Люда Дробышева одна была на другой стороне судна. А это ничего хорошего не сулило. Человек, который не умеет плавать, оказывается один в экстремальной ситуации. А до берега в этом месте с трудом доплывет и умелый пловец.

Если бы не эта несчастная девушка, ребята отделались бы легким испугом. Даже было бы что весело вспомнить на встрече одноклассников. Но тот факт, что пропала одноклассница, поверг всех в невероятное уныние.

Никита развернулся быстро. Капитан, как и следовало ожидать, немедля попал под следствие. Было заведено уголовное дело. Непонятно, почему судно отклонилось от заданного маршрута. А там отмель. Зимой здесь под лед сваливают старые машины. Как ни запрещай, а топят почти каждую зиму. Вот и налетел пароход на какую-то гору металлолома. Может быть, был бы покрепче, так и выдержал. Все-таки не «Титаник» на айсберг налетел. Но капитан ремонт несущих конструкций откладывал. И треснули они с одного бока, как орех.

Капитан за это, конечно, ответит. А если девчонка погибла — то и сядет. Вот только утонула она или нет, пока было неясно.

Отряд спасателей на моторке весь день ходил вдоль окрестных берегов. Беда была лишь в том, что в Иваньковском водохранилище громадное количество островов и островков. И все-таки постарались пройти по берегам. Опросили людей в населенных пунктах. Но пока что никаких результатов не получили. К тому же, если девочка не умела плавать, искать ее на берегу за километр от места катастрофы, наверное, особого смысла не имело.

Жалко было родителей девочки. Как им сообщили, так они и примчались. А толку от этого не было. Они сидели на причале под дождем и отказывались уходить. Никита Савельич по долгу службы обязан был подойти к ним. Оставил визитку. Взял у них номер телефона. Обещал держать в курсе дела. И все-таки мягко посоветовал уезжать. Уже начинало темнеть и делать здесь было уж совсем нечего.

Ребят увезли на автобусах. Некоторые хотели остаться. Но им не разрешили. От того, что толпа стоит на берегу, никакого проку нет. Пусть спасатели делают свою работу.

Наташа, когда ей позвонили, впала в транс. Глаза ее были направлены в пустоту перед собой. Она ничего не замечала, ни на кого не реагировала. Павел всё-таки вел машину, шел дождь, и ему волей-неволей приходилось думать о том, что он делает. Это на время отвлекало. Что же они будут делать, когда приедут домой, он думать не желал. Смириться и сказать себе — да, дочери больше нет, он не мог. Надежда в нем жила бешеная. Ну не могла Мила взять и сдаться. Не могла...

И он только клял себя за то, что не нашел в себе педагогических способностей, чтобы научить дочь по-настоящему плавать. Она боялась, а он загорал. Настаивать было не в его правилах. Он и Наташу отговаривал: «Ну не хочет — не надо. Научится, когда подрастет». И вот не научилась. Кого ж за это винить, как не себя самого?

А когда приехали — началось самое страшное. Осознание того, что у всех дети дома, а твоей дочери нет и скорее всего, никогда не будет. Наташа не ложилась. Сидела на кухне, курила и смотрела в пустоту. Павел пытался заставить ее поспать, но она не слушала. Она, вообще, похоже, его не слышала.

Всю ночь до утра они с бабой Тасей боролись с его зашкаливающим жаром. Хорошо, что не было градусника. А то, наверное, Мила перепугалась бы гораздо сильнее. Неведение иногда спасительно.

Он мотал головой и что-то неразборчиво говорил по-русски, а то и на своем страшном и непонятном языке.

К утру Мила настолько плохо соображала, что уже не понимала, когда надо тряпку выжимать, а когда прикладывать к его лбу. Она поняла это, когда чуть было не облила его холодной водой. Тогда она села, чтобы минутку отдохнуть, да так и заснула, сидя, уронив голову на руки.

Бабка сменила ее. А поспать отпустила на чердак, дав с собой худенькое одеяло. А больше спать негде было. На чердаке было душновато, но зато пахло сеном. Почему-то у бабы Таси лежала здесь мягкая груда сухой прошлогодней травы. Да не просто сена, а какой-то особой: мяты, что ли, с ромашкой... Запах был потрясающий. Мила на эту травку рухнула и больше себя не помнила...

Она проснулась и долго не могла ничего понять. А когда вспомнила, то резко вскочила. Прежде, чем спуститься по приставной лестнице, заглянула вниз.

Бабки в доме не было. За окном смеркалось. Она проспала весь день...

Тревожно стало на душе. Родители ее, наверное, уже потеряли. Надо что-то делать. Но эти нервные мысли она отложила на потом. Куда она сейчас уйдет, когда он там лежит в таком состоянии...

С лаза на чердак его постели видно не было. Мила быстренько спустилась, прихрамывая на обе сбитые в лесу ноги, прошла босиком по полу. На цыпочках подошла к нему. По-хозяйски положила руку ему на лоб. Отвернулась, чтобы ничего не мешало сосредоточиться и определить температуру. Горит. Вздрогнула оттого, что он шевельнулся. И смотрел на нее теперь из-под полуопущенных ресниц.

Она, сама не зная, как это у нее получилось, провела рукой по его заметно заросшей со вчерашнего дня щеке. Хотелось его подбодрить, что ли. Он закрыл глаза.

— Ничего, — сказала она тихонько. — Все будет хорошо.

Он медленно покачал головой, облизнул пересохшие губы и отвернулся от нее к стене.

Она вышла на улицу. На ноги сразу накинулись комары. Из собачьей будки торчала рыжая лапа и кончик морды, даже не пошевелившиеся при звуке ее шагов. Так, подпрыгивая и хлопая себя по ногам, она стала оглядываться в поисках бабы Таси. Перед домом ее не было. Зато на веревке висели выстиранная рубашка и джинсы. Мила решила дом обойти. Бабка копалась на грядке с другой стороны. Что-то поздновато для огорода.

— Баба Тася! Здравствуйте! Весь день проспала. Ничего не слышала. Ну, как вы тут без меня?

— Выспалась — и слава Богу. Я вот днем с ним сидела, а сейчас решила все-таки тут покопаться. — Бабка смахнула комара со лба запачканной в земле рукой. — А то днем отойти от него боялась.

— Что — плохо совсем? — Мила обеспокоенно вгляделась в бабкины глаза.

— Посмотрим, что ночью будет, — уклончиво ответила она. — Тут знаешь, рано говорить... Видала я всяких раненых в войну. Хоть и молоденькой совсем была, а помню. Бывало, сегодня лучше, а утром помер. — Бабка нагнулась и выдернула пару корешков из чисто прополотой земли.— Ладно, пойдем. Картошки сварим.

Они с бабкой пошли обратно к дому.

— Как зовут-то его, знаешь?

— Нет, бабушка. Знаете, когда тонула, не до того было... — Мила усмехнулась.

— Асланом звать его. Почти Русланом.... Вот такая у нас тут с тобой сказка. Тысяча и одна ночь...

Мила помогла принести ведро с водой от колодца. Чуть не переломилась. На даче у них таких громадных ведер не водилось. Так... пластмассовые. А когда притащила, бабка Аслана уже чем-то отпаивала.

А когда они с бабкой на кухоньке поели вареной картошечки с укропом, бабка сказала:

— Ночью посиди с ним. А я тут подремлю на лавке. Если что — буди, не мешкай. — Она налила отвар в стакан через тряпочку. — Пить ему давай побольше.

Когда Миле было десять, у кошки родились котята. Раньше ей таких чудес в жизни видеть не приходилось. Тогда, в детстве, даже ночью она просыпалась, чтобы встать и пойти посмотреть, как они все поживают в своей коробке у батареи. И сидела рядом по часу. И совсем не хотела спать.

А сейчас нечто похожее стало происходить с ней опять. Она подолгу смотрела на того, кого притащила на своих плечах в этот пахнущий особым травным запахом домик.

Всю ночь на столе горела лампа. Мила прикрыла ее газетой, чтобы свет не бил в глаза. В этом мягком освещении вся комната бабкиного дома казалась декорацией к какой-то сказке. Мила никак не могла понять, как за последние сутки двое доселе незнакомых ей людей так плотно заслонили собой весь горизонт. Вот ведь — оступись на один шаг, и рисунок судьбы абсолютно меняется. Жизнь, как река, огибает препятствие и прокладывает новое русло.

Она все еще не пришла в себя после всех этих невероятных событий. Никому и никогда, кроме мамы, она не была обязана жизнью. И это ослепительное откровение витало вокруг Аслана словно нимб.

Она удивленно смотрела на него взглядом художника. У него были такие выразительные черты лица, которые она сама придумать не могла бы. Хотя именно это и старалась сделать последние полгода. Вот, оказывается, каким он должен быть...

Нет, ангелом он мог ей показаться только потому, что спал. Конечно, он типичный демон. И она вспомнила, как он с ней разговаривал. И вспомнила, какой у него тяжкий взгляд. Хотя тогда глаза его были обращены внутрь. Он боролся с болью.

Но ни раскаянья, ни мщенья
Не изъявлял суровый лик:
Он побеждать себя привык!
Не для других его мученья!

Она проснулась оттого, что солнце уже взошло, и лучи его показались прямо над верхушками деревьев, которые она видела из окна. Ночью она так и заснула за столом, уложив щеку на руки.

Ночь прошла спокойно. Пару раз она вставала и подходила к нему, когда он говорил что-то во сне. Клала прохладную ладонь на его лоб, и он затихал. И ей это нравилось. Нравилось, что она может сделать так, чтобы ему стало спокойнее. В ней пробудился дремлющий в каждой девушке материнский инстинкт. А обращенный к мужчинам, он усиливается в десять раз. Видимо, заговорила память предков. Раненый мужчина — вечный ребенок на руках сотен поколений женщин.

Она подняла голову и увидела, что он не спит. Травки бабушкиной она ему ночью не давала, не хотела будить. А травка у бабушки была не простая. Видимо из-за нее он и проспал больше суток.

Сейчас он лежал и смотрел на нее. Она с удивлением обнаружила, что глаза у него вовсе не черные, как ей вначале показалось, а приглушенно-зеленые, непрозрачные, с очень длинными ресницами. Она давно заметила, что у южных детей прямо-таки фантастические ресницы. Но во что они превращаются у взрослых мужчин, никогда внимания не обращала. По понятным причинам старалась в глаза этим мужчинам не заглядывать.

Если бы он видел, что она проснулась, то, наверное, не стал бы так настойчиво смотреть ей в лицо. Но он продолжал смотреть и смотрел как-то задумчиво. Ей показалось, что она просто предмет, на котором случайно остановился его взгляд.

Она подошла и присела на край кровати. Взяла его за руку. Он продолжал смотреть туда, откуда она уже ушла. Рука у него была горячая, твердая и тяжелая. Это необычное ощущение даже заставило Милу взглянуть на его ладонь. Она была ровно в два раза шире Милиной. И в бессчетное количество раз темнее.

— Аслан! — Он посмотрел на нее. И медленно закрыл глаза. — Ну скажи хоть словечко.

— Как тебя зовут, милая? — проговорил он совсем тихо, так и не открыв глаза.

— Да так и зовут.— Она улыбнулась. — Мила.

Он только слегка сжал ее руку. Надо полагать, это означало, что не все так плохо.

Однако радоваться было рано. Днем ему стало хуже. Вместо горячего жара пришел озноб. Он стал часто кашлять. И понемногу становилось ясно, что знобит его не только от раны, но и от болезни. Видимо, промерз под дождем в лесу, да еще и в мокрой одежде. А сил бороться у организма совсем не осталось. Чем бороться-то, когда потеряно столько крови...

Начались настоящие мучения. Ему было больно кашлять, рана не давала. Ей так хотелось ему помочь. И просто за руку подержать. Мила даже себе иногда боялась признаться, что не хочет, чтобы он быстро выздоровел. Потому что тогда не будет у нее права вот так хозяйничать на его территории, гладить его по руке, вытирать ему пот со лба и случайно касаться плеча. Эти смуглые сильные руки, лежащие поверх одеяла, начинали ей сниться по ночам. И власть их над ней была безгранична...

Бабка же суетилась и заваривала какие-то фантастические сборы. Прикладывала к ране мелкие свежие листочки, за которыми охотилась в лесу по три часа, чтобы скорее зажило.

Бросить его сейчас и уйти было совершенно невозможно. А Миле так надо было добраться туда, где есть телефон. Родители сходят с ума... Как сообщить им о том, что она жива и здорова? Бабка сказала, что на почту идти далеко, почта ближайшая не на этой станции. Да еще и заблудиться недолго. Зато подсказала другое. В деревне, что подальше от станции, есть дом. Купили его какие-то люди. Вот к ним-то и надо идти. У них телефон наверняка есть. Только приезжают они на выходные. Так что подождать придется.

И она ждала. Но успокоиться не могла. Только сейчас до нее дошло, что собой представляет жизнь современного человека. Сплошной наркоз. Она никогда не терпела боли. К зубному ходила — платила за укол. От головной боли — принимала таблетку. Когда у нее было воспаление легких, принимала антибиотики. Мамины младшие подружки уже вошли в привилегированное поколение и рожали своих детей под полным и комфортным обезболиванием. На каждую болезнь существует лекарство. Ну, почти на каждую. Страховка упруго пружинит.

А теперь она видела, как оно бывает на живом нерве. Как природой было задумано, чтобы человек страдал. И презирала весь на свете наркоз. И всех, кто не знает, что это такое — боль.

Боль, сказала ей баба Тася, это разговор человека с Богом.

И Аслан с ним сейчас разговаривал день и ночь.

А Бог — он для всех один.

«Господи! Верни мне ребенка!» — в который раз взывала к небу Наташа и рыдала. Прошла уже почти неделя. Милы не было.

Наташа не могла ни есть, ни спать, ни работать. Она только держалась за какую-то одной ей ведомую внутреннюю нить, которая вела ее к дочери. И не верила, что все кончено.

Павел стал серым. Смысл жизни потерялся.

Вроде бы и дочка уже взрослая была. Выросла и наконец стала посамостоятельней. Сколько мечтали они раньше о том времени, когда можно будет спокойно оставлять ее дома одну. И не устраивать чехарду с бабушками и тетями. Им всегда было некогда.

Теперь ему казалось, что это возмездие за то громадное желание дочку куда-то пристроить. Только чтобы не сидеть с ней самому. А ведь мог иногда. Что лукавить.

И терял время. Терял время, которое, оказывается, было строго ограничено. И теперь уже у ребенка не спросишь о том, о чем так хочется спросить. Когда ей было лет пять и у него вдруг выдавалась минутка поговорить с ней, он задавал ей любые вопросы, которые приходили в голову: «Что такое совесть?», «Что такое любовь?», «Что такое хлеб?» Она так искренне копалась в своей душе, чтобы найти ответ, так трогательно объясняла ему! Он все обещал, что возьмет у друзей диктофон и запишет ее на память об этом удивительном возрасте. Да так и не успел. Она выросла. Но он успокаивал себя тем, что спросить обо всем можно и у взрослой. Но опоздал и тут. И понял это только тогда, когда она не вернулась вместе со всеми...

Аслану стало немного лучше. И он начал выходить на улицу, сидел на солнышке. Первое, что сделал — поточил бабке все ножи. Мила, когда Тасе не помогала, сидела вместе с ним. Говорила, в основном, она. Он отвечал односложно, старался больше молчать, чтобы не бил кашель. Иногда просто кивал головой, и все держался за бок. Что с ним случилось на корабле, он ей все-таки в двух словах рассказал. Уж больно была она настойчива.

Белка к нему не приближалась. Обходила кругами.

Мила решила, что пора. Дальше ждать нельзя. Завтра суббота. А значит, есть шанс застать в деревне тех, кто приехал сюда из Москвы. Идти надо было далеко. Сначала до дороги. А потом километров шесть. Так объяснила бабка.

Уйти ей хотелось пораньше. Очень уж не нравилось Миле возвращаться по незнакомым местам поздно. Главное, как она полагала — это запомнить дорогу. С этим у нее, правда, было не очень. Географический кретинизм. Так, кажется, называлась ее способность теряться на незнакомых ландшафтах.

Одета она была так, что пристать к ней могли только идиоты. Бабкина выцветшая юбка и слишком просторный для нее свитерок. А голову, чтобы идти в лес, она повязала платком. Ну, и галоши, конечно. Все путем...

Дошла часа за два. А пока шла, все дивилась тому, как хорошо в лесу ранним-ранним утром. И день впереди. И ночь далеко. И ей казалось, что у нее в душе тоже ранее утро.

Самым трудным оказалось другое. Дойти-то она дошла. А вот впервые столкнулась с тем, что встречают по одежке. Дом, который был ей нужен, стоял за забором. Новенькая сверкающая машинка говорила о том, что хозяева приехали. Она постучала. Вышел толстый мужик в трениках. Лицо его, в принципе, ничем не примечательное, белобрысое, показалось ей каким-то обмылком. Оказывается, неделю смотреть только на сына гор, с его чеканными чертами лица, было просто вредно.

— Извините, пожалуйста, мне очень нужно позвонить. Вы не разрешите?

— Девушка, тут не главпочтамт. На станцию идите. Давайте, все, блин, ко мне теперь ходить будем. Ну вы даете, ребята... — И он, глядя все время мимо нее, махнул неопределенно рукой, повернулся, почесал затылок и ушел.

Она закричала ему вслед:

— Да поймите, меня мама в Москве потеряла. С ума сходит. Ну, пожалуйста! Можно хоть сообщение отправить. «Мама я жива».Что же вы, не русский человек что ли?

Но он удалялся. И она злобно подумала: «новый русский».

Она никуда не уходила и думала, что никуда и не уйдет пока не добьется своего. Но через две минуты он вышел на крыльцо и спросил:

— Ну? Номер-то какой?

 Обратно Мила шла не спеша. Вдыхала лето. И на душе теперь было хорошо.

Но когда возвращалась, поворот на дороге прошла. И долго еще шла вперед, не узнавая ничего вокруг. Потеряла на этом целый час, если не больше. А когда все-таки вырулила на нужную тропинку, пошел дождь.

Когда она, хлюпая галошами, подходила, наконец, к дому, то увидела, что он стоит на крыльце.

— Где ты была? — спросил он хрипло и впился в нее глазами.

— Ну что ты здесь стоишь?! Иди в дом скорее. Тебе нельзя тут. Прохладно. С ума сошел! — Она не ответила ему, только разволновалась, что ему опять будет хуже.

— Где ты была? — повторил он. Но видно было, что повторять он не привык.

— О Господи... Рацию в лесу нашла. На тебя стучала! — Она с упреком на него смотрела. Но юмора ее он, кажется, не понял. Видимо, в жизни с ним происходило и не такое. — Не надо думать, Аслан, что мир вертится только вокруг тебя!

Она не говорила с ним весь вечер. Обидно было, что он о ней подумал что-то, чего сделать бы она не смогла. В конце концов, смешно выходить раненого человека, а потом сдать.

Бабка не вмешивалась. У нее с ним все было прекрасно.

Она сидела у себя на чердаке, расчесывала волосы и зашивала свитер, который утром зацепила о гвоздь, когда приставная лестница, ведущая к ней, вздрогнула и заскрипела.

— Мила!

— Аслан! Не надо, не поднимайся. Тебе нельзя! — Но он подумал, наверное, что нельзя ему, потому что слаб. И поэтому полез еще решительней.

— Почему нельзя?

Показалась его голова. Он оперся локтями о верхнюю ступеньку лестницы и замер, глядя на нее, не отрываясь.

— Слезай, а... Видишь, одежду зашиваю, другой-то нет. Не смотри, пожалуйста.

Но ей было приятно, что он смотрит. Приятно... И нисколечко не стыдно. Волосы были распущены и закрывали ее всю, как широким платком. И только поэтому он не сразу понял, почему нельзя.

— Ты бы себя видела... — сказал он хрипло и спрыгнул вниз.

Она только услышала, как сдавленно он охнул. Рано ему еще было выделывать такие финты.

Вечером бабка грела песок, а потом клала его в полотняный мешок. А Мила прикладывала ему горячий песок к спине. Это у них было вместо горчичников.

— Что это у тебя? Все хотела спросить...— Она легонько дотронулась до шрама под лопаткой.

— Война.

— И с кем ты воевал? С нами?

— Чеченцы не стреляют в спину.

— Зато они отрезают головы...

— Мужчина должен уметь и это делать.

— А я думала, что мужчина должен уметь совсем другое. Строить, а не взрывать, лечить, а не убивать... любить, а не воевать.

— Вот и скажи это тем, кто пришел к нам с войной...

Говорить с ним об этом она не любила. Уже сколько раз натыкалась на глухую стену. Зато ей нравилось спрашивать его о том, как они жили раньше. Если его послушать, так чеченцы просто самые лучшие люди на земле. И уж во всяком случае — самые свободолюбивые. И даже приветствуют друг друга по-чеченски так: «Приходи свободным». А у нас желают, чтоб был здоров. Он гордился тем, что его народ, вайнахи, потомки самого древнего государства Урарту. И за всю историю у вайнахов не было ни одного царя. Они не могли признать между собой главного. Каждый у них главный. Это у них в крови.

— И как же вы живете?

— А тебе разве непонятно, как жить, когда ты живешь в семье? Ты слушаешь папу и маму. Любишь сестер и братьев. И если с ними что-то случится, должен отомстить. Это так просто, пока никто ни во что не вмешивается.

Особенно ей нравилась нохчалла — кодекс чеченской чести. Это была какая-то восточная сказка. Все в ней себе все отрубали по собственной воле, если сделали что-то не так. Молчали. Потому что зачем она, тысяча слов? Даже невесту на свадьбе испытывали на умение молчать. Ведь болтливость — от глупости. Мстили за обиду кровью. Спускались с коня перед женщиной. И переставали сражаться друг с другом, если она кидала между ними платок.

— Что ж ваши женщины сейчас его не кидают?

— Перед ракетами их кидать или перед танками? Они теперь делают иначе... Хотя Коран запрещает себя убивать...

— А ты читал Коран?

— А ты читала Библию?

Она не ответила, потому что еще не успела ее прочесть. Судя по всему, и он Корана не читал. «Так и живем, — подумала она, — не зная, что же там у каждого из нас все-таки написано».

Ей нравилось слушать про его мир. Иногда он говорил долго. И глаза его загорались. Теперь, когда он совсем зарос бородой, они сверкали каким-то уж совсем первозданным огнем. И она смотрела и верила — да, он из древнейшего государства Урарту. Он вообще из другого времени. И порода в его лице — результат тысячелетней селекции. С бронзовым отливом кожа. И зеленоватые глаза. Волосы были темными, но не черными. По его словам, так, вообще, настоящие чеченцы — сплошные блондины со светлыми глазами.

Она просила, и он учил ее говорить на своем невозможном языке. И когда он говорил, ей казалось, что есть в нем какая-то варварская прелесть. До трех она научилась считать легко. Цъха, ши, къхо. Выучила, как сказать, что ей восемнадцать. Сан берхийтта шо ду. Узнала, что Аслану тридцать — ткъе итт.

А вот «спокойной ночи» повторяла про себя весь день, чтобы вечером сказать ему:

— Буйса декъала хульда шун, Аслан!

— Одика йойла шун, — ответил он и улыбнулся. Она впервые видела, как он улыбается.

Но время пришло. И задерживаться больше у бабы Таси было нельзя. Он поправился. Еще не совсем. Но вполне мог добраться до города. А она так привыкла к тому, что они живут все втроем, что даже забыла, что надо возвращаться. Что все нормальные люди готовятся к институту. Что может, она уже вообще все пропустила. Но она оправдывала себя тем, что в смысле профессии шагнула так далеко вперед, как не могла продвинуться за год. Она нашла своего демона и уносила с собой маленькие наброски на газетных страницах, которые делала долгими ночами, глядя ему в лицо. Под каким-то ватным одеялом памяти лежала ее жизнь в Москве. Надо же было так отдохнуть!

Бабку на прощание обняла. Одежду обещала вернуть. И, как сможет, сразу приехать. Денег у бабки брать было неудобно. Зато накануне сходила в лес. Набрала черники. Решила ею и расплатиться. Конечно, не с контролером в электричке. Добраться нужно было до шоссе. А там — автостопом.

Аслан проводил до дороги. Не обнял, ни поцеловал. Так и стоял. Смотрел.

— Спасибо тебе, Аслан. — Она помолчала, чувствуя, что сейчас заплачет. — Позвони мне. Не исчезай...

— Не рассказывай обо мне никому, Милая. Обещай мне. — Она кивнула. — Одика йойла шун...

Глава 10

Мы заблудились в этом свете.
Мы в подземельях темных. Мы
Один к другому, точно дети,
Прижались робко в безднах тьмы.

По мертвым рекам всплески весел;
Орфей родную тень зовет.
И кто-то нас друг к другу бросил,
И кто-то снова оторвет...

Максимилиан Волошин

1911 год. Санкт-Петербург.

В башне Изиды уже несколько месяцев жила семья какого-то таможенного чиновника. Борские переехали в маленькую квартирку на Петербургской стороне с окнами во двор-колодец, до того неживой и мрачный, что одинокий тополь у глухой стены казался роскошным произведением природы, оазисом среди каменной пустыни.

«Хватит с нас мистики!» — сказали в один день супруги Борские и стали подыскивать себе другую квартиру, поменьше и попроще пресловутой башни. Это было последнее их решение, принятое согласно. В день переезда в альманахе «Северные цветы» вышла пьеса Борского «Зинкино корыто». Действие ее происходило в обычной прачечной. Поэты-мистики заходят сюда, чтобы простирнуть свои грязные воротнички, и видят прачку Зину. Она им кажется новой богиней Венерой, вышедшей из мыльной пены. Начинается мистический танец вокруг богини. Мистики садятся в корабль, чтобы плыть на Кипр Духа, родину Венеры. Но корабль оказывается обыкновенным тазиком из прачечной. Мистики тонут в Фонтанке.

Шпанский с остальными, конечно, узнали в тонущих мистиках себя. Произошел жуткий скандал с проклятьями, угрозами вызова предателя Борского на дуэль, впрочем, неосуществленными. Башня Изиды была названа «Аскольдовой могилой новой поэзии» и «Маяком предателей и отщепенцев».

Борские не опасались их угроз и тем более проклятий. Они просто решили сменить обстановку. Супруги устали от «идеальных порывов духа», от «имманентных мандрагор» и «гиацинтовых Пегасов». Людмила же хотела самых простых отношений между мужчиной и женщиной, которые до сих пор оставались для нее нераскрытой тайной. Но месяц спустя она поспешно уехала к отцу и матери в Бобылево, оставив Алексея одного в полутемном кабинете за большим письменным столом.

Свет лампы освещал нижнюю часть лица Алексея, стопку чистой бумаги и всего один исписанный стихами листок, в который смотрела грустная фарфоровая собачка.

— Мне тоже кажется, что острый каблучок, наступающий на сердце поэта — это чудовищная пошлость, — сказал Алексей собачке, прятавшей от него взгляд за свисающими ушами. — Но ты пойми, в этой пошлости я честен, потому что так оно и есть. Я так слышу, так буду писать. Ведь мы не испугаемся пошлости? Еще бы! Ты сама и есть первая пошлятина, тебе ли себя бояться? Прости...

В дверь постучали. Вчера Алексей пришел вечером домой, едва держась на ногах, и вырвал звонок с корнем, когда ему никто не открыл. Борский не обратил на стук никакого внимания.

— Она так измучила меня. Она ничего не понимает. Иногда мне кажется, что она —низкопробная дура. Вот и тебя она поставила мне на стол и запретила убирать. Но без нее я не могу, мне надо видеть, чувствовать ее все время рядом с собой. Я должен выслушивать ее упреки, обнаруживать ее непонимание. Понимаешь? Я должен гибнуть вместе с ней. Почему?..

Опять послышался стук.

— Стук в дверь. Открыть, не разрешив вопроса, я не могу. И гость мой как вопрос стоит в дверях... Или не так? А ведь вправду кто-то стучал... Люда? Она вернулась!..

Он побежал в прихожую, на ходу потерял тапочку, убежал вперед, вернулся, шарил ногой под креслом, встал на четвереньки. Не слыша больше стука, вскочил, открыл входную дверь, держа тапочку в руке, как собачка, встречающая хозяина.

На лестничной площадке стояла высокая и, как отметил про себя Борский, статная молодая девушка.

— Здесь проживает поэт Алексей Алексеевич Борский? — спросила она с южным акцентом.

Понятно. Одна из поклонниц его таланта. Наверное, слушала его выступление на поэтическом вечере в Киеве три года назад.

— Алексея Алексеевича нет и в ближайшее время не будет, — ответил Борский с интонациями Людмилы в голосе. — Он сейчас отдыхает в Крыму. Прошу прощения...

Девица лукаво посмотрела на Алексея и спросила:

— Ведь это вы, господин Борский? Не обманывайте меня. Ведь у меня есть даже ваш фотографический портрет... Сейчас...

Она наклонилась и стала рыться в сумочке, которую можно было бы назвать дамской, если бы не ее внушительные размеры.

— Отойдите, вы заслоняете мне свет, — приказала она, и Борский невольно подчинился.

Девица извлекла из сумки листок плотной бумаги. К удивлению Алексея, это была старенькая литография, изображавшая горца в мохнатой шапке и бурке, скакавшего на лошади на фоне заснеженных вершин.

— Нет, это не то... Сейчас, господин Борский... Где же вы? Куда вы провалились?

— В преисподнюю, — грустно улыбнулся поэт.

— А! Нашла. Вот вы — молодой, красивый и очень талантливый.

— Откуда это у вас?

— Купила в Ставрополе, в книжной лавке. Мой батя вас немного помял. Видите трещину на снимке поперек лба? Но ничего. Зато я вас вот нашла живого...

— Да, живого. А то могли б не успеть. Я спрашиваю не про фото, а про этот рисунок, литографию. Откуда у вас этот горец?

— Так все оттуда же. В лавке книжной и купила, в Ставрополе. Там много всякого такого продается.

— Погодите, так вы сюда из Ставрополя?

— Не, я из станицы Новомытнинской. Терское казачество... Слыхали?

— Вот как! Вы с Терека! Удивительно! Так проходите! Что же я держу вас на лестнице? С самого Терека? Удивительно!

— Что же тут удивительного? — говорила девица, бойко заходя в квартиру Борского. — Тут Нева, там Терек. У вас туда вода бежит, у нас — сюда, значит. По всей России реки до самого Северного Кавказа. И ничего удивительного...

— Прошу прощения, я не спросил вашего имени...

— Катерина Хуторная.

— А по батюшке?

— Катерина Михайловна по батюшке...

Борский засуетился, пригласил девушку в гостиную, бросился разогревать чай.

— Вы извините, я вторую неделю без прислуги...

— А на что нам прислуга, Алексей Алексеевич? Мы и без прислуги управимся. Где тут у вас кухня? Показывайте, показывайте... Вы — знаменитый российский поэт, вам по-бабьему стряпать не положено. А нам, казачкам, это привычно и положено... Идите пока, попишите какие-нибудь великие стихи!

— Так вы, Катерина Михайловна, думаете, что поэт вот так захотел и пошел писать стихи? В любое время, как лесоруб или косарь.

— Косарь в любое время не косит, а только после Петрова дня...

— Хорошо, как любой работяга. Так? Думает: дай-ка сейчас великий стих напишу. Идет и пишет.

— А что? Разве не так?

— Вы прелесть, Катерина Михайловна, — обрадовался Борский ее наивности.

Ему было с этой странной провинциальной девицей легко и просто. Все, что было нанесено за многие годы, что усложнило и запутало жизнь, показалось ему сейчас пустым и никчемным. Все теперь было... как чай заварить.

— Ой! Ведь вы надо мной смеетесь, Алексей Алексеевич, — сказала девушка, глядя на него, как он только что рассмотрел, даже не голубыми, а темно-синими глазами. — Я какую-то глупость сейчас сказала, а вам весело. Я же в Петербурге первый раз, да я и в Ставрополе была первый раз. И сразу же так повезло — вас вот купила...

— Так вы и стихи мои читали?

— А как же! Читала. «Лошадку», «Галку посреди двора», «Медвежонка».

— Это же все детские стихи!

— Наш хорунжий в школе учительствовал, так я там и читала. Но я еще в Ставрополе вашу книжку купила. Всю в поезде прочитала.

— Понравилось?

— Еще бы! Красиво так вы пишете, что дух захватывает. Алексей Алексеевич, откуда вы такие слова красивые берете? И еще так непонятно у вас получается. Вот мне бы так научиться писать — непонятно, чтобы никто ничего не понял, а подумал: вот ведь как красиво пишет, а я тут дурак дураком сижу...

Борский с грустной улыбкой посмотрел на Хуторную.

— Катерина Михайловна, правильно ли я вас понял? Неужели вы тоже больны тем же недугом?

— Каким, Алексей Алексеевич, недугом? Да я — девушка здоровая. Об меня батяня слегу обламывает, а мне хоть бы что.

— Да я про тот недуг, который называется поэзией, смешной вы человек. Вы тоже пишете стихи? Признавайтесь!

— Пишу, Алексей Алексеевич, за что и терплю от родителя своего.

— Что же, вас отец наказывает за стихи?

— Бьет всем, что только под руку попадет... Только мы, казачки, народ крепкий. Не справился он со мной. Вот послал в столицу, пробовать. Может, говорит, из меня толк выйдет? Я же до вас с просьбой, Алексей Алексеевич. Вы прочтите мои стихи. Скажите мне честно — понравится вам али нет? Давайте сначала чаю попьем или сначала стихи?

— Сначала стихи, Катерина Михайловна. Вначале было слово...

Борский впервые держал в руках стихи, за которые автора били. Не за содержание, а за стихи сами по себе. Били вожжами, сапогом, кулаком, нагайкой. Вот в этом месте и был нанесен неожиданный удар в спину. Здесь скользнула рука вверх, а сюда упала слеза. От боли или от обиды...

— Посмотрите, посмотрите, что написал Алешенька! Какая прелесть! Вы только послушайте!

Распахиваются двери. Мама бежит с листком бумаги в руках. Она показывает первое его стихотворение про Зайкины сайки всем-всем: дедушке, бабушке, папеньке, гувернантке, кухарке... Все читают, слушают, кричат и бегут теперь за маменькой. Это был его первый успех, наверное, самый большой за всю его жизнь.

Бедная девушка... Несчастный человек... Или наоборот?..

— Что же вы молчите, Алексей Алексеевич? Вам понравилось?

— Нет, Катерина Михайловна, — ответил Борский сокрушенно, — не понравилось.

Алексей Борский не умел врать ни в жизни, ни в поэзии. Он увидел, как задрожали ее полные губы, как увеличились словно под линзами синие глаза.

— Не понравилось, совсем не понравилось... Это очень плохие стихи... Это даже не стихи вовсе, Катерина Михайловна...

— Не понравилось... Совсем не понравилось... Не капельки не понравилось, — она плакала, уронив голову на руки.

Борский присел рядом. Осторожно положил руку на ее голову.

— Катя, Катенька, не плачь, — говорил он, сам готовый разрыдаться вместе с девушкой, — не о чем плакать. Не стоит поэзия твоих слез, одной слезинки твоей не стоит. Мне надо плакать, Цахес надо плакать, Гумилеву, Андрею Белому. Плакать, что нет ничего в нашей жизни, кроме стихов, а все остальное — только мучения, судороги, боль. Ведь завтра может оказаться, что все это тоже — не поэзия, не искусство, а просто игры символистов, акмеистов, футуристов. Одно только кривляние на потеху себе и публике. И ведь забудут тогда, еще при жизни забудут, завтра же забудут. А мы за эти забытые строчки себя мучили, родных изводили... Так, может, вожжами — это не так плохо?

— Ага, не так плохо?! — она подняла на него огромные заплаканные глаза. — Сами бы попробовали вожжами, тогда узнали бы! А нагайкой! Вот не знаете, Алексей Алексеевич, а говорите!

Она увидела мокрое пятно на белой скатерти и испугалась.

— Сколько я здесь наплакала! Что же это такое! Ваша хозяйка сердиться будет...

— Не будет... Чище ваших слез ничего нет, Катерина Михайловна. Вы мне лучше вот что скажите. У вас среди стихов я увидел один прозаический отрывочек. Рассказ, что ли, или зарисовку. Про то, как казачка провожает казака на войну, держится за стремя, смотрит ему вслед... Это что такое?

— А! Это я так написала, чтобы потом в стихотворение переделать. Думаю, напишу пока, а рифмы потом придумаю. Мне эти рифмы так трудно придумывать, если бы вы только знали. Мука одна! За работой, бывало, придумается, а пока то да се, раз и из головы навылет! Вспоминаешь ее, рифму окаянную, а вспомнить не можешь...

— Рифму окаянную, — повторил Борский. — Хорошо вы это сказали. Так это вы написали?

— А кто ж еще, как не я? Но это еще рифмовать надо.

— Не надо это рифмовать ни в коем случае! — рассмеялся Алексей. — Боже вас упаси портить такую сочную, первозданную прозу.

— Прозу?

— Именно прозу. Вам, Катерина Михайловна, надо прозу писать. Рассказы, повести, очерки, зарисовки, романы, наконец...

— Романы? — опять повторила за ним Хуторная и почему-то покраснела.

— Да не романы, а жизнь! Ту самую жизнь, которую вы знаете, чувствуете, любите. Про терских казаков, их нравы, обычаи, семьи, любовь...

— Про любовь? — спросила Катерина. — Так я про любовь не знаю ничего. Какая она? Что о ней писать? Вот у вас в стихах много про любовь... Вы, Алексей Алексеевич, все про нее знаете...

— Я... про любовь... Да ничего я про нее не знаю. Вот сижу сейчас в темном кабинете один, пишу что-то про сердце, каблук, а выходит пошлость одна, хоть и правдивая в чем-то... А вы говорите «любовь»...

Когда он поднял глаза, то увидел перед собой совершенно другое лицо. Напротив сидела красивая женщина, принявшее важное для себя решение. В глазах ее был ужас перед своей собственной решимостью и восторг неотвратимости падения.

— А вы полюбите меня, Алексей Алексеевич, — сказала Катерина дрожащим голосом. — Без стихов и романов, а прямо сейчас, от всей души. Вот я вас полюбила сразу и на всю жизнь, крепко полюбила. Вы мне дверь открыли, а я вам сейчас вот откроюсь... Люблю вас, и все. И знать ничего не хочу, пусть все несется мимо... Идите ко мне, Алексей Алексеевич... Люба ты мой... Единственный ты мой... Ненаглядный... Стихотворение ты мое самое лучшее...

2003 год. Москва.

Они ждали ее день и ночь. После того, как получили сообщение, все боялись поверить. Вдруг кто-то пошутил так мерзко. Паша нашел знакомых, и ему помогли определить, кому принадлежал номер телефона, с которого было это сообщение отправлено. И он нашел этого человека. Тот подтвердил. Да. Было такое. Приходила. Откуда, правда, не знает.

И они стали ждать. А что им еще оставалось делать?

И они дождались. Им все казалось, что это чудо. И что теперь они будут жить по-новому. Не совершая былых ошибок. Ведь они обнаружили, что она — цемент их фундамента. Без нее каждый их них сам по себе...

Она сказала всем, что выплыла, схватившись за бревно. И провалялась у бабки с воспалением легких. Как только смогла, сразу и выбралась. Пять дней она чувствовала себя, как звезда после спектакля. Ей звонили одноклассники и родственники. Приходила классная руководительница Зинаида Терентьевна и рыдала у нее на груди. Прибегала обезумевшая от счастья Настя! Все было хорошо. Вот только поступать она в этом году отказалась наотрез. Отец уговаривал, что протащит и после всех официальных экзаменов, что жаль терять год и вообще. Но, чтобы он ее протаскивал, она не хотела. Она хотела по-настоящему. А с ней вместе не стала подавать документы и Настя. И родители от нее отстали. После такого стресса пусть девочка делает что хочет. Лишь бы была счастлива.

Но счастлива Мила не была.

Она была свободна. И от школы. И от экзаменов. Впереди, насколько хватало глаз, было штиль и спокойствие. Одно только было ужасно.

Ей ничего не хотелось. Она ждала только звонка. И рисовала то, что сохранила в памяти. Она спала, зажав в руке мобильный.

Но все приходит лишь для того, кто умеет ждать.

В один прекрасный день, в начале сентября, когда ехала на тренировку в маршрутке, в сумке у нее запел звоночек. Именно сегодня она уже ничего не ждала. Но так всегда и бывает. Судьба дает только то, что из рук у нее не выдирают.

И когда она услышала «Милая», сказанное так, как говорил это только он, она зажмурила глаза. Сказала: «Подожди» и стопанула маршрутку посреди дороги.

На тренировку она не пошла. Они встретились через час.

Он подъехал к ней на машине. И просигналил. Она не сразу его узнала, потому что бороду свою, которой зарос у бабки, он сбрил, отчетливо помолодев. А может быть, ей так казалось, потому что он уже не выглядел больным. И от этого он стал каким-то опасным. Чувствовалась в нем здоровая сила и кипящая мощь. И ей стало опять как-то непонятно жаль, что она уже не может с ним по-хозяйски обращаться. Дотронуться, и то уже не может. Как это странно.

Он повез ее в гости к своим. Куда-то на задворки торгового центра. К Вахиду. Как Мила поняла, главе их семейства.

Вахид был толстым и седым. Он радостно поднялся им навстречу.

— Вот, Вахид, та девушка, которая меня спасла. — Мила протянула руку. Теперь, правда, она не знала, как следует себя вести. Но из рассказов Аслана ей понятно было, что лучше промолчать.

— Ты здесь всегда желанный гость, девочка, — сказал ей Вахид. А потом заговорил с Асланом по-чеченски.

Визит вежливости был закончен. Ей было даже лестно, что он ее кому-то показал. Но ведь спас ее вообще-то он. А надо было об этом говорить Вахиду или не надо было, она не знала. Ей не хотелось, чтобы все вот так закончилось. Но он молчал. Он вез ее домой.

Он вышел из машины. И проводил ее до дома. Был вечер. Зажглись фонари. Во дворике за церковью было совсем темно. Они остановились у ее парадной. Он помолчал, а потом, глядя себе под ноги, сказал:

— Я не хочу обижать тебя. Но нам не нужно встречаться. Я принесу тебе несчастье.

— Обещаешь? — она улыбнулась.

— Обещаю... — он смотрел теперь прямо. — Мы ничего друг другу не должны. Мы в полном расчете.

— Хорошо. Хорошо. — Она подозрительно легко согласилась. — Хорошо. Тогда поцелуй меня на прощание.

— Я не умею целовать женщину на улице.

— А снимать женщину на улице ты умеешь? — спросила она едко.

— Умею, — жестко ответил он. — Только потом лица ее не помню. А вот твое лицо я помню хорошо.

Она, конечно, знала, что так и будет. Она боялась этого. И вот... Но он прервал ход ее мыслей.

— Знаешь, есть такое чеченское предание. В горном селении путник постучал в дом. Ему, конечно, открыли. По закону, в горах в дом пускают всех. И три дня не спросят, зачем ты пришел. Так вот, его пустила женщина. Оставила на ночлег. Всю ночь просидела за прялкой. Утром поливала ему водой, чтобы он умылся. И он случайно задел ее руку. А когда узнал, что хозяйка, оказывается, всю ночь была дома одна, он взял кинжал и отрубил себе палец, которым случайно ее коснулся. Так у нас относятся к чести женщине. И я не стану идти против того, к чему привык.

Она все поняла. И ей хотелось спорить. Хотелось доказать ему, что он не прав. Что все теперь иначе. Другие времена. И женщины другие.

— А что, у вас жены не изменяют?

— Нет. Разве им хочется умирать?.. А за измену — убивают.

— Что, и сейчас?

— Да. И сейчас.

— Но ведь на русских тоже женятся?

— Редко.

— А ты мог бы жениться на русской? — Она знала, зачем спросила.

— Я бы не стал. — Он смотрел на нее серьезно.

— Да? Интересно почему? — Ей стало ужасно обидно.

— Ты со мной все время споришь. И совсем не умеешь молчать. Вот поэтому.

— Я тебя не спрашивала, Аслан, женился бы ты на мне или нет! Я о русских спрашивала...

— А у меня нет никаких русских, кроме тебя!

Она услышала совсем другое. И поспешила оправдаться:

— И я с тобой не спорю. Я так разговариваю. И иначе не умею — да, господин, нет, господин. Мы этого не проходили...

Она открыла дверь своим ключом. Стала раздеваться. Увидела на вешалке чужие пальто и куртки. А на полу несколько пар мужских ботинок и утонченные женские сапожки на шпильке. Они ей так понравились, что она даже захотела их примерить, пока никто не видит. Из комнаты раздавался смех. У родителей были гости. Тапки ее кто-то уже надел. И она пошла в комнату босиком.

Остановилась в дверях. Сказала бодрым голосом:

— Добрый вечер!

Эта была прошлогодняя Пашина съемочная группа. Двоих, мужчину и женщину, она просто помнила в лицо. А режиссера Юру Шамиса неплохо знала. Два года назад, когда фильм еще только задумывался, они с отцом частенько просиживали тут до ночи. Юре было где-то около тридцати пяти. Он был некрасивый, но достаточно приятный мужик. Темные волосы, усы, очки с чуть тонированными стеклами. Прекрасный грим для любого резидента. Какой Юра под всем этим на самом деле, Мила представляла смутно.

И началось. К ней обернулись все. И пошло-поехало. Какая-то же ты стала взрослая! Да какая красавица! Да тебя ж в кино снимать надо!

— Нет! Так просто не снимешь... Для Милы нужно специальный сценарий писать. Она ведь у нас особенная...— сказал Юра. — Садись, Милок! Посиди с нами! Дай я за тобой поухаживаю...

— Для хорошеньких девочек, которые хотят сниматься в кино, — приподняв одну бровь, назидательно сказал Павел, — всегда нужен особый сценарий. Желательно без слов. Вошла-вышла. Как вспомню Олю, так вздрогну. Это у вас перекур был. А я двадцать дублей снял одного «Прощай навсегда, Вася!» Нет уж, Юрочка, когда в следующий раз надумаешь актрис без образования снимать, то, пожалуйста, без слов...

— Милуся, тарелку себе на кухне захвати, — распорядилась Наташа. — И вилку чистую для Нины. На, эту в раковину положи...

Мила зашла в ванну, помыла руки, надменно глянула на свое отражение в зеркале. Осталась вполне собой довольна.

Ей налили вина. Родители тут уже вмешиваться были не вправе. Девочке девятнадцатый год. Винцо дошло до головы практически с первого глотка. Последний раз Мила ела еще утром.

Как-то успела она за то время, что прошло после окончания школы, сильно повзрослеть. И ей было интересно с этими людьми разговаривать. И с приятным удивлением она обнаружила, что почти совсем перестала комплексовать. После всего, что с ней за последние месяцы приключилось, эти милые люди казались ей совершенно безобидными. Тактичными, интеллигентными и уравновешенными.

И даже рисунки свои она не постеснялась показать Юре Шамису, который проявлял к ней постоянный на протяжении всего вечера интерес. Вот ведь как хорошо, когда смотрят на твои работы, и ты не боишься, что порвут в клочья. Какое приятное чувство защищенности.

Левшиновский метод обучения явно оказал на Милин характер общеукрепляющее действие. Она считала учебу у него своей личной Школой молодых волков.

Цветочки Юра мягко откладывал, а вот на демонах застрял основательно. Нравились ему эти работы.

— Плод воспаленного воображения? — спросил он, улыбаясь.

— С натуры... — бросила она небрежно, с интересом глядя, как до него доходит эта информация.

— Демон с натуры? Сильно! И частенько он тебя посещает? — он засмеялся, но глаза ждали ее ответа.

— Хотелось бы чаще... — она загадочно улыбнулась в ответ.

— Помнится, к Врубелю они тоже наведывались. И даже в сумасшедшем доме не забывали...

— Нет. — Она махнула рукой. — Мой ко мне в сумасшедший дом вряд ли ходить станет.

Он смотрел на нее с восхищением, не до конца понимая, серьезно она говорит или просто играет с ним. А ей нравилось, что можно вот так, походя, потешить себя, слегка пробегая по сокровенным струнам своей души. Ей впервые понравилось то, что у нее есть тайна.

Вернулись в гостиную. Еще выпили вина. Родители увлеченно вспоминали какие-то истории с Ниной и Стасиком.

А Юра, откинувшись на спинку дивана, рассказывал ей что-то о своих планах. Расписывал величие ближайшего проекта. А потом возвратился к теме, связанной непосредственно с ней. Говорил, воркуя. С интимными интонациями. Ее это не раздражало. Ей нравилось. У него это получалось несерьезно. И ей понятно. И ему.

— И все-таки, никогда не поверю, что красивая девушка никогда не мечтала сыграть в кино...

— Ну, мечтать-то я, может, и мечтала, да папа как-то к этому не очень хорошо относится, — сказала она, отпив глоток вина и мельком взглянув на отца, который ничего не слышал.

— Ну, мне-то можешь сказать. Я ж не папа. Так, в порядке бреда — в какой роли ты бы хотела появиться? Может быть, эротический триллер или там «Секс в большом городе», м?

— Не думала никогда... — сказала она честно. — Хотя, я знаю...

— Ну-ну-ну! Интересненько...— он даже поставил свой бокал на столик.

— Возлюбленной чеченца...— она сказала и почувствовала, как горячая волна заливает лицо. Она немного закрылась от него бокалом и стала смотреть сквозь красное вино на лампу.

— Да. Удивила. Смотрите-ка! — он оживился. Ее нестандартность ему определенно нравилась. — Но эта роль трагическая. Да и конец печальный.

— Да? Почему вы так думаете? — Она вскинула на него свои янтарные глаза. — Разве у этой роли не может быть счастливого конца?

— Ну, не знаю... Для тебя, наверное, я бы сделал исключение и придумал хороший конец.

Глава 11

...Свисток во всю длину ущелья
Растягивается в струну.
И лес и рельсы вторят трелью
Трубе, котлу и шатуну.
Пока я голову заламываю
Следя, как шеи укреплений
Плывут по синеве сиреневой
И тонут в бездне поколений,
Пока, сменяя рощи вязовые,
Курчавится лесная мелочь,
Что шепчешь ты, что мне подсказываешь,
Кавказ, Кавказ, о, что мне делать!..

Борис Пастернак

1914 год. Северный Кавказ.

Несколько всадников стояли у железной дороги. Один из них слез с коня и, приложив ухо к стальному полотну, вслушивался в далекие километры, стучавшие уже где-то колесами. Один из всадников, видимо, их предводитель, всматривался вдаль и о чем-то напряженно думал.

Вольная воля... Можно скакать, куда хочешь. Правь коня на восход солнца! Не нравится? Поворачивай назад, на закат. А хочешь за облака, к самому небу? Туда тоже есть тропы, чем смелее джигит, тем их больше. Хочешь туда? Туда, где до солнца рукой подать, а кругом одни ледяные вершины. Почему так? Везде дорога тебе и твоему коню, Меченый. Кто удержит тебя, лихого абрека, и приятелей твоих? Разве только пуля? Но сколько дорог у тебя и сколько у пули? Трудно вам встретиться, почти невозможно. Потому что не нарисованы, не просчитаны, не закованы в камень и железо твои пути-дороги. Ветер дует, куда хочет. Так и твоя дорога, Меченый. Ветер-душа — и есть твоя дорога. Кто кого несет, кто за кем летит?

А вот другая дорога, блестящая, как шашка. Как две изогнутые шашки. Легли они через равнину, плавно загибаются за гору. Если приложить к холодной стали ухо, услышишь шум ветра в далекой степи, стук копыт стального коня. «Огненная почта», — со страхом, уважительно говорят про него чеченцы.

Забыли они, как покорились русским, с чего начались их военные неудачи. С этих самых дорог все пошло. Сдалась Чечня, когда русский солдат положил ружье и взял в руки топор. Пролегла через дикий лес просека, по ней — дорога. Была одна Чечня, стало две. Прошел еще один тракт — четыре Чечни. Страшная голова была у Ермолова. Но не тем пугали чеченки своих детей. Что там череп и седые волосы! Мыслью своей голова эта была страшна.

Теперь вот идет на Северный Кавказ другая дорога. Страшная дорога, железная. Тут уже не свернешь, не отклонишься в сторону. Закован твой путь, Чечня, в прочную сталь. Нет тебе пути ни вправо, ни влево, ни вверх, ни вниз. Все теперь решено за тебя, все будет, как Русский Царь велит. И ведь многие уже идут этим железным путем. Например, Давлет-хан. Радуется, богатеет, русские рубли в кармане считает, а не замечает, что уже поперек дороги железной лежит, как вот эти деревяшки. Эх вы, нохча! Вольная воля...

Так думал Меченый, предводитель небольшой разбойничьей шайки, которая вихрем мчалась по Северному Кавказу, угоняя коней, совершая набеги на богатые дома, почтовые конторы. Их разыскивала полиция, поднимались по тревоге в ружье гарнизоны, гнались за ними вооруженные отряды местных князей. Все напрасно. Банда Меченого уходила, как песок сквозь пальцы. А все потому, что никто не знал его путей-дорог, в том числе он сам. Упредить его не умели, догнать не могли. Лучшие кони были под абреками банды Меченого.

Да и люди не из худших. Шеф жандармов в Ставрополе сокрушался, что были б у Меченого в банде одни чеченцы, натравил бы на него дагестанцев или еще кого. Так ведь кого только у него там нет. Будто нарочно он из каждого народа джигитов набрал. Говорят, что самый верный его друг — хевсур маленького роста, но ловкий, а главное очень хитрый, из любой ловушки вывернется. Есть у него в банде и аварец, и ингуш, и осетин... Сам же он — чеченец, а откуда, из какого аула неизвестно. Живут они одной семьей, как братья. Никого не неволят, не заставляют, слушаются Меченого по доброй воле. Верят в его удачу джигита, верят, что душа-ветер его избежит любой засады, уведет от любой погони. Да, так оно и есть.

Сегодня Меченый задумал, как нагайкой, захлестнуть, сцепить на короткое время свой вольный путь с железной дорогой. Не ради богатой добычи, а чтобы показать этому огромному, грохочущему, лязгающему железом и бурящему их землю шайтану, что не так спокойно и уютно будет ему на чеченской земле.

— Идет «огненная почта»! — крикнул джигит маленького роста, поднимаясь с колен и тут же одним прыжком вскакивая в седло.

— Будем прыгать на повороте, — понукая коня, крикнул Меченый.

Всадники пошли сначала шагом, потом рысью. Железный стук, уханье и шипенье приближались, и по мере этого джигиты разгонялись. Здесь, до поворота был, пожалуй, единственный ровный участок, где кони могли скакать параллельно железной дороге, не рискуя сломать ноги, а наездникам головы.

Вот показалась драконья морда паровоза, в пару, как в пене. Завыла сирена, кони рванулись в сторону, но джигиты выправили их и понеслись вровень с первым вагоном. Мелькали уже желтые, синие, приближались зеленые вагоны. Но на повороте состав притормаживал.

— Красный вагон! — крикнул атаман.

Маленький джигит на всем скаку встал ногами на седло и прыгнул, раскорячившись в воздухе. За ним, как из катапульты, вылетел еще один, еще. Четвертым прыгнул атаман. Больше на открытой площадке не было места.

Маленький джигит дернул ручку, и когда она не поддалась, стал стрелять в замок из револьвера. Четверо быстро вошли в вагон. Оставшиеся всадники вместе с конями этих четверых скакали, то отдаляясь, то приближаясь к поезду. Сверху им уже была видна станция, и они заволновались. Но из красного вагона уже выпрыгивали и скатывались в траву один за другим их товарищи с мешками в руках. Последним спрыгнул атаман.

В этот же вечер в горной пещере, вскрыв мешки и упаковки и поделив обнаруженные там деньги, джигиты лениво перебирали доставшиеся им в нагрузку бумаги. Здесь было много красивой гербовой бумаги.

— Тимоша, ты же русский, — крикнул атаман Меченый одного из отдыхавших у костра джигитов. — Почитай-ка. Может, есть дело?

— Не русский, а казак, — поправил его тот, но бумаги взял и, наморщив лоб, стал читать.

— Требования об укреплении в собственность части из общинной земли... Это нас не касаемо... — бормотал казак. — Известные беспорядки произошли вследствие... Это от нас далече... Губернатору... Вот... Так-так...

— Что там такое? — навострили уши джигиты.

— Погодите, — остановил их Тимофей, гордый, что первым приобщился к важной новости. — Всеобщая... мобилизация... Братцы, объявлена в России всеобщая мобилизация... Что-то тут сказано про Австрию и еще тут...

— С кем война? Там написано?

— Сейчас почитаю, — казак опять углубился в важную государственную бумагу. — Сейчас... Я так разумею, что с Сербией...

2003 год. Москва.

Из разговоров с Асланом она не понимала ничего. Он отвечал нехотя. И правды, которую знал сам, ей явно не говорил. А она временами приставала по-черному. Из-за него она врала всем кругом, из-за него она чуть не свела с ума родителей. Скольких седых волос стоило им ее молчание! И ведь все из-за него! И разве она не имеет права знать, что в его жизни происходит на самом деле. Но это она только сама с собой говорила таким категоричным тоном. А с ним про права и не заикалась. Не было у нее почему-то на него прав.

— Аслан! Ответь мне пожалуйста. — Мила старалась говорить так, чтобы он понял, что ей это крайне важно. — Почему тебя ищут? Что ты сделал?

— Ты уже спрашивала, Милая. — Он говорил спокойно. Без тени нерва. Сейчас это его уже не беспокоило.

— Я не поняла. Объясни по-человечески. Можешь? — она не отставала.

— Они всех ищут. Денег дал одному, а другому нет. Вот и ищут.

— И все? А чем ты вообще занимаешься? Почему ты им деньги даешь?

— Я продаю. У меня торговля в Москве. За это и плачу.

— Тогда почему они тебя найти не могут?

— Могут...

— Тогда почему еще не нашли?

— Потому что я не хочу.

— А ты не боишься, Аслан, что если ты разозлишь меня, я пойду и, в конце концов, расскажу, как тебя найти?

— Нет, — сказал он неторопливо, — не боюсь.

Никита Савельич Батурин оставил ей свою визитку тогда, когда она только вернулась. Ничего по существу аварии на пароходе Мила сообщить ему не могла. Тут она была также бесполезна, как и вся компания отдыхающих выпускников. Свою странную историю она рассказала ему дважды. И хоть ему непонятно было, как ее могли не найти спасатели, она упрямо повторяла — значит, не там искали. И понятно было, что уж кому кому, а ей, может быть, больше всех нужно было, чтобы ее тогда нашли. Воспаление легких, температура, мама с папой сходят с ума...

Визитку свою он оставил ей скорее по привычке. И еще потому что была она весьма симпатичная дочка киношных родителей.

Когда она ему неожиданно позвонила, воспрянул он чисто по-мужски, а вовсе не профессионально.

— Никита Савельич, мне нужно поговорить с вами по одному достаточно важному для меня делу. Вот только я бы хотела рассчитывать на то, что это будет конфиденциально. — Она говорила и по ходу дела понимала, что зря это затеяла. Теперь он заинтересуется и даже если она ему ничего интересного не скажет, будет за ней еще чего доброго следить. Какая может быть конфиденциальность, когда обращаешься в инстанции.

— Да, Людмила Павловна, безусловно. Рад, что вы позвонили. Как вам удобней встретиться?

— Мне все равно. Вы ведь работаете? Вот после того, как закончите, и встретимся.

— Тогда сегодня в семь. Я подъеду к вам. Позвоню. И вы спуститесь... Идет?

— Да. Спасибо.

Она села на диван и спросила себя: а что я ему скажу. Извините пожалуйста, вы мне не подскажете, почему некто Аслан находится в розыске? А он спросит — минуточку, а где вы встречались с вышеуказанным Асланом? И что она ответит? Что пулю ему из-под ребра вынимала... Но если он в розыске, значит, они не знают, где он? А почему тогда он разъезжает по Москве и практически ни от кого не прячется?

Нет. Все это не годится. Заметаем следы.

Когда он позвонил ей, она мгновенно накинула курточку и побежала вниз по лестнице. Выбежала и радостно ему улыбнулась. Он вышел из машины, обошел ее и галантно открыл перед ней дверцу. Когда он сел, она затараторила:

— Вы извините, Никита Савельич, что побеспокоила. Я потом все думала, что зря. Звонила вам. А у вас мобильный отключен. А рабочего я не знаю.

— Вы можете называть меня просто Никита, — предложил он широким жестом.

— Да? Здорово. Так вот, Никита, — она посмотрела на него особенным взглядом, совершенно не служебного назначения. — Я вам сразу не сказала. Но у капитана был пистолет. Я это точно знаю. Когда случилась катастрофа, я была в другом конце, там, где каюта. Я искала, где бы мне руки вымыть. Дернула дверь. А там капитан с пистолетом. Я убежала. И практически в этот же момент все и произошло.

— А что ж вы мне об этом сразу не сказали?

— Ну, понимаете, я думала, вдруг мне показалось. Может, конечно, и показалось. Я не совсем уверена. Но, может, пригодится? Мало ли...

— Так он был там один с пистолетом?

— Да. Один.

— А у вас имеются какие-нибудь собственные предположения по этому поводу? — Он хитро прищурился и улыбнулся. — Что же, по-вашему, Колошко за пять минут до аварии собирался покончить с собой, осознав весь ужас неправильной эксплуатации судна?

Мила рассмеялась. Действительно, ерунда какая-то получается.

— И это все, что вы хотели мне конфиденциально сообщить, Людмила Павловна?

— Вы можете звать меня просто Мила. — Теперь ей ничего не оставалось, как делать вид, что пистолет был лишь поводом для встречи.

— Да. Вам это имя очень идет. Может быть, попьем где-нибудь кофейку вместе? Раз встретились. Жаль было бы так просто разойтись.

Она сама не понимала, зачем все это затеяла. Навредит Аслану то, что она сказала или нет, она просчитать не могла. Зато точно понимала, что уж теперь явно не узнает то, что ей было на самом деле нужно. Думать, конечно, надо было раньше. Прежде, чем звонить. И теперь спасало только кокетство и попытка свести все к личному интересу от встречи с Никитой.

Впрочем, личный интерес здесь тоже вполне мог возникнуть. Парень Никита Савельич был симпатичный, приятно-квадратный, обходительный. Правда, имелось кольцо на правой руке. Это был минус. Да и сам он весь мгновенно превратился в минус, как только она пристальнее пригляделась к его рукам. Нервные ручки с белыми женственными пальцами.

О боже. Нет, чтобы этот мужик касался ее своими руками...

Никита Савельич был отбракован. На роль первого мужчины он явно не тянул. Да, пожалуй, что и на второго тоже.

Попили кофейку и разошлись.

Она отказалась от того, чтобы он подвез ее домой. Сказала, что хочет зайти к подруге, здесь совсем рядом. Попрощалась. И пошла к своей тетке Наде, маминой сестре-двойняшке.

Тетку она не видела со дня своего возвращения. Тогда Надя приехала через час после маминого звонка, отменив все свои дела на день. А была она ужасно занятым человеком. Бизнес-вумен. Возглавляла собственное агентство по организации корпоративных вечеринок.

С мамой они были очень похожи, но всю жизнь пытались всем доказать, что совершенно разные. И им это вполне удалось. Мама Наташа была темненькой, одевалась, как и положено художнице, замысловато и со вкусом. А Надя красилась в дорогую блондинку, была в манерах резче, циничнее, носила, в основном, брюки и костюмные пиджаки.

Разговаривать с теткой Мила любила по двум причинам. Во-первых, Надя была матерой. И многое в жизни понимала совершенно не так, как Мила, что было весьма любопытно. А во-вторых, поговорить с Надей было полезно. Она была как подружка. Говорила обо всем легко и непринужденно. С мужем была в разводе, что давало ей моральное право иметь богатейшую личную жизнь и не краснеть за нее перед Милой. Имела десятилетнюю дочь Машку.

С мамой Наташей ничего обсуждать не хотелось. Отчасти потому, что мамин долг был ее воспитывать. Не могла же она, как подруга, принимать Милину жизнь такой, какая она есть. Ей непременно нужно было объяснить дочери, как надо.

И еще: мама есть мама — и это автоматически упраздняло некоторые темы для разговоров. Сама мысль, что у мамы, возможно, тоже имеется какая-то интимная жизнь, была неприятна.

С теткой все было проще.

Правда, и ей она не могла рассказать об Аслане. Не уверена была, что та, пусть и случайно, не разболтает. Зато в общих чертах могла ей поведать о том, что на душе тяжело. И что ей не звонят...

Не очеловечивай мужчин! — вот первая мудрость, которую она вынесла из их разговора.

— Ты приписываешь им какие-то мысли, блин, чувства, которых у них и в помине нет и не бывает. Ты думаешь, он сидит где-то там и складывает в уме, что ты подумаешь, если он скажет тебе то или се. Хрена лысого! Запомни — они вообще словами не думают. Как собаки. То в башке куриная нога проплывает, то задница чья-нибудь. А чаще всего — пиво. Так что, дорогая моя — забудь все эти свои романтические метания. Делай только то, что нужно тебе самой! Порция здорового эгоизма никогда не повредит.

Мудрость номер два заключалась в том, что идеальных мужчин не бывает.

— Ой! Никто ей не подходит...— передразнила ее тетка. — Все проти-ивные... Смотри на проблему шире! Если все противные, кто-то явно противнее. Ну вот поиграем давай — выбираешь наименее гадкое лично для тебя. Задача ясна? Ну, чтоб понятно было — начнем не с мужчин, а с болезней. Что в принципе одно и то же.

— Ну давай. — Мила потерла руки и приготовилась. Теткин заразительный энтузиазм мгновенно передавался и ей.

— Поехали. — Тетка голосом диктора центрального телевидения начала вещать: — Перелом — руки, ноги, ребра?

— Руки! — быстро определилась Мила.

— Коклюш, ветрянка, корь?

— Ааа... — Мила лихорадочно соображала. — Корь. Корь. Корь.

— Трусы, часы, очки? — угрожающе спросила тетка.

— Трусы! — Мила давилась от смеха.

— Гинеколог, стоматолог, гаишник?

— Гаишник!

— Ну что, разогрелись? А теперь не думать! Достоевский, Чехов, Тургенев!

— Достоевский! — выпалила Мила, удивляясь сама себе.

— Пушкин, Есенин, Маяковский?!

— Есенин.

— Миронов, Машков, Куценко?!

— Машков. Ну это просто! Сложнее давай! — с азартом выкрикнула она.

— Ленин, Маркс, Энгельс?!

— Маркс!

— Горбачев, Ельцин, Путин?

— Путин.

— Леонтьев, Хиль, Кобзон?!

— Нет! Всем — отказать! — Мила закрыла лицо руками и расхохоталась.

— Это, моя девочка, называется диапазон приемлемости. Когда из трех зол надо выбрать наименьшее, в нем вполне можно найти привлекательные черты. А ты говоришь, проти-ивные... Мне имен твоих кавалеров не надо, но троих-то, думаю, ты вспомнишь. Просто в уме прикинь — Коля, Вася, Петя. И все тебе станет ясно.

Таким ли методом, другим ли, а результат у Милы все время получался один и тот же. Аслан. Но вместо радости оттого, что, как ни считай — все сходится, на душе у нее опять скребли кошки. Одно дело, когда мужчина хочет — и тебе только выбирать. И совсем другое, когда ему все равно. Хотя, может быть, применять теткин метод нужно только к тому, кого на здоровую голову выбирать не стала бы. Не Коля, Вася и Аслан, где ответ однозначно предопределен. А именно Коля, Вася, Петя... Тут задумаешься, это тебе не Маркс с Энгельсом.

Пока она по теткиному совету «прикидывала», на кухню прибежала Машка, двоюродная Милина сестра. Она уже «отбарабанила», как называла занятия по музыке Надя. А уроки делать ей сегодня было нельзя. Окулист закапал в глаза капли. Атропин. Теперь неделю Машке сидеть на уроках и отдыхать. Ни читать, ни писать. Атропин парализует аккомодацию, зрачок широченный и вблизи ничего не видно.

— Будет теперь бездельничать, коза!

Надя прихватила свою Машку за бочок. Та взвизгнула, зашлась смехом и стала защищаться от матери руками.

— Возьми, Манюня, себе чаю с печеньем в комнату. А мы с кузиной твоей еще поболтаем. Давай, давай. — И крикнула уже ей вслед: — И музыку себе включи. Да погромче! — А Миле вполголоса договорила. — Чтоб не слышала, что тут мать за ерунду говорит...

Ерунды хватило еще на час. Когда пошли разговоры интимные, Миле стало еще интересней. Информацию надо было откуда-то черпать. Теперь Надя рассказывала ей про своего нового любовника. Жаловалась, что в любви скупой. А она, Надя, жадная.

— Так он что, так не любит, когда тебе хорошо?

— Нет. Просто он считает, что это ущемляет его мужское достоинство. Раз я его о чем-то прошу. Ну, не прошу даже — подсказываю. Значит, он меня, как мужчина, не удовлетворяет. Я ему говорю — так это ж я тебя прошу, а не соседа Колю. Но он считает, что только немой секс можно считать настоящим. И если в нем мужчина и женщина без лишних слов совпадают — значит, у них все в порядке. — И подытожила оптимистично: — Вот такая, блин, у него непроходимость труб головного мозга!

— Так там, вроде, труб нет.

— Не-е. Трубы там как раз есть, а вот мозга... Помолчали. Попили чайку.

— Чего там папаша с мамашей?

— У папки вчера интервью брали. Довольный ходит, как слон.

— Знаешь, я вот тоже иногда мечтаю интервью кому-нибудь дать. И если бы у меня брали интервью, я бы не пыталась показаться лучше, чем я есть. Меня бы, например, спросили: «Как вы оцениваете последний роман Тютькина?» И я бы не стыдилась ответить, что я его не читала. Или еще лучше — а кто такой Тютькин? Чем скандальнее интервью — тем лучше. Я бы себя показала. У меня бы все узнали, что такое хари-маразматическая личность!

От тетки она ушла в приподнятом настроении. После разговора с Надей все казалось смешным и глупым — умные серьезные мужчины, блондинки в бриллиантах, громадные рекламные щиты. Жизнь была плоской, как поднос, и все печали на нем были нарисованы, а значит, на них можно было не обращать внимание. Не станешь же с подноса есть нарисованное яблоко.

Но к вечеру здоровый пофигизм перестал быть таким рельефным. Опять засосало внутри ожидание.

Зазвонил телефон. Звонил Юра Шамис. Все не то.

И теперь ей казалось, чтобы не сойти с ума, сидя на стуле и качаясь, ожидание это нужно рисовать. Что это может быть самая гениальная картина, которую она создаст. Штамп ожидания — женщина, застывшая у окна. Миле же казалось, что ожидание — не статичное чувство. Если уж это женщина, то, по меньшей мере, бегающая к телефону. Но женщина на этой картине Миле казалась вовсе лишней. В ее представлении ожидание было рисунком абстрактным, постоянно меняющимся калейдоскопом, похожим на кровь под микроскопом. Потому что когда чего-нибудь очень ждешь, каждую минуту придумываешь в уме новую причину того, почему желаемое не становится реальным.

Он появлялся внезапно. Она могла не знать о нем неделю и даже больше. Они никогда не расставались до вторника или до пятницы.

Всегда — навсегда.

И это бессрочное ожидание вымотало ее до предела. Она никак не могла понять, почему же все у них так непросто.

Он звонил, и они встречались немедленно. Она знала, что если договориться на завтра, ничего уже не будет. Он звонил ей именно тогда, когда мог. С ним она никуда не ходила. Они сидели в машине или ехали куда-то по его делам. Иногда отвозил ее на урок в мастерскую. И каждый их разговор превращался в баталию.

— А что, разве теперь ни у кого из вас нет ни жен, ни детей? Почему же они не боятся оставить их сиротами?

— Они живут иначе. А я не знаю, что будет со мной завтра. Тебе не нужен мужчина, портреты которого расклеены на столбах!

— Многим как раз такие и нужны. Знаешь, как много девиц охотится за теми, чьи портреты на каждом столбе...

— Я не звезда, Мила.

— Ты не вайнах! Ты — идиот! Ты же не видишь очевидных вещей. Живешь в плену каких-то высокопарных иллюзий! И толкаешь меня на чудовищные поступки. Ты сам-то понимаешь, чего ты от меня хочешь?

— Я ничего от тебя не хочу, Мила. Ты свободна, как ветер гор. — Он выбирался из пробки и был сосредоточен.

— Нет. Ты хочешь, чтобы я пошла и отдалась первому встречному, чтобы потом не нести за меня никакой моральной ответственности. Ты эгоист, каких свет не видывал.

Он не ответил ей. Он объезжал застрявшие в пробке машины по встречной полосе. Но и на встречной полосе впереди выстроился целый ряд особо нетерпеливых.

— О, гордый вайнах! Посмотри где ты живешь. В Москве. И твои нахчо стоят стройными рядами на рынке и торгуют бананами, как обезьяны. А ты в это время собираешься отрубить себе все, чем меня касался! — И немного остыв, она сказала: — Не знаю даже, Аслан, что тебе при таком раскладе светит. На тебе ведь и места, которого я не касалась, наверное, не осталось. Правда, ты был без сознания...— Она торжествующе улыбнулась. И, повернувшись к нему лицом, добавила драматическим шепотом: — Но разве вайнаху есть оправдание?

Он резко крутанул руль влево и стал объезжать всех прямо в лоб несущемуся навстречу троллейбусу.

Она, закрыв лицо руками, съехала по сиденью вниз.

Казалось, такой высоченный троллейбус сомнет их сейчас, как консервную банку. А Аслан забрал еще левее, и они выкатились на противоположный тротуар. Срезали угол и завернули на перекрестке налево прямо перед носом у уже разгонявшихся трех рядов автомобилей.

— Останови машину!

Мила выскочила из машины. Хлопнула дверью и, взмахнув рукой проезжающей маршрутке, скрылась из его поля зрения.

А когда руки перестали трястись, поняла, наконец, что задела его прилично.

Глава 12

Мильоны — вас. Нас — тьмы, и тьмы, и тьмы.
Попробуйте, сразитесь с нами!
Да, скифы — мы! Да, азиаты — мы,
С раскосыми и жадными очами!..

Александр Блок

1914 год. Галиция.

Немцы смеялись над русскими в 1905 году. Позиционная, окопная война казалась им нелепицей, бессмыслицей. Ведь так можно было сидеть годами, зарываясь в землю все глубже — кто кого пересидит. Чего сидеть? Чего ждать? Может, революции в тылу противника? Немцы считали, что война должна быть быстрой, маневренной, с обязательным заходом во фланг противнику и последующим его разгромом. Но вот через десять лет они и их союзники австрийцы сами были глубоко закопаны в землю, огорожены сетью колючей проволоки, от одного моря до другого. Сидели и ждали.

В местечке Усте-Прясто фронтовая жизнь и вовсе утвердилась, как гипс на раненой конечности. Позиции противников здесь отстояли друг от друга на значительном расстоянии. Австрийцы окопались на краю плато, склон опутали колючей проволокой. Их

230

пулеметы господствовали над равниной. Трудно было представить более выгодную оборонительную линию.

Венгерские гусары, которых австрийское командование перебрасывало южнее, так как в Усте-Прясто им делать было совершенно нечего, бросали монетки в местную речушку, чтобы вернуться сюда еще раз, как на любимый курорт.

Русские окопы тянулись параллельно совершенно прямой дороге, обсаженной с двух сторон лиственными деревьями. Офицерам иногда казалось, что вот-вот на аллее покажется мирный экипаж, и хорошенькое женское личико выглянет в нашу, а не австрийцев, разумеется, сторону. Но все это были только фронтовые мечты.

Но однажды на аллее появился всадник в меховой шапке и бурке, на вороном коне. Он медленно, прогулочной рысью, поехал по аллее, даже не глядя в сторону противника. Он ехал до того буднично и лениво, что когда австрийцы его заметили, то не сразу сообразили, что это значит. Наконец, до них дошло, что их попросту дразнят. Раздались несколько винтовочных выстрелов, хохотнул над смелым чудаком пулемет. Пули сбивали не успевшие опасть листья, застревали во влажных стволах деревьев, но не причиняли всаднику никакого вреда. Когда ухнуло орудие и снаряд улетел в поле позади русских окопов, всадник повернул коня и также медленно поехал в обратном направлении.

С этого дня среди младших офицеров утвердилась эта странная мода — по утрам совершать конные прогулки по аллее вдоль русских позиций, выводя из себя австрийцев. Через неделю поручик Свиридов во время этого странного моциона получил пулевое ранение в плечо, а прапорщик Неустроев был убит наповал. Командир 12-го корпуса генерал Кутайсов издал специальный приказ, запрещающий бессмысленные прогулки на виду у противника под угрозой ареста.

Позиции противников соединяла река, та самая, в которую венгерские гусары бросали монеты. Она несла на себе от русских к австрийцам опавшие листья, мирную переписку, намекавшую убивающим друг друга людям, что хотя жизнь и скоротечна, но лучше дождаться осени жизни и умереть спокойно, торжественно, под Христову молитву, а не в суете атаки или отступления, катаясь от боли под колесами и копытами, с проклятиями на губах.

Этот день на Юго-Западном фронте был обычным, из скучной череды пасмурных октябрьских. Такой же серый, как австрийская форма, с редкими солнечными проблесками на рассвете, будто это мелькали на фланге красные фески их союзников — боснийцев. Все обещало очередной окопный день, возможно, с мелким, моросящим дождиком, с шальными пулями, пристрелочными одиночными выстрелами артиллерии. Но, как часто бывает на войне, обещаниям верить было нельзя.

Действительно, закапал мелкий дождик, но тут же на аллее появился красавец-всадник на высоком белом коне. Одет он был на горский манер, но по-европейски богато. Регалии его прикрывала изысканная белая бурка. Он поехал вдоль аллеи, перед русскими окопами, как перед строем на смотре или параде. За ним выехали на дорогу еще три всадника и поехали в отдалении, с опаской поглядывая на белого всадника и австрийские позиции. А те уже палили, как никогда оживленно, по такой богатой мишени.

Один из следовавших позади адъютантов хотел было заехать сбоку, чтобы прикрыть белого всадника от австрийских пуль, но тот остановил его жестом.

— Ваше высочество, позвольте мне рядом поехать, — почти заканючил адъютант. — Мне Яков Давыдович голову намылит за вас...

Но белый всадник продолжил жест рукой, то есть поднял ее над головой и махнул туда, за поворот аллеи, где оголенная по-осеннему роща темнела людьми и лошадьми. В ответ на движение его руки роща зашевелилась и пошла на рысях в поле множеством тонких лошадиных ног. Над ухоженным, постриженным под ниточку европейским ландшафтом пронесся забубенный, залихватский посвист. Молчаливая масса всадников подалась вперед, перекатилась через аллею и быстро развернулась полудугой, как будто огромная хищная птица расправила крылья. Птица закричала, заклекотала и полетела, едва касаясь земли, на позиции австрийцев.

Австрийцы словно не верили, что конница русских осмелится атаковать без артподготовки, прямо во фронт неприступных позиций, через проволочные заграждения, поддерживаемая только диким воем и топотом копыт. Пулеметы ударили с опозданием, картечь разорвалась там, где конная масса промчалась уже минуту назад. Но скорректированная смерть уже неслась навстречу дерзкой атаке. Вот уже споткнулись о невидимую преграду несколько лошадей и грянулись оземь, ломая изящные, так высоко ценимые знатоками, тонкие ноги. Сбитый пулеметной очередью гнедой хрипел, лежа на боку, таращился кровавым глазом на мелькающие перед ним копыта братьев и скакал, все еще скакал куда-то, перебирая ногами в воздухе.

Расстояние сократилось, теперь единая орущая лава распалась в глазах изумленных австрийцев на отдельных всадников. Но это оказалось еще страшнее безликой темной массы. Мохнатые шапки, черные бурки, перекошенные злобой жуткие лица дикарей, леденящий душу вой и пляшущая в их руках холодным, белым пламенем сталь. Перед ними была та самая азиатская конница, про которую рассказывали ужасающие вещи. Будто бы они перерубают человека пополам одним ударом шашки, что они не берут пленных, а вырезают до последнего человека даже мирных жителей. Еще ходили слухи, что они питаются человеческим мясом, а за особое лакомство почитают сердца, которые вырезают специальными кинжалами.

Эти нелепые, фантастические слухи упорно поддерживались как русским, так и австрийским командованием. Одними для того, чтобы запугать врага, другими, чтобы повысить волю к сопротивлению, заставить сражаться до последнего, не сдаваясь толпами в плен. Теперь вот австрийские офицеры кричали солдатам, что их позиции неприступны для конницы, что настало время сделать подарок императору Францу-Иосифу и положить на этом поле знаменитую дикую конницу русских. Ведь она уже замешкалась, сгрудилась перед заграждениями из колючей проволоки. Стреляй, как на стрельбище!

На самом деле перед австрийскими позициями осталась только часть азиатской конницы. Большая ее половина вслед за белым всадником понеслась вдоль линии фронта, въехала на всем скаку в реку и, взбивая копытами темную жижу, помчалась по обмелевшему осенью руслу. Они оказались в мертвой зоне для австрийских пулеметов, но дальнейшие их намерения были непонятны. Берег реки, на котором располагались позиции австрийцев, хотя и не защищался колючей проволокой, но был слишком крут даже для пехоты. Но как раз сюда вел своих азиатов белый всадник, хотя его уже обогнали несколько проворных абреков.

Первым помчался вверх по склону джигит небольшого роста, смотревшийся почти ребенком на спине разгоряченного, огромного коня. Припав к шее коня, он, казалось, предоставил свою судьбу умному животному. Конь несколькими судорожными прыжками достиг гребня и встал на него передними копытами, завис на мгновение над обрывом и вдруг последним отчаянным прыжком выскочил на берег. Маленький всадник скользнул набок, словно сбитый пулей, но тут же выправился, завизжал высоким голосом, крикнул кому-то, следовавшему за ним:

— Айда, Аслан! Айда!

За ним уже взбирались следующие. На краю обрыва серый в яблоках конь с отчаянно вопящим всадником на спине съехал вниз, по дороге он сбил еще одного. Скатываясь, кони грызлись между собой. Казалось, в реке творилась полная неразбериха, крутились, орали, палили в воздух. Но самое странное, что эта хаотично снующая масса всадников, похожая на комариный рой, словно относимая ветром, двигалась в нужном направлении. На склоне берега уже отчаянно рубились первые храбрецы. Их было слишком мало и им приходилось вращаться волчком в окружении серых австрийских мундиров.

Среди беспорядочных криков в реке послышалось с разных сторон «Наш Михаиле! Наш Михаиле!..» Белый всадник взбирался по круче. Он выбрал не самое лучшее место, не то, уже проверенное первыми джигитами, а вверх по течению реки. За ним следовали несколько человек. Конь и всадник были великолепны, но тяжеловаты. Зацепившись передними ногами за гребень, конь повис в рискованном положении. Всадник резким движением сбросил бурку, и конь почти выбрался наверх. Но к нему уже скакали несколько австрийских уланов, целясь пиками в широкую грудь с золотыми газырями.

Адъютанты отстали, они слишком спешили за командиром, торопили коней, и те оступались, проваливались.

— Наш Михаиле! — выдохнула конная толпа единой глоткой.

Несколько джигитов, мешая друг другу, бросились на помощь, но раньше всех, послав коня по склону наискось, карабкался всадник на вороном, словно просмоленном коне. Как на крыльях он вылетел наверх, оказавшись перед уланами раньше командира. Первую пику он перерубил, вторая запуталась в его бурке, но он уже не обращал внимания на этих противников. Загораживая командира, джигит съехался с еще одним австрийцем, зашедшим сбоку, и невидимым глазу ударом шашки сшиб его на землю.

— Золото-джигит! Благодарю! — крикнул ему белый всадник, рассекая шлем австрийского улана.

Рядом уже вертелся на коне тот самый маленький джигит, прикрывая их обоих, посылая одну за другой меткие пули из кавалерийского карабина в контратакующих австрийцев. Но азиатская конница уже краешком лавы зацепилась за бережок. Первая сотня уже визжала и неслась по австрийским позициям, к удивлению австрийских солдат не трогая поднявших руки и бросивших оружие.

А передняя траншея уже была в руках русских. Это атаковавшие во фронт джигиты спешились, по буркам перебежали через проволочные заграждения, а после без единого выстрела, на одних кинжалах, взяли первую укрепленную линию врага.

2003 год. Москва

— Люда, у вас болезнь какая-то заразная! Мне ваши демоны теперь по ночам снятся. — Левшинов сокрушенно покачал головой. — Настя, вам еще не снились, нет? Ничего. Все впереди...

Пока что его впечатляло только количество Милиных эскизов. А она мечтала о том, чтобы он оценил качество.

— Столько этюдов, Люда, я вам точно говорю — либо болезнь, либо заявка на большое полотно. Вам уже картину два на два давно писать пора. Что ж, все коту под хвост?

— Что это за картина такая «Два на два»? — спросила с невинным видом Настя.

Он цыкнул на нее:

— Рисуй давай!

— Может, и начну, Сергей Иванович. Сил бы только хватило.

— Да что там сил, Людочка... Краски бы хватило! — и хищно улыбнулся по своему обыкновению.

— Я тут знаете, Сергей Иванович, все думаю, пока рисую. Почему-то династия Романовых началась с Михаила и закончилась Михаилом. И всех, кто нечистой силой вдохновлялся, тоже Михаилами звали. Михаил Лермонтов, Михаил Врубель, Михаил Булгаков. Странно, да?

— Гениальная теория! — похвалил Левшинов. — Особенно если учесть, как здорово в нее вписываются Михаил Гете и Михаил Гоголь.

— Ломоносова забыли. Он философский камень искал, — не отрываясь от рисунка, пробормотала Настя.

— А вы бы все-таки поменьше думали, когда рисуете, Люда. Заносит вас капитально...Что я папе вашему потом скажу?..

После урока Сергей Иванович Милу огорчил. И радость от творческого полета снизилась на опасную высоту. А все потому, что он подошел к Насте и сказал:

— Настасья, посидите у второкурсников натурщицей? Много денег не обещаю, но лояльность при вступительных экзаменах — сколько угодно. Устраивает?

— А долго сидеть-то надо, не замерзну? — Настю интересовали технические детали. А значит, с основной частью предложения она была согласна.

— Так мы вам обогреватель поставим. И термос принесем. У нас натурщица в декрет ушла. — Он развел руками. И отвечая на Настин удивленный взгляд, сказал: — Все натурщицы, Настя, туда уходят. Как джентльмен, должен вас предупредить. Ну, а студенту без обнаженного женского тела — никак. Да и потом, сами посудите, где ж они его еще, бедные, увидят!

И Настя согласилась. А когда они выходили, Мила задержалась.

— Сергей Иванович, а мне вы этого не предлагаете по какой причине? Мне лояльность при вступительных тоже не помешает.

— Уж чего-чего, а лояльности этой вам за глаза и за уши хватит, — проворчал Левшинов, тряпкой вытирая руки от краски. А потом добавил как-то сдержано: — А сидеть в чем мама родила не предлагаю, потому что вам это не к лицу.

Ей сделалось ужасно стыдно. И опять непонятно. Почему ей нельзя? Почему ей ничего нельзя? Она присела на край стола, опустила голову и отвернулась от него.

— Да не переживайте вы так! Ну! Плакать только не вздумайте! — он глубоко вздохнул, как перед тяжелой работой, которую все равно придется делать. — Люда! Вы не там ищете... Не там ищете решения ваших проблем. Вы поймите, я не предлагаю вам в натурщицы не потому, что вы для этого недостаточно хороши. Вы слишком хороши. А там нужен нейтральный материал. Иначе они же рисовать не будут. У них головы свихнутся.

— Почему же Насте можно...Что она, не хороша, что ли? — Мила капризно шмыгнула носом.

— Настя — чудесная девушка. Но она типичная. А типичная красота, извините, не возбуждает. Она в каждом журнале. На каждом календаре. Ими сейчас все киоски обложены. Тиражированный образ не воспринимается обнаженным. Понимаете? Для работы самое то. А вас сажать — ножом по нервам.

— Вы извините, Сергей Иванович, что я на вас все это выливаю. — Она покачала головой и горестно вздохнула. — Просто в последнее время все что-то не так. Я ужасно от этого устала. Мне, знаете, так надоело это слышать... Ужасно. Ты слишком хороша для этого... для этого... я тебя не достоин... Может, мне похуже стать? Устроить распродажу со скидкой?

— Не продешевите, Люда. — Он серьезно на нее посмотрел. — Ступайте. Вас Настя, наверное, ждет.

Ей тяжело давалось это решение. Но как она ни старалась, а другого ей в голову не приходило. Это было так очевидно, как дважды два. Будь проще, и народ к тебе потянется. А сейчас она слишком сложна со всеми своими неоспоримыми достоинствами. Сложна и хлопотна.

Родители уехали в командировку на целую неделю. У них были съемки в Прибалтике. А значит, дело надо было провернуть именно сейчас. И было в этом деле два пункта, исполнение каждого из которых требовало денег.

Нельзя сказать, что Мила нуждалась в деньгах. Никаких материальных мечтаний у нее давно уже не было. Одежду мама покупала ей за границей, куда они с отцом часто уезжали. А игрушки, вроде нового мобильного, си-ди-плейера или голографического блеска для губ, ей дарили по первому намеку любимые родственники. Из материальных ценностей, которые были ей недоступны, оставались такие мелочи, как открытая красная машина, «Харлей-Дэвидсон» вместе с серебряным шлемом и собственная художественная мастерская где-нибудь в мансарде, подальше от родителей. А банального норкового манто ей вовсе не хотелось. К счастью, никто покупать его ей не собирался. Список ненужных вещей мог бы занять слишком много места. Она была убеждена, что способна довольствоваться малым. И гордилась этим. Однако личных сбережений у нее не было и быть не могло.

Воровать ей не приходилось никогда. Потому что, если уж и случалось что-то такое, то внутренний арбитр называл это — брать без спросу. Такое случалось, когда она еще только вылупливалась из подростковой скорлупы. Ей запомнилось электрическое напряжение, когда тапочки крепко схвачены одной рукой, индейская нога тихо ступает в родительскую спальню, а верная рука нашаривает вожделенную мамину косметичку. Без спросу брала. Но возвращала на прежнее место практически с тем же удельным весом. И совесть была отягчена грешком ровно на полмиллиграмма украденной туши для ресниц. Был этот грех почти виртуальным.

С деньгами так не поступишь. Кусочек не оторвешь. Брать придется целиком. А потом отдавать. Иначе она себе этот трюк не представляла.

Где брать — вопроса не возникало. Естественно, в «тумбочке». Мама никогда не прикрывала своим телом место, где уютно располагался конвертик с надписью «Шуба». Шуба как таковая была уже давно мамой куплена, а все мечты, на которые в этот конверт откладывались деньги, так по традиции и носили кодовое название «шуба».

Оставалось только взять. А вот как эту «шубу» отдавать, Мила представляла себе смутно. Вероятно, предстояло тихонько продать с Настиной помощью кое-что из вещей, пропажу которых родители вряд ли заметят.

Она лежала на диване и не могла не плакать. И плакала она от обиды. Ведь ей никто, кроме него, не нужен. И думать нечего. Все ясно. А он...

Представлять же себе, как было б здорово, когда бы все случилось так, как ей хотелось, было пустой тратой времени. Она уже выросла. И теперь решает проблемы по-взрослому. Как хирург. Болит? Это место удалить!

Она решительно села. Достала из ящика стола запрятанную туда газетку. Разгладила. И стала выбирать. А выбирать было из чего. Мальчиков по вызову расплодилось море. И все они в двух словах обещали небо в алмазах и исполнение любого желания. Вот только озадачивали цифры, которые плотной стеной стояли после имен мальчиков. Если у девочек они ограничивались тремя знакомыми, как собственный телефон окружностями девяносто-шестьдесят-девяносто, у мальчиков были замысловатыми. 182\78\18\5\23. На какие-то ориентиры в этом списке, безусловно, опереться можно было. Но далеко не на все.

Она набрала один из номеров. И замерла, боясь сказать хоть слово. Ответил мужской голос. Мила бросила трубку и уронила голову на руки. Не так-то это было просто.

«Я покупаю себе мужчину. И мне не надо ни о чем переживать. Я плачу деньги. А значит, я права».

Вопроса: «Зачем покупать то, что можно получить бесплатно?» перед ней уже не стояло. Значит, нельзя получить бесплатно, раз она так до сих пор и не получила. И потом, где-то в ее подсознании закрепился стереотип, что платная услуга качественнее. К стоматологу-то не пойдешь в районную поликлинику. Лучше заплатить. Так надежнее. Существовал, правда, еще один общепринятый вариант повышения качества услуги — «по знакомству». Но «по знакомству» у нее не выходило фатально. Сегодня она была в этом уверена окончательно и бесповоротно.

...В дверь позвонили. Она вскочила. И побежала открывать. В глазок решила не смотреть. Обратной дороги нет.

В дверях стоял обычный парень. Высокий и световолосый. А главное — приветливо улыбающийся.

«Продажная улыбка», — это было первое, что подумала Мила.

— Привет! А я к тебе! Какая хорошенькая... Нет, черт возьми, есть все-таки плюсы в моей профессии! — начал он очень непрофессионально.

— Привет! Как тебя... Костик, — она рассматривала его придирчиво, все-таки купленная вещь. Она совсем его не боялась. Тот факт, что она его купила, делал его безобидным, как зайчика. И ей это понравилось. В конце концов, слово заказчика для него закон. Сидеть. Стоять. Лежать. Голос.

Он снял куртку, ботинки и вопросительно на нее посмотрел.

— Остальное пока не снимай, — сказала она тоном рабовладелицы и сама удивилась, как легко это у нее получилось.

Он был молодым и голубоглазым. И губы у него были продажными. Яркими и большими. Падшим он был ангелом, падшим.

— Ну, что стоишь? Пойдем!

— Деньги, пожалуйста, вперед. — Он кашлянул и кротко на нее посмотрел.

— Так сколько же ты стоишь? — спросила она, хотя прекрасно знала. Побеспокоилась об этом заранее. Хватит ли на такое удовольствие...

— Сто долларов в час, — сказал он быстро.

— А что, время уже пошло? Или будем стрелять из стартового пистолета? — Она скрестила руки на груди и чувствовала себя полноценной женщиной-вамп.

— А у тебя есть стартовый? — с неожиданным интересом спросил он.

— Нет, — стервозно ответила она. — У меня настоящий.

— Аа-а, — улыбнулся он. — Так и у меня тоже. Только ты, кажется, не дуэль заказывала...

Ладно. Она дала ему деньги, которые уже были приготовлены у зеркала.

— Здесь сто. Надеюсь, больше не понадобится, — сказала Мила и поняла, что дальше своего стервозного тона к делу продвинуться не может. Надо было бы плавно перейти в комнату, где она разложила диван. Но тотальный контроль над ситуацией при этом как-то подозрительно таял. Все-таки, подумала она, мужчинам легче покупать женщин. Они остаются хозяевами положения.

— А ты чего так нервничаешь? — участливо спросил он и положил ей руки на плечи. — Ничего ж такого. Сплошной восторг!

И он обнял ее за талию. Начал целовать в шею, как школьник на дискотеке. Она попыталась отстраниться, но он присосался намертво. Она сморщилась и вырвалась. Это явно можно было получить бесплатно в другом месте.

Он вопросительно поднял брови.

— В душ сходить не хочешь? Профессионал...

— А я чистый, — парировал он с вызовом. — Тебе вообще повезло.

Потом он слегка стушевался:

— Понимаешь. Я в первый раз. — И посмотрел на нее затравленным взглядом. Думая, что по его глазам она скорее поймет, что именно он ей сообщает.

Она чуть не сказала ему «Я тоже». Но вовремя прикусила язык. С некоторым недоумением посмотрела на вполне востребованного, сильного парня с такой, гм, продажной рожей. И спросила:

— Так, что значит — в первый?

— Да вот, друг халтурку на выходные оставил... А я что? Как говорится, яйца встряхнул — и на работу!

— Боже... — простонала она. — Давай-ка разойдемся полюбовно. Мне твоего дебюта не надо.

— Что, прелюдия закончилась — люди могут уходить? — Он не очень-то расстраивался. — Может, чаю хотя бы дашь...

Они сидели на кухне. Пили чай. Костик, не заморачиваясь стеснением, намазывал себе бутерброды с сыром. Сыр фатально уходил на Костика. Но это ничего...

Он с легкостью рассказывал ей о себе. Он был женат. Он был стеснен в средствах... И он был полон амбиций и потенций.

Но самое приятное в их беседе заключалось в том, что больше она его никогда не встретит. А потому он стал первым человеком, которому она рассказала все. Не особо трепетно. Не отдаваясь драме целиком, скорее отстраненно. Как будто бы говорила о какой-то своей одуревшей подруге.

Он ел, как будто его не кормили пять дней. Но суть ее печалей схватил на лету. И увлеченно начал втолковывать ей собственный взгляд на вещи.

— Любовь — не спирт. Она, как человек. Дурнеет, полнеет и делает, в конце концов, подтяжку. Или загибается совсем. А все кричат — куда ушла любовь? Она подохла! На коврике в прихожей.

Мила подпирала голову ладонью и слушала. А Костик сокрушался и не на шутку страдал, как Моцарт, сочиняющий симфонию.

— Любовь — байда. Слабые только любят. Обязательно надо за кого-нибудь зацепиться. И чтобы на всю жизнь и с гарантиями. Просто боятся умереть одни. А умирать-то все равно в одиночку. Так вот скажи мне, — при чем же здесь любовь?

А потом у него был тайм-аут. Он ел. И вновь кидался в бой. Теории рождались прямо у Милы на глазах. Она даже не замечала, что все они друг другу противоречат.

— Я знаю, в чем твоя беда. Когда любовь смешивают с чем не надо — получается извращение. Фетишизм! Ну, там, чужой носок нюхать и любить одновременно. Или, знаешь, боль терпеть и любить. Или мучить и любить. Точно так же, щи варить и любить — извращение. Все кругом извращенцы! Собирались бы лучше семейными артелями. Дежурная бы раз в неделю варила на всю компанию. График там. Общие деньги на питание. А мужчины, — он помахал рукой, — где-то там. В номерах. Зачем все в дом тащить?..

— А у тебя и вовсе случай смертельный! — утешил он ее. — Будешь всю жизнь сидеть привязанная к батарее с небритыми ногами... С кавказцем-то. Порода у них такая... Вот у моих соседей есть — так без намордника и не выходят. Любовь нелепа! Как желание чтобы тебе делала уколы одна и та же медсестра. Ну, не будешь же уходить из кабинета, если сегодня Оля, а не Аня. Уколы одинаковые. Шприцы, может, разного калибра. Но пусть укол делает кто угодно, лишь бы сделал стерильно и заразу не занес. А с медсестрой потом до смерти жить в этой ситуации — это как бы лишнее. Сечешь?

— Жизнь — это не стоп кадр. Ты мечтаешь о счастье? А как ты его представляешь? Ты видишь, вот вы, счастливые, смотрите, как двое детей едят йогурт и улыбаются. А загляни-ка до этого кадра, когда ты перла сумки на девятый этаж, а муж смотрел телевизор, закинув носки на люстру. И после йогурта — грязная посуда, подравшиеся дети и выпивший лишнего и не заработавший нужного муж. Ну, зачем, зачем тебе этот йогурт?!

— Мне не йогурт нужен. Мне он нужен. Он меня спас.

— Ну и? Спасибо сказала? Подарила коробку конфет и успокоилась. Он что, тебя шантажирует тем, что спас?

— Я ему вообще не нужна. Он говорит, что просто так спас, а не для себя. Чтоб жила.

— Вот и живи. И желательно регулярно.

Потом он явно наелся. Потянулся и зевнул.

— Вот такие дела, подруга. Я бы рад помочь — да грех на душу брать не хочется. — И он доверительно добавил, прикрыв рот ладонью, как будто их кто-то мог слышать: — Я тут анекдот один слышал. По твоей теме. У чеченца в брачную ночь с женой что-то не получилось. Ну, попереживали. И все вроде у них наладилось. А потом видит жена: все в туалете описано. Она его и спрашивает: что, мол, с тобой? А он говорит: кто меня раз подвел, тому руки не подам. Гы-гы-гы. Класс! Правда?

— Ну, это неправильный чеченец был. Правильный бы отрезал, — сказала она со знанием дела.

Он чуть не подавился.

— А ты ничего... И куда мужики смотрят. Такой бабец. Но ты не переживай, скоро твой Букет Левкоев прочухает, что к чему.

— Кто-кто?

— Ну, я ж не знаю, как его у тебя зовут. Может — Обвал Забоев или Улов Налимов? Рулон Обоев, Погром Евреев, а может быть, Угон Харлеев...

Через час ей казалось, что она знает Костика всю жизнь. У нее сводило живот от постоянных приступов смеха. Она уже три раза облилась чаем и два раза почти что падала под стол.

— Послушай, а у тебя есть комп? — Она кивнула. Он поднял палец. — Любую проблему в современном мире можно решить через Интернет.

И через две минуты, азартно стуча по клавишам, он говорил:

— Вот смотри, набираешь — дефлоратор. Ждем. Медленно как грузится... Во — целый сайт. Лишаем девственности — без страха, без боли. Ну, этот слоган он у зубного спер. Мастер международного класса. Написал бы еще: лечим трусливых пациентов. Расценки — девушки от тридцати до сорока — восемьсот рублей. В нетрезвом состоянии — сто рублей. Во... мастер! А в трезвом он им на семьсот наливает, что ли, прежде чем мастерить?

Милка стояла рядом и удивлялась, как много нового ей удалось узнать за этот незаметно пробежавший час. И хоть узнала она совсем не то, что собиралась, ей было весело. И на душе легко. После всего, что было сказано, она принимала его совсем за своего и поэтому вдруг призналась:

— Знаешь, а я ведь эти деньги у родителей взяла. Украла. И как отдавать теперь, не знаю. — Он заерзал на стуле, все еще глядя в монитор. — А мне ведь еще на парикмахерскую надо. Они мне на это точно не дадут. Они меня этой косой уже задушили.

— Что, стричь, что ли будешь? — Костик с ужасом на нее посмотрел. А потом неожиданно добавил: — Это ты молодец! Терпеть не могу длинные волосы.

— Почему терпеть не можешь? — Ей даже стало обидно. — Разве не красиво?

— Красиво. Но только в «Плейбое», — не смутился он. — Ни один мужик не знает, что с этими волосами в постели делать. На кулак, что ли, наматывать?.. Вот ты, например, любишь мороженое с волосами?.. Как-то не в тему, да? Сексом вообще надо заниматься в резиновой шапочке для бассейна. Секс должен быть безопасным! — отчеканил он. — Ну, не смотри на меня такими невинными глазами. — Он поднял обе руки, как пленный немец. — Все! Ничего больше не скажу!

А потом хлопнул себя ладонью по лбу.

— Ну, мы с тобой идиоты! То есть, я, конечно... Понимаешь, денег я с тебя не брать не могу. Все-таки, рабочее время потрачено. И потом — вызов принят, процент отдавать придется. Но волосы-то твои можно продать! У тебя ж на парадной объява висит! Сама посуди, зачем тебе идти в парикмахерскую и там еще платить. Давай, я тебе помогу. Ты родительскую сотню оставляешь себе, а косу я тебе обрежу. И ты отдашь ее мне. Идет?

— Гениально! — искренне поразилась такому простому выходу из щекотливого положения Мила. О последствиях она не задумывалась. Слишком привлекательным было быстрое решение сразу двух проблем. — Давай! Сейчас только ножницы принесу.

— Да ты что, ножницами! Это ж не картон. Я еще в детстве от ножниц устал. У меня даже мозоли были. Самолетики стругал. — И он вынул из заднего кармана джинсов складной нож с крестиком на красном фоне. «Скорая помощь в негативе», — пронеслось в голове у Милы. — Тут уместнее был бы меч самурая. Но я так, по-швейцарски. Клади ее на стол.

Она встала на колени спиной к столу, выложив на него толстую свою медовую косу. Край стола уперся ей в шею. Костик натянул ее косу и резкими и точными движениями стал отсекать волосы острым лезвием швейцарского ножа.

— Как королева на эшафоте! — прошептал он с восхищением.

Но она не чувствовала себя королевой. Она чувствовала себя собакой. Собакой, перегрызшей, наконец, веревку, на которую ее привязали. Сопротивление волос ослабло. На плечах у нее осталась легкая, как воздушный шарик, голова.

— Ну что? Жить стало легче? — спросил он как Данила-мастер, гордясь своей чистой работой.

— Вроде бы да, — ответила она, прислушиваясь к новым ощущениям и с каким-то неприятным чувством, глядя на лежащую на столе часть своего тела. — Ну, грамм на пятьсот точно! Ну, Костик, ты даешь! Тебе надо в службу спасения идти работать.

— Меня вообще-то зовут Саша. Это дружбана моего Костиком звать. Так мы решили клиентуру не запутывать. Номер такой-то — Костик. Ну, а раз уж мы с тобой подружились, то по секрету скажу: я — Саша. Но, в общем, рояли не играет.

— Ты подожди. Я сейчас, — сказала она и с лихорадочно горящими щеками бросилась в ванную посмотреть в зеркало.

Все-таки в жизни ее произошло неслыханное событие. Медовая ее коса, как пуповина, связывала с детством. На самом ее завивающемся кончике были еще Люськины младенческие локоны. Потому что не стригли ее в жизни никогда. Косою ниже попы гордились мама с папой. Мила же считала, что носить на голове такую тяжесть нельзя просто из страха перед юношеским остеохандрозом. Да и шея у нее была литая, как у древнегреческой Артемиды. Попробуй такой тренажер на голове поноси. Это вроде и неплохо. Да вот купаться именно из-за косы своей она и не любила. И плавать в свое время не научилась. Намочишь волосы, потом весь день носишь на спине сырое бревно. Но что теперь об этом...

Все, что ты могла, коса моя, ты уже сделала. Теперь все будет иначе. Все.

То, что получилось, показалось ей недостаточно радикальным. Она взяла ножницы и стала срезать пряди почти у самых корней. Волосы красивые — и в стрижке будут ничего. Мила не знала, что волосы ее умеют на голове только стоять. Лечь им было решительно некуда, как невозможно человеку прилечь в толпе. Слишком много их у нее было. И теперь они торчали во все стороны не особо аккуратным цветочно-животным шаром. Тут же всплыл в голове зачитанный до дыр «Демон»:

И кольца русые кудрей
Сбегали, будто покрывало,
На веки нежные очей.

Результат был неожиданным. Но со своей долей очарования и эпатажа. А это, в конечном итоге, было именно то, к чему ее художественное чутье стремилось. Облегченная голова болталась на шейке по-новому легко, как будто ее смазали машинным маслом.

— Ну вот. Смотри! — Она вышла из ванной и повертела перед Костиком-Сашей своим шаром.

— Класс! — сказал он с одобрением. И встал. — Ну, мне пора.

И уже в дверях, прощаясь, он отдал ей в руки стодолларовую купюру, взял пакет с ее косой и сказал:

— Скальп я забираю. А вообще — мальчики по вызову круглосуточно и бесплатно. 01 и 02. Запиши. Целую!

Она закрыла за ним дверь и прислонилась к ней спиной. Первый пункт программы с треском провалился. Зато второй был осуществлен. И тут вдруг до нее дошло. Глядя на деньги зажатые в кулаке, она подумала: «Я продаю себя за деньги? Я продажная женщина? Так кто же здесь кого купил?»

Как всегда не вовремя позвонил Юра Шамис...

Глава 13

1914 год. Галиция.

На обеде у великого князя Михаила Александровича, командира Туземной кавказской конной дивизии или, как ее коротко называли, Дикой дивизии обычно присутствовали начальник штаба Юзефович Яков Давидович, в обязательном порядке, адъютанты, командиры бригад и полков, а также служившие здесь высокородные особы: французский и персидский принцы, польский князь, итальянские маркизы. Редко гостями были офицеры помладше. Но сегодня впервые великий князь пригласил в гости рядового.

Горец лет двадцати шести — двадцати восьми, сидя среди командного состава дивизии, заметно смущался. Когда же к нему подошел старый лакей великого князя, едва не перевернул ему поднос от растерянности. Великому князю это очень понравилось. Сам он был на редкость застенчивым человеком, несмотря на происхождение и титул, краснел при разговоре, терялся в обществе. Другое дело на коне, на поле брани. В бою, мчась на белом скакуне впереди всей своей конной орды, он чувствовал себя совершенно на месте. Так проявлялась под пулями житейская слабость его характера, оборачивалась совершенно противоположной стороной.

Джигиты Дикой дивизии обожали своего командира за кавказское простодушие и удаль абрека. Разумеется, им льстило, что «их Михаиле» — брат самого государя, хотя и полуопальный. Кавказский характер вообще склонен к чинопочитанию.

Великий князь в походе останавливался обычно в небольших, но чистых домиках. Занимал две комнаты: одну использовал под спальню и кабинет, другую — под столовую. В этой последней за длинным столом, покрытой белоснежной скатертью, предметом особенной гордости старого лакея, Михаил Александрович и давал сегодня обед, если можно так выразиться про простую походную трапезу.

— Вот, господа, — сказал Михаил Александрович, краснея от внутреннего усилия произносить первую фразу, — пригласил сегодня за наш стол моего спасителя — рядового Чеченского полка Аслана...

— Аслан Мидоев, Ваше Императорское Высочество, — вскочил на ноги чеченец.

— Садись, Аслан Мидоев. Ты, конечно, получишь крест от Государя за спасение командира. Но я хотел бы отблагодарить лично от себя. Любезный, не сочти за труд...

Великий князь кивнул адъютанту. Тот вышел в соседнее помещение и вернулся, неся в руках белую бурку и шашку, богато украшенную серебром. Михаил Александрович вышел из-за стола взял подарки и подошел к Аслану, тот вскочил на ноги, испытывая первый раз в жизни такое волнение.

— Это та самая бурка, которую я вчера сбросил у реки. Думал коню помочь. Носи вот, джигит. Шашка еще отменная. Не Гурда, конечно, но хорошего, знающего мастера. Помни, Аслан, меня и вчерашний бой. Ведь сшибли бы меня австрияки, если бы не ты...

— Сколько просил, умолял Ваше Императорское Высочество не выскакивать вперед, — заговорил укоризненно начальник штаба Юзефович. — Матушке царице же в Киеве клятву давал, что не отпущу вас от себя ни на шаг. А вы опять за свое! Под пулеметы — впереди всех, на обрыв взбираться — опять же первым. Вы мне покажите еще такого командира дивизии, чтобы так не берегся! Куда только смотрел ротмистр Бичерахов? Вот уж всыплю я ему по первое число за вчерашний конвой. Ваше Императорское Высочество, как хотите, а в следующий бой я к вам еще пятерых приставлю, а будете упорствовать — и десятерых...

Михаил Александрович в этот момент обратил внимание, что его спаситель стоит растерянно с его дарами и не знает, что делать. Этикета он, конечно, не знает, устава никогда в глаза не видел. Зачем его джигитам устав? Но в этих, не видевших устава, глазах — слезы от избытка хороших чувств. Простой, чистосердечный народ! Готов за него жизнь положить! Великий князь обнял чеченца и поцеловал его троекратно по-русски.

— Что же ты, Аслан? Садись, тебе говорю, угощайся. Знаю, что шашкой ты действуешь лучше, чем ножом и вилкой, только все равно положи ее там. Еда у нас простая, солдатская. Но хорошо уже, что не консервы...

— Да уж! — подключился к разговору князь Чавчавадзе, командир Черкесского полка. — Те консервы в зимних Карпатах я надолго запомню.

— А я бы рад забыть, — грустно улыбнулся Великий князь, пригубив стакан с минеральной водой, —

да уже не получится. Не смотрите на меня, господа, пейте вино. Скажете, по крайней мере, каково оно в здешних местах?..

Аслан сидел за столом рядом с полковником Мерчуле, командиром ингушского полка. Тот ел молча, как и Аслан, когда же к нему обращались, отвечал односложно, хотя и с приятной улыбкой. В этом обществе, по всему чужих ему людей, Аслан сразу почувствовал в Мерчуле своего. А тут и сам полковник подмигнул чеченцу и сказал то ли в шутку, то ли всерьез:

— Слушай, джигит, переходи ко мне в ингушский полк. Пока у вас командира нового не назначили, я это быстренько устрою. Свои же братья-вайнахи! Вместе воевать будем. Пойдешь ко мне адъютантом?

— Не-е, — протянул Аслан, отчего-то печально. — Там у меня друзья. Давно вместе. Не могу обижать друзей.

— Ну, гляди, — сказал полковник и, хотя был абхазом, закончил разговор русской поговоркой. — Насильно мил не будешь.

В комнату вошел еще один адъютант Великого князя и что-то сказал ему вполголоса. Михаил Александрович сразу оживился.

— Вот и кстати! Пригласи-ка, голубчик, его сюда... Господа! Неделя уже миновала, как убили князя Радзивилла, командира чеченцев. Светлая ему память! Неделю полк был без командира. Причем все мы с вами знаем, что чеченцы давно просят себе командира из своего народа, из нохчей. Давно хотел того же, что и наши храбрые джигиты. Сейчас вам представлю их нового командира.

Великий князь вышел из-за стола навстречу новенькому. Аслан как единственный представитель чеченского полка за столом с особенным интересом посмотрел на вошедшего и чуть не вскрикнул от неожиданности. Рядом с Великим князем стоял улыбающийся Давлет-хан.

— Могу сказать про князя, — говорил между тем Михаил Александрович, — что тактик он замечательный, раз пожаловал аккурат к обеду.

За столом потеснились, усадили Давлет-хана в середине стола, наискосок от Аслана. Михаил Александрович стал представлять ему поочередно офицеров Дикой дивизии. Когда все присутствующие командиры отрекомендовались, Великий князь указал на Аслана.

— А это, князь, особый случай. Мидоев, рядовой твоего полка...

Аслан встал и, глядя мимо Давлет-хана, отрапортовал несколько развязно, в свободной манере, как это практиковалось у них в полку, и на что командиры смотрели сквозь пальцы. Но он почувствовал на себе пронзительный взгляд Давлет-хана.

— Это, так сказать, мой кровник... Нет! Что я говорю?! Мой, можно сказать, кровный брат, спаситель...

Михаил Александрович стал подробно рассказывать о дерзкой, лобовой атаке Дикой дивизии на позиции австрийцев. Теперь Аслан смотрел на Давлет-хана, а тот внимательно слушал высокого рассказчика и, казалось, забыл о существовании своего старого врага. Только когда Великий князь стал рассказывать о подвиге джигита, глаза их первый раз встретились. Аслан прочитал в них обещание себе нелегкой с этого дня жизни. Давлет-хан же в глазах молодого чеченца ничего не прочитал, кроме равнодушия.

После обеда у Великого князя рядовой чеченского полка сопровождал своего нового командира в расположение части, то есть, Аслан был вынужден ехать рядом с Давлет-ханом.

— Что, Аслан, разглядываешь моего коня? — спросил, усмехаясь, Давлет-хан. — Меченого вспоминаешь? Пристрелили твоего Меченого лет пять назад. Хороший был конь, но только дерзкий, непослуш-

ный. Ногу он сломал на скачках. Чего же было его
мучить? А это его сын. Тоже хороший конь, может,
не такой резвый, как его отец, но характером лучше. Слушается меня, мысли мои читает...

Ничего не сказал Аслан, только вороной, как будто просмоленный конь под ним занервничал, где надо
один шаг сделать — переступал, семенил.

— У тебя, я смотрю, тоже конь хороший, — продолжил Давлет-хан. — Краденый? Прошу прощения,
в бою добытый? Теперь на войне все так просто. Вчера
был абрек, бандит, конокрад, а сегодня — герой, спаситель брата Государя, а завтра... Завтра всякое может случиться. Война ведь. А от судьбы не уйдешь.
Слышишь меня, Аслан? Понимаешь меня, Аслан?

Мидоев опять ничего не ответил. Зачем говорить
пустые слова, когда Давлет-хан сам все скажет, а
если не скажет, от судьбы все равно не уйдешь. Вот
предложил ему полковник Мерчуле перейти в ингушский полк, так и надо было соглашаться. Судьба тут ему улыбалась, протягивала руку помощи.
Мол, хватайся, джигит, за руку, удержу. Но разве
знал он, что посыплются из-под ног его камни и
окажется он над пропастью. Впрочем, еще ничего
неизвестно. Не один он, как тогда в усадьбе Давлет-хана, не один.

— Я же искал тебя, Аслан. Долго искал. Хотелось мне с тебя должок получить. Я же никому дол-
гов не прощаю, таково мое правило. Один только
ты скакал где-то моим должником. Ты же знаешь —
Давлет-хан человек очень добрый. Первый раз тебя
пожалел, хотя мог собакам скормить. А ты второй
раз пришел, влез тогда в мою жизнь. С женой меня
на всю жизнь поссорил, деньги мои увез. Ведь жена
моя, Мадина, женщина, какой не только в Чечне,
но и на всем Кавказе нет...

Встрепенулся Аслан, когда речь зашла об этой
женщине, увидев которую один раз, вспоминал те-

перь чаще всех других встреченных им людей. Хотел даже в сердцах сказать Давлет-хану: что же ты от такой женщины лез к иноверке-гувернантке? Но опять промолчал Аслан.

— Пару раз мои нукеры выходили на твой след. Два года я им платил только за то, чтобы псы эти в затылок тебе дышали. А потом окончательно тебя потеряли. Но объявилась на Северном Кавказе банда Меченого. Лихой, говорят, абрек был. Ты не слышал про такого? Странно ведь, что зовут его, как коня. Я подумал даже, что это конь твой ожил и в человека превратился. Ждал я этого Меченого к себе в гости. Один год грабил он вокруг моей усадьбы, а ко мне так и не сунулся. Как думаешь, Аслан, боялся он меня? Или какая есть другая причина?.. Зря ты все молчишь. Надо бы тебе поговорить, выговориться надо тебе хорошенько. Ведь всякое может случиться. Война...

2003 год. Москва.

Приехали родители и чуть не упали. Волосы! Зачем!

Но она спокойно ответила:

— Я свое слово сдержала. А теперь у меня другая жизнь. И потом, разве вам не нравится?

Отец, ничего не сказав, ушел к себе.

Мама с некоторым сожалением на нее смотрела. Но потом потрепала по пушистой голове.

— А мне нравится. Теперь тебя по голове все время гладить хочется. А разве это плохо? — сказала и многозначительно Миле подмигнула.

Вечером она болтала по телефону с Уфимцевой. Спрашивала, кто как. И случайно узнала, что Юлька Шарова теперь работает секретаршей в органах. А вот этого шанса упускать было нельзя.

Юлька Шарова назначила ей встречу прямо в холле своего ведомства. Ничего проще, как сказала она, чем узнать, за что человек в розыске, и нету. Залезаешь в базу данных, распечатываешь — и все дела. Информация эта вполне доступная. Чем больше народа знает о том, кого ищут, тем лучше.

Через пять минут после назначенного времени Юлька позвонил ей на мобильный.

— Люська, подожди. Сейчас спущусь.

Мила ждала и одновременно хотела, чтобы та провалилась по дороге вместе со всем, что знает. Зачем это ей? Что за доморощенное следствие? Разве она питает какие-то иллюзии по поводу человека, который попал в ее поле зрения уже с пулевым ранением. И не первым. Или террорист, или бандит, или еще какой-нибудь кошмар.

— Торговля наркотиками. — Юля радостно улыбалась, протягивая ей распечатку с компьютера. — Тому, кто найдет — никаких материальных благ. Можно не париться.

Она взяла листок и заметила, что он сильно дрожит в ее руках. Сложила его пополам, положила в сумку.

— Спасибо, Юлечка, ты мне здорово помогла. Будем знать своих врагов в лицо...

Она улыбнулась ледяными губами и почувствовала, что, как ни готовилась, а все равно не готова. Хотелось поскорее от Юли избавиться, чтобы прочесть все, что там было написано. Но та все стояла, продолжала радоваться жизни, и тому, что могла на своем новом месте быть полезной Люсе Дробышевой, к которой в школе было не подступиться.

— Извини. Я спешу. Звони. Буду рада. — Мила прикоснулась к ее руке и быстро выбежала через турникет.

Она пробежала еще метров сто, завернула за угол. Остановилась и вынула из сумки бумагу. Прислонилась спиной к дому. И почувствовала, что просто не может себя заставить перешагнуть эту черту и прочесть все своими глазами. Худшие ее опасения подтверждались. Но что уж тут сделаешь. Из песни слова не выкинешь.

Прочла.

И крепко подумала, как бы отомстить. За то, что вешал ей на уши лапшу.

Нохчалла. Вайнах. Древнейшее государство Урарту.

А она верила и восхищалась.

Выкинуть его из своей жизни в голову не пришло. Теперь ее собственная судьба казалась связанной с его судьбой еще крепче. Ненависть в самом деле держит сильнее, чем любовь.

Вася Финн, сын известных родителей, взял себе псевдоним собственного сочинения. Тех, кто в его фамилии усматривал лишь национальную принадлежность, Вася мелко видел. Он-то намекал на Александра Сергеевича и добрую волшебную силу. И считал свой псевдоним очень актуальным ответом западному фэнтези.

Вася заканчивал Щукинское. И был насквозь актером. Что называется — Актер Актерыч. Был худ и бледен. И активно некрасив. Но такого моря живости и манерного обаяния она не видела ни у кого. Имидж был улетный. Над круглыми очками Чехова и светлой бороденкой Вася носил красную бандану головореза.

Мила знала его с детства. Однажды от скуки, пока родители беседовали о прекрасном, они вместе плевали с балкона. Было здорово. Ну, а потом оплеванные ими прохожие потянулись один за другим с ними разбираться. Инцидент сблизил их на всю жизнь. Ругали их тогда на пару. А он, как джентльмен, взял все на себя и при этом трогательно держал ее за мизинец.

Диплома Вася еще не получил, но уже пару лет, как снимался в сериалах. Всегда играл трусов и подлецов, чем очень гордился. Отрицательное обаяние на профессиональном рынке ценилось дорого. Дороже, чем тупая правильность розового героя. Голубым героя уже давно не называли. В розовом же цвете положительный персонаж получался еще тупее.

Вася Финн был безумным тусовщиком. Считал, что так он ни за что не пропустит удачу, которая обязательно придет к нему в виде американского кастинг-директора и похлопает по плечу.

Он знал все про всех. С ним-то Мила и договорилась встретиться в клубе.

К делу перешла сразу. С Васей можно было не миндальничать. Села напротив него за столик, поманила пальцем и просто сказала.

— Васька, мне нужна кислота.

— Ты чего? — Он даже откинулся. Не ожидал.

— Вася... — и мягко сказала. — Ну ты же понял...

— Скажи зачем! — Он вошел в образ, сжал бледные губы и неадекватно начал сверлить ее чеховскими круглыми очками.

— Ну ты что, у всех, что ли, спрашиваешь зачем? Ясное дело, зачем.

— Своих всегда спрашиваю.

— Ну чего ты такой вредный? Мне только разок. И потом, не для себя стараюсь...

— А чего глаза такие хитрющие? Что ты мне тут впариваешь какую-то ботву?! Чего случилось-то? Ну...

— Надо показаться кое-кому, что называется, на пике прихода.

— О, интриги! Дело! — похвалил он. — Но, радость моя, поляну лучше стричь необдолбанным.

Поверь мне, ненаглядная! Кстати, эта стрижка тебе очень к лицу, пока оно не позеленело.

Она кивнула небрежно и благодарно. Музыка пошла громкая и, как всегда, очень тематическая. Мужской голос жизнерадостно пел в приятном для организма физиологичном ритме: «Я невозможно скучаю. Я очень болен. Я почти умираю». Она уже давно заметила, что как только до ее сознания доносится какая-нибудь фраза — происходит это всегда в тему. Только вот слова эти должна была петь женщина — очень больна и почти умирала в данную минуту как раз она.

— Если деньги некуда девать, так ты их лучше мне отдай... — Вася хорошо поставленным голосом легко перекрикивал музыку. — А я тебе в обмен — маленькую профессиональную тайну... Цитата из классиков — всего за двадцать баксов.

Он поднял указующий перст и, почему-то грассируя «р», артистично продекламировал:

> Покрова Майи потаенной
> Не приподнять моей руке,
> Но чуден мир, отображенный
> В твоем расширенном зрачке.

— Кислотный глаз, точно — сама красота! Молодец! Жму автору руку! — Сосед справа повернул могучий торс к субтильному Васе и протянул лапу.

— Чуть позже будет такая возможность. Владислав Фелицианович скончался в 1939 году, — скорбно ответил Финн.

Мила молча допивала через трубочку купленный Васей коктейль, подперев голову ладонью. А он вдруг нагнулся почти что к самому ее уху и сказал.

— У тебя вообще как со здоровьем? Головка не болит?

— У меня, Васька, все болит. Даже дышать тяжело.

— Хочешь повеселиться — на. — И дотронулся до нее под столом пальцами. Она встретила его руку и нащупала толстую круглую таблетку. — Можешь запить. Будет хорошо.

— Это оно самое? — спросила она одними губами, оживившись.

— Оно. Оно самое. Давай, пей. — Вася многозначительно кивнул, глядя, как она это делает. — Чистый аспирин Упса. Забирает на раз.

Она вышла из клуба. Ветер был осенний и пронзительный. Она застегнула молнию на плаще до самого подбородка. Достала из сумки перчатки. Опять впереди на сколько хватало глаз были только холода, холода, холода. И дорога против ветра.

Было одиннадцать. Время еще детское. Мама в таких случаях ее раньше часа не ждала. На противоположной стороне улицы маячил зеленый крест круглосуточной аптеки. Вот как удачно. Туда она и направилась.

А когда вышла, то позвонила Аслану на мобильный. Никто не отвечал. Как она это ненавидела. Выключал бы хоть телефон. Была бы какая-то надежда, что включит и ответит. А так — забыл он его, что ли, где-то? И что теперь? Но запал у нее сегодня был сильный. И она решила.

Поймала машину и поехала к нему. Райончик был еще тот. Окна в его квартире были темными. Она совсем обозлилась. Вошла в парадную. Добралась до его двери, раз десять позвонила, а потом даже треснула по ней кулаком. Оказалось, что это очень больно, когда делается от души. Пришлось на кулак дуть. А потом она села на лестнице, прислонила голову к разрисованной мелкими поганками стене и приготовилась ждать хоть до самого утра.

Глава 14

Я не знаю, ты жив или умер, —
На земле тебя можно искать
Или только в вечерней думе
По усопшем светло горевать...

Мне никто сокровенней не был,
Так меня никто не томил,
Даже тот, кто на муку предал,
Даже тот, кто ласкал и забыл.

Анна Ахматова

1914 год. Галиция.

Перед самой войной Людмила по совету Федора Ивановича Ушинского, семейного доктора Ратаевых, уехала на лечение в немецкий курорт Киссинген. Курс лечения водами уже подходил к концу, когда она стала свидетельницей необычного праздника, устроенного местными властями.

На центральной площади были возведены деревянные декорации, очень похоже изображавшие Кремль и собор Василия Блаженного. Откуда-то сверху из динамиков зазвучало «Боже, царя храни». Людмила в недоумении смотрела на фанерную Москву, не понимая, к чему это, зато толпа местных жителей, видимо, хорошо понимала происходящее. В этот момент с двух сторон посыпались снопы искр, затрещали петарды, огни полетели в московские святыни. Деревянный кремль загорелся, за ним — Василий. Сверху торжествующе грянул «Полет Валькирии» Рихарда Вагнера. Под аплодисменты и одобрительные крики толпы пылающий макет Москвы с грохотом рухнул на землю.

Людмиле Борской показалось, что она сходит с ума. В поисках какой-нибудь поддержки она оглянулась по сторонам. В двух шагах от нее стояла русская супружеская пара, с которыми она как-то познакомилась в парке — генерал Брусилов с женой.

— Что же это такое происходит?! — бросилась к ним Людмила.

— Разве вы не видите, милая моя Людмила Афанасьевна, — ответила ей генеральша. — Вот чего им так хочется! Они уже забыли, что русские казаки когда-то спасли их Берлин. Ведь так, Анатолий?

Генерал Брусилов смотрел туда, где догорали деревяшки и картон, уже мало напоминавший Москву.

— Еще не известно, чья возьмет, — сказал он еле слышно, но тут же спохватился: — Вот что, дорогие дамы. Дело близится к войне, это очевидно. Как старший по званию, я беру командование на себя и потому приказываю нашему прекрасному воинскому подразделению немедленно ехать в Россию. И это уже не шутки...

Так Людмила Борская была призвана на военную службу самим генералом Брусиловым, чья полководческая звезда взошла над полями сражений этой войны. Если же серьезно, то еще там, в Киссингене, в виду горящего Кремля и торжествующей толпы германцев, Людмилой овладело то чувство сопричастности к общей беде, общему делу, которое издавна заставляло русских дворянских женщин, неженок и белоручек, забыв про мамок-нянек, хлебать из общего горького ковша со всем русским народом.

В поезде она разузнала у генерала Брусилова, что единственная возможность женщине попасть на фронт — это стать сестрой милосердия. Добросовестно и аккуратно, как в гимназии, она отучилась на курсах, готовивших низший медицинский персонал.

Ученый мир оказался так тесен, и начальник офицерского госпиталя в Киеве оказался бывшим студентом ее отца, профессора Ратаева. Он готов был взять Людмилу Афанасьевну под свою опеку, но именно его она упросила перевести ее во фронтовой госпиталь.

— Людмила Афанасьевна, Людмила Афанасьевна, — качал он головой, прощаясь с ней. — Не надо бы вам туда ездить. Нет там никакой романтики, да и патриотизма там особого нет. Одна грязь и вонь. Вот вам, на всякий случай, письмо рекомендательное, что ли. Если почувствуете, что все — не можете больше, отдадите его вашему начальнику, он вас ко мне назад откомандирует. И не будет в этом ничего постыдного, если вы оттуда уедете. Запомните это. Ничего постыдного! Мужики бегут, здоровенные санитары не выдерживают. А вы ведь молоденькая девушка. Как там про вас Алексей Борский в стихах писал?..

Как он был прав, Людмила убедилась очень скоро, вернее, как только вышла на первое свое дежурство. Русская армия шла в наступление на Юго-Западном фронте. Поэтому госпиталь был переполнен стонущими, хрипящими, матерящимися мужиками, как детей, убаюкивающими свои забинтованные, гноящиеся обрубки, фрагменты навсегда утерянной крестьянской силушки.

Она никогда не забудет солдата со славной военной фамилией Суворов. Ему три дня назад полностью ампутировали ногу, но воспаление уже успело распространиться дальше. Суворов бредил, ему чудилось, что нога его ушла без хозяина на родину в деревушку Замалиху на берегу Волхова. Несчастный то просил ногу взять его с собой, то напоминал ей, кому из родных и друзей надо передать приветы. Перед смертью он пришел в себя на мгновение и попросил похоронить ногу вместе с ним.

Другому солдату, рядовому Родионову, осколок рассек детородные органы. Родионов поправлялся под шутки немногих выздоравливающих, которые советовали ему пойти в секту скопцов. Но на проходящую мимо Людмилу этот солдат смотрел с таким ужасом, что ей становилось не по себе.

Еще один недавно привезенный, молодой, но заросший густой черной щетиной, кавказец Мидоев, так злобно скрипел зубами, так шипел и ругался на чужом гортанном наречье, что Людмила боялась даже мимо него проходить. Ей казалось, что и в таком состоянии он дик и опасен.

Сестра Ратаева — а Людмила служила под девичьей фамилией, чтобы скрыть свое символистское прошлое и уберечься от расспросов — в первый день в палате упала в обморок. Причем, падая, задела покалеченное плечо старого солдата и еще что-то разбила. Привыкла она не сразу, но научилась распознавать приближение обморочного состояния и принимать во время меры. Завоевания эмансипации — папироски — тоже не очень спасали. Она курила, и ее рвало, но облегчение не приходило. Сестра Ратаева двигалась по госпитальным палатам с белым лицом, еще белее ее косынки, и казавшимися огромными на осунувшемся лице глазами.

Вечерами она доставала из тумбочки «рекомендательное» письмо папенькиного «студента», плакала и убирала его назад. После ночного дежурства, когда умер солдат Суворов, она достала письмо в последний раз и, всхлипнув тоже в последний раз, разорвала его.

Помогла ей, как ни странно, самоирония, которой Людмила никогда ранее не отличалась. Однаж-

ды, она выносила утку из-под раненого кавказца
Мидоева, борясь с приступами тошноты и отвращения, когда хотелось швырнуть сосуд на пол и выбе-
жать на улицу. И тут какой-то внутренний голос,
до этого, видимо, дремавший, сказал ей:

— Это и есть священное судно Изиды...

Людмила улыбнулась и почувствовала, что ей становится легче. Нет, она не привыкла, ко всем этим
ужасам, выставленным на свет Божий в самом омер-
зительном виде, привыкнуть было невозможно. Но
стоило Людмиле зло и беспощадно поиронизировать
над своим поэтическим прошлым, как она получала
возможность выполнять свои обязанности несколько отстраненно, словно наблюдая себя со стороны.

С другими сестрами милосердия Людмила обща-
лась мало. Это были девушки не ее круга, говорить
с ними ей было не о чем, а обсуждать госпитальные
слухи ей было неприятно.

Раз она заметила, как одна из сестер милосердия, высокая и статная, настоящая красавица из
народа, что-то пишет в толстой тетради. Было непо-
хоже, что девушка заполняет историю болезни. Она
шевелила губами, водила по воздуху рукой, словно
дирижируя. Людмила поняла, что она что-то сочиняет, скорее всего, стихи. Она так и спросила эту
сестру милосердия, фамилию которой никак не могла
вспомнить. Что-то очень простецкое, деревенское...

— Вы, наверное, стихи сочиняете?

— Боже упаси! — замахала на нее руками девушка, чего-то пугаясь. — Никаких стихов! У меня стихи плохо получаются... Вообще не получаются... Да
и не стихи это совсем.

Людмиле отчего-то произнесенные девушкой слова напомнили Борского. Алексей обычно с прису-
щей ему патологической честностью говорил по какому-нибудь вопросу, а, понимая, что обижает собеседника, не мог выправиться и еще больше усу-

гублял. Вот и в словах этой сестры милосердия проглядывала эта нарастающая честность.

— Позвольте узнать, что же вы тогда пишете с таким вдохновением?

— Прозу, — ответила собеседница с удивлением, словно была уверена, что все люди пишут одно из двух.

— Художественную прозу? Рассказ? Повесть?..

— Роман, — подсказала девушка.

Поняв, что собеседница расположена поговорить, и пописать ей, скорее всего, сейчас не удастся, девушка закрыла тетрадь и вполне дружелюбно посмотрела на Людмилу.

— Ваша фамилия Ратаева? Сестра Ратаева? — спросила она. — А имя?

— Людмила Ратаева, можно просто Люда. А вас как зовут?

— Екатерина Хуторная, можно просто Катя, — она вдруг рассмеялась. — Непривычно это так. Катя! Меня дома все больше Катеной звали. Катя...

— Почти котенок, — сказала Людмила. — Ну, вот и познакомились.

— Вот и познакомились, — согласилась Катя. — Очень приятно!

По ее светлым глазам Люда поняла, что ей действительно было приятно.

— А вы не пишете стихи? — спросила Катя.

— Нет, я слишком много их читала и слушала, чтобы еще и самой их размножать.

— Ну, и правильно! — обрадовалась девушка. — А ведь я очень долго писала стихи. Думала, что хорошо пишу, страдала за них, жить без них не могла. Хорошо, что нашелся человек, который сказал мне правду и так хорошо ее сказал. Ведь, услышь эти слова от другого, я, может, удавилась бы или в нашем Тереке утопилась. Я же из терских казачек... А этот человек мне все так хорошо сказал, успокоил, а главное, подсказал, к чему у меня талант настоящий есть...

— И вы ему поверили? Он сказал, что вам надо писать роман, и вы сразу взялись писать? — спросила Людмила в изумлении от такого простодушия.

— Ну, не совсем так. Поверила я ему сразу. Женой его стала тоже в первый же вечер. А вот писать роман взялась только сейчас, на войне. До этого много у Алексея Алексеевича училась...

— У кого? — Людмила как будто локтевым нервом стукнулась.

— У Алексея Алексеевича Борского. Читали его стихи? Знаменитый поэт...

— Читала... Вы сказали, что стали его женой?.. В первый вечер?..

— Ой, простите! Может, об это неудобно говорить. Но мне, кажется, что с вами можно говорить обо всем. Вы мне почему-то показались близким мне человеком.

— Еще бы, — брякнула Людмила, но поправилась. — Катя, вы действительно были женой Алексея Борского?

— Женой и ученицей. Но мы жили так, не венчанными. Ведь его законная жена ушла от него, а они так и не развелись.

Один вопрос вертелся на языке у Людмилы, когда она смотрела на эту здоровую, полную жизнью казачку. Но она никак не решалась спросить. Наконец, она с большим трудом выдавила из себя, формулируя на ходу:

— Катя! Я, знаете ли, знакома шапочно с Борским, его друзьями...

— Правда?! — обрадовалась Хуторная.

— Да, ведь тут ничего удивительного. Мир очень тесен... Я вот что хотела у вас спросить, как у женщины. Только не сочтите меня за любопытную хамку. Но вы сами это так просто сказали, что я подумала... Словом, про Борского говорят, что он сторонится женщин в том самом смысле. Вы меня понимаете? Будто он живет с ними небесной любовью. А вы такая красивая, земная девушка...

— Я поняла вас, Люда. Это все глупости. Стихи — это стихи, а жизнь есть жизнь. Неправду про Алексея Алексеевича говорят. Он очень страстный мужчина... Ой, Люда, не могу я, не умею об этом говорить... Вот только детей у него не будет. Он по молодости баловался, ходил по проституткам, болел...

— Да, знаю, — кивнула головой Люда, — вернее, слышала. Поэтому вы, Катя, от него ушли?

— Нет, — тихо ответила Хуторная, и Люда заметила, что девушка с трудом сдерживается, чтобы не заплакать. — Он сам меня прогнал. Сказал, что я с ним пропаду. А ведь при мне он пил уже не так много, как раньше. Сказал, что больше ничему хорошему я у него не научусь, что мне надо вернуться в жизнь, жить со своим народом, со всей Россией... и прогнал...

Катя закрыла лицо темной коленкоровой тетрадкой и заплакала. Хорошо плакала казачка — легко, свободно. Людмила так не умела, она плакала как-то по-другому...

2003 год. Москва.

Он возвращался издалека. Сам принимал партию товара от нового поставщика. Знакомился с командой волжского сухогруза. После разборок с Колошко Аслан был крайне въедлив. Еще не возместил убытки от тех глупых потерь. Вести машину за городом он любил. Ехал быстро. Но вот только слишком поздно возвращаться не хотел. Очень уж доставали «лиц кавказской национальности» в виртуальный комендантский час. Ни для кого больше, кроме них, такого часа не существовало. Приходилось откупаться. Но всегда был риск неприятностей и разборок. Карманы Аслан уже давно зашивал наглухо. Стоило чуть разозлить блюстителя порядка, как в карман можно было получить какой угодно сюрприз. И доказывать кому-то что-то было уже совершенно бесполезно.

На этом он уже погорел. И, испортив себе жизнь не на шутку, загремел в розыск. В таких случаях надо было платить. Но иногда его осторожное поведение давало досадный сбой. Характер вырывался из-под контроля. А мирным его характер было назвать сложно. Хотя и воином он себя не считал в том смысле, который вкладывали в это слово дети гор.

Будь его воля, он жил бы себе на родине. Он помнил, какая там ласкающая по шерсти красота. Все-таки до двадцати лет он там прожил. Ему плохо было в Москве. Холодно и сыро. И здесь всегда ныли старые раны. А там отпускали. Зато появлялись новые... Но сейчас у самого свободолюбивого народа на Земле жизни на родине не было и быть не могло. Если хочешь жить дома — умри. Не сегодня, так завтра. Если вообще хочешь жить — все равно жизни не будет.

Или воюй. Или живи, как таракан в чужой избе. Третьего не дано.

А третьего так хотелось. Так хотелось, чтобы все кончилось. Чтобы можно было спать спокойно. Просто спать спокойно. Без кошмаров. Без острых, как нож, пробуждений. Без постоянного, уже въевшегося намертво чувства опасности. А это чувство у его рода передавалось на уровне генов без малого три тысячи лет.

И жизнь прошла. Ему было двадцать, когда началась война. И лучшие его годы прошли. Ему уже исполнилось тридцать. А война все продолжалась.

И на любовь у него нет никаких прав.

И на счастье. Потому что он не сам по себе. Он не свободен. Он муравей в беспокойном муравейнике.

В такое время и в таком месте уродился Аслан.

Он хотел приехать и заснуть.

Ему повезло. Сегодня он проскочил.

Но когда он поднялся по лестнице, то понял, что заснет не скоро. И даже сам не мог точно определить, радует его это или огорчает.

Сначала он подумал, что она спит. Она сидела, прислонив щеку к стене. Но когда он медленно и осторожно подошел ближе, она сказала ровным и тусклым голосом:

— Я думала, ты ночуешь дома. — И ему даже смешно стало от ее глупой ревности, которая сквозила в каждом слове.

— Что у тебя опять случилось, девочка? — Одну ногу он поставил на ту же ступеньку, на которой сидела она. Оперся рукой о колено, наклонил голову, чтобы увидеть ее лицо, слегка удивленно погладил по стриженой голове. Она мотнула ею в качестве протеста. Он убрал руку. — Ну? Так что?

— Нам надо поговорить! — сказала она твердым холодным голосом. От этого тона он как-то сразу затосковал.

— И ты не могла подождать до утра... — Он обошел ее и достал из-под коврика ключ. — Ну ладно, пойдем, поговорим.

Она поднялась. В кожаном плаще и сапогах. Стройная и гордая. Непривычно постриженная. Прошла мимо него в квартиру. Разделась. Осталась в длинной юбке и полосатом свитерке, беспощадно обтягивающем ее ощутимые прелести.

Он смотрел на нее мрачно, скрестив руки на груди и прижавшись плечом к косяку. И понимал, что не надо было пускать ее к себе ночью.

Как-то это неправильно. И было ему от этого нехорошо.

— Как ты? — спросила она неожиданно весело, как-то необычно блеснув на него глазами.

— Хорошо, — ответил медленно, так, как умел только он. Он ждал настоящего разговора. И наблюдал за ней.

— А знаешь, Аслан, нам все равно теперь друг без друга никак. И узы эти попрочнее любых любовей. — Она смотрела на него непривычно безумным взглядом. И взгляд этот его неприятно беспокоил.

Он ждал продолжения. И разговор этот ему все больше не нравился. Она походила взад вперед по комнате, заметно нервничая. А потом выдала:

— Поздравляю! Я теперь — твой постоянный клиент! Оказывается, у нас общие интересы! Так давай я буду покупать у тебя напрямую.

До него не сразу дошло, о чем она говорит. Но пару секунд спустя она увидела на его лице какое-то больное и страдальческое выражение.

Вот, оказывается, что.

А он сразу не понял, что так полоснуло по нервам. Этот закумаренный взгляд. Эти плещущие через край зрачки. Беда, глядящая на него неузнаваемыми глазами.

Нет! Вот этому не бывать!

Мила взвизгнула и отскочила.

Потому что он взял со стола чашку и со всего размаха шарахнул ею об стену.

Он так быстро перешел из одного состояния в другое, что Мила даже не успела по-настоящему испугаться. Просто от грохота инстинктивно вжалась в угол, подняв плечики.

Но он схватил ее за шею и приставил к горлу неизвестно откуда взявшийся у него в руках нож. Он больно впивался в кожу. И деться от этого никуда было нельзя. Другой рукой он крепко держал ее за стриженный загривок. Совсем рядом она видела его глаза. Как ей показалось, в них не было ни капли здравого смысла. Одно только бешенство.

— Я убью тебя, — прохрипел он сквозь сжатые зубы — если ты сделаешь это еще раз! Я перережу тебе горло! Вот так! — и отпуская ее, он взял и полоснул ножом по запястью своей левой руки. — Смотри!

Кровь брызнула, как будто только этого и ждала. Он поднял руку вверх. И сказал, с трудом сдерживая гнев:

— Я тебя предупредил.

Повернулся и ушел на кухню. У Милы внутри все мелко дребезжало от пережитого стресса, и она не знала, куда кинуться, чтобы чем-нибудь ему помочь.

Все то, что произошло так быстро, никак не совпадало с тем сценарием, который разработала в голове она. Теперь она уже ничего не понимала. А главное, не понимала, зачем она к нему пришла и чего хотела.

Она с опаской заглянула на кухню. Он держал руку над раковиной.

— Не подходи ко мне! — прорычал он глухо.

Мила прислонилась спиной к стенке и закрыла глаза. Господи! Ну что ей делать?

Она видела, как он нашарил в ящике стола бинт или лейкопластырь и теперь пытался зубами и одной рукой разорвать упаковку. Она все-таки подошла тихонько.

— Дай я... — Когда он протянул ей пластырь, она непроизвольно дернулась. Любое его движение теперь ее пугало. Ей казалось, что она в клетке с разъяренным тигром.

Она взяла его руку и быстро, пока не натекла кровь, заклеила.

Он отвернулся и ушел к окну.

Мила осталась стоять у стенки. И потянулись минуты молчания. Нарушить которое она теперь боялась. Время шло. Ей надоело стоять, и она села на пол.

Аслан не поворачивался к ней.

И когда он заговорил, она даже не поверила.

— Я сделал тебе что-то плохое?

— Нет, Аслан... Мне нет...

— Кому-то из твоих родных?

— Нет.

— Друзей?

Она промолчала.

— Тогда зачем ты делаешь мне больно? Ты думаешь, мне мало боли без тебя?

Она неслышно подошла к нему сзади. Прижалась лбом к его спине.

— Прости, Аслан. Прости меня, слышишь... Я просто узнала теперь, почему тебя ищут. А я так верила тебе. Так верила... Готова была за всех чеченцев горло перегрызть. А оказалось...

— Что оказалось?

— А оказалось, что наркотики. Тут уж не знаю, о чем и говорить.

— А ты не знаешь, как это бывает? — Он повернулся к ней и сел на подоконник. Она стояла тут же перед ним. Он схватил её за плечи и зашептал яростно: — А ты не знаешь, как в карман к тебе кидают героин, потому что ты «черный»? А ты знаешь, что все мы давно ходим с зашитыми карманами? Три грамма опия — и на семь лет в тюрьму. Вахид тебе расскажет... Легче ловить брюнетов, чем бандитов — такого ты не слышала?

Она не знала, во что теперь верить. Когда он говорил, она верила только его словам. Она высвободилась из его рук. Он встал. Она потянулась к сумке. Вынула оттуда сложенный вчетверо листок. И протянула ему. Он развернул его, пробежал глазами и вернул ей:

— Читай вслух! А я расскажу тебе, что стоит за каждым из этих слов...

Она взглянула на листок и поняла, что ничего не видит. Попробовала поднести поближе. Ничего. Все расплывалось. Конечно. Ведь это же атропин. Поэтому и Машке нельзя было читать.

— Я не вижу. У меня глаза закапаны. Это атропин. — И увидев, с каким выражением он на нее смотрит, поспешила успокоить. — Не бойся. Я просто пошутила. Не пробовала я никакой гадости!

Она заметила, как темнеют его глаза. Где-то она уже это видела. Ах да... Так резко они чернели у ее кошки перед яростным прыжком. Но связать эти наблюдения воедино времени не хватило.

Голова дернулась сначала в одну сторону, потом в другую. И только через секунду до обеих ее щек дошел ожег от его ладони.

Единственное чувство, которое зарегистрировал рассудок в этот момент, было крайнее изумление.

А потом, разведя руки в сторону и наклонив вперед голову, она оцепенело наблюдала, как медлительные темные капли издевательски неторопливо капают с кончика носа на пол. И растекается маленькая черная лужица с причудливыми очертаниями.

Вот на чем нужно гадать. А не на кофейной гуще. Вот где сокрыта от нее правда жизни.

Но философскую паузу в ее настроении что-то грубо нарушило. Ее куда-то потащили, долго плескали ей в лицо ледяную воду, которая неприятно затекала за шиворот. Потом она перестала что-либо видеть из-за большого мокрого полотенца, закрывшего ей все лицо. Да ей было все равно...

Она только поняла, что уже лежит. И что-то ужасно холодное замораживает ей лоб и мешает открыть глаза, а голова покоится на чем-то неудобном и жестком.

Ее никогда никто не бил. Пальцем даже не трогал. Ни чужие, ни отец с матерью. Все было цивилизованно.

Но откуда-то она знала, что если мужчина ударил один раз, непременно ударит еще. И уходить, как гласила народная мудрость, нужно сразу. Да ей и уходить никуда не надо было. Просто прийти домой и забыть о нем навсегда.

Однако ей уже было ясно, что забыть не получится.

Она только представила, что ушла, как сердце тут же заныло.

Ей и сейчас вспоминалось совсем не то, что подняло бы ее боевой дух. А то, как близка она была к смерти, когда он появился впервые. И то, как тащила его по лесу. И его глаза, когда он смотрел на нее там, у бабки Таисии. И сложная география его лица, которую она выучила наизусть.

Обида же растворилась, как сахар в кипятке. Тут же. И без остатка. Ее просто не было. И она тщетно пыталась ее искусственно возродить. Теперь в голове у нее все перевернулось. Она отчетливо осознавала, что виновата во всем сама. Только сама.

Довела его. Что и говорить. Старалась... Хотела посмотреть, что из этого выйдет. И у нее возникло какое-то нелогичное чувство восхищения тем, что ему удалось сбить с нее спесь. И странное удовлетворение заставило дрогнуть в улыбке ее губы. Противник был достойным.

Кровь уже давно перестала затекать ей в горло. Ей надоел этот адский холод на лбу. И сейчас больше всего хотелось приложить его к симметрично горящим щекам. Как это, в сущности, гуманно — хлестать женщину сразу по обеим. Никакого ущерба красоте.

В ней проснулся странный цинизм. Или так выражался у нее посттравматический шок? Казалось, ее уже не заставишь принимать что-либо близко к сердцу.

В руке оказалась замороженная пачка ее любимых крабовых палочек. Добрый знак. Ничего не ска-

жешь. И не долго думая о гигиеничности этого средства, она приложила его к щеке.

Теперь, когда глаза ее открылись, она увидела
над собой его лицо. Потому что голова ее все это
время лежала у него на коленях.

> Но ни раскаянья, ни мщенья
> Не изъявлял суровый лик:
> Он побеждать себя привык!
> Не для других его мученья!

Глава 15

Как собака на цепи тяжелой,
Тявкает за лесом пулемет,
И жужжат шрапнели, словно пчелы,
Собирая ярко-красный мед.

А «ура» вдали — как будто пенье
Трудный день окончивших жнецов.
Скажешь: это — мирное селенье
В самый благостный из вечеров...

Николай Гумилев

1914 год. Галиция.

Не было большего позора для джигита в той войне, чем сидеть в окопе. Вообще, Дикая дивизия своим коллективным характером принимала только один вид боевых действий — кавалерийскую атаку. В других маневрах, может, быть для кого-то и была возможность проявить храбрость, но не для горцев. Нельзя было храбро отходить, смело отстреливаться, отважно вытеснять противника. Только бесшабашная, неудержимая атака конной лавой была по-настоящему отважной, а в отчаянной рубке уже все средства были хороши от шашки, кинжала, до зубов, впивающихся в горло противника. А тут окоп... Сидеть в окопе — все равно что в могиле, ждать приближения ангелов смерти Мункара и Накира.

Когда в дивизии был получен приказ от командования — одному из полков спешиться и занять линию обороны — пять командиров нашли предлоги оставить своих людей в седле. Шестой же, новый командир чеченского полка Давлет-хан, во-первых, был в Дикой дивизии новичком, во-вторых, плохо чувствовал горский характер, давно утеряв чеченскую душу. Поэтому возражать особенно не стал, принял приказ к исполнению. И вот не черкесы, не дагестанцы, не татары, а именно чеченцы были посажены в окопы. Единственное, что оставалось им сделать, чтобы хоть как-то отличаться от грязных, завшивевших пехотинцев, так это заткнуть за пояс нагайки.

Давлет-хан попробовал было приказать, чтобы нагайки были оставлены при лошадях, но кто-то из адъютантов благоразумно подсказал ему, что нагайки лучше всего оставить, а не то всякое может случиться. Здесь была очень тонкая граница, когда в окопы еще можно было приказать, а отдать нагайки — уже нет. Давлет-хан пока ее не чувствовал.

Чеченцы, в первые дни с радостью воспринявшие назначение своим командиром человека одной с ними крови, да еще старинного чеченского рода, скоро поняли, что погибший польский князь Радзивилл был куда большим чеченцем, чем Давлет-хан. Что вообще привело его в Дикую дивизию? Вероятно, возможность приблизиться к императорской фамилии, обзавестись высокородными связями, словом, не долг чести и жажда подвигов, а совсем другое, непонятное сердцу честного джигита.

— Видел я, Аслан, как смотрел на тебя Давлетхан, — говорил, сидя в окопе, хевсур Балия Цабаури своему другу. — Не понравился мне его взгляд. Недоброе он замышляет. Скажу даже, замыслил он уже что-то.

— Нет, Балия, — отвечал Мидоев, — ему бы с полком чеченским справиться. Вон у него сколько таких абреков, как я. Стрелять мне в спину он не будет. Не будет он из-за меня рисковать своим важным положением. Если же пошлет на опасное дело, так я его за это только благодарить буду. Не мне тебе говорить, что на войне не всегда опасней, где врага больше и где снаряды чаще ложатся. Бывает, и в землянке смерть находит. Где ждет погибель, никто не знает, кроме Аллаха.

— И все-таки буду я за ним смотреть в оба. Мой кинжал будет быстрее его подлой мысли, а пуля и подавно.

— Как же ты воевать будешь, если смотреть тебе придется и вперед, и назад?

— А я глаза на затылке выращу, а не дам своего друга шакалу на растерзание.

— Спасибо тебе, Балия. Аллах руководил мною, когда я встретил тебя в горах Хевсуретии и подарил мне Всемогущий до конца жизни единственного друга.

— Аллах твой специально дал тебе друга христианина, — сказал, хитровато улыбаясь, Балия, — чтобы он защищал тебя, молящегося, когда ты ничего, кроме далекой Мекки, не видишь и не слышишь.

— Вот я и говорю тебе, иноверцу упрямому, что Аллах — Всемилостивейший и Всемогущий, раз послал тебе меня.

— Ну, еще неизвестно, кто кому кого послал, — неопределенно сказал Балия.

— Вот вызову тебя, хевсур, на шугли, тогда поговоришь, — засмеялся Аслан.

— Да у тебя и сатитени нет. Сколько тебе вытачивал и дарил. Куда ты их только деваешь?

— Зачем мне сатитени, я тебя щелчком в лоб уложу.

— А вот попробуй!..

Между друзьями часто высокопарные заверения в дружбе переходили в религиозные споры или шуточные поединки высокого, широкоплечего Аслана и маленького, щуплого Балии. В этот раз их прервал адъютант командира полка, который вызывал Аслана к Давлет-хану.

— А! Я же говорил тебе! Хитрая лиса уже что-то придумала. Но ничего, Аслан, хевсур Балия всегда будет рядом. Так и знай.

Был один из тех моментов наступления, когда русские, выбив австрийцев с очередного рубежа обороны, потеряли отступившего противника. Закрепившись в чужих траншеях, они привыкали к новой диспозиции, осматривались, перегруппировывались, но не знали ответа на главный вопрос — а где же противник? По крайней мере, как далеко он находится?

С таким заданием — выявить передний край новой обороны противника — командир чеченского полка посылал Аслана.

— Может, ты один не справишься? — щурясь, как кот, спросил Давлет-хан. — Скажи, я могу послать с тобой еще людей.

— Мне никто в помощники не нужен, — вспыхнул Мидоев. — Сам справлюсь! Не первую неделю в дивизии.

Давлет-хан именно такого ответа добивался своим вопросом, даже шпильку в свой адрес он предпочел не замечать. Наоборот, он показал Аслану на мельницу с двумя уцелевшими после обстрела ветряками, как ориентир предполагаемой нейтральной полосы, и предупредил, что в роще уже австрийцы. Поэтому следует Аслану быть особенно внимательным после мельницы. Будто и не было того разговора в первый день пребывания Давлет-хана в дивизию. Просто отец-командир!

Когда Аслан Мидоев выехал за передовую линию наших окопов, боевая душа его испытала упоительный восторг одиночества перед невидимым, многочисленным врагом. Нет, когда тебя гонят, как зверя — это совсем другое чувство. Свободный мир ускользает от тебя, и только быстрые копыта твоего коня и твоих преследователей скрадывают его или увеличивают. А сейчас он ехал навстречу врагам, и вольная воля была в его власти. Доехал до оврага — и половины мира, как не бывало. А доедет до рощи, и нет ничего — кольцо замкнется. Бой! Прокладывай шашкой себе свободу! Вот когда жизнь чувствуешь уже ниточкой, паутинкой, бьющейся еле заметно у виска. А вырвешься из кучи серых мундиров с кровавой сталью в руке — и жизнь опять нахлынет на тебя волной. Понесет, как щепку по бурным волнам родного Терека...

Два уцелевших крыла ветряной мельницы висели вниз, как растерянно разведенные руки. За мельницей тянулись какие-то культурные кустарники, виднелся невысокий забор. Позади забора с некоторым отступлением начинался фруктовый сад. А там уж краснели черепичные крыши, маковка церкви непонятно какой конфессии. Там, за мельницей, словно и войны не было.

Ошибался Давлет-хан, новый командир, осторожничал. Австрийцы давно отошли и за рощу, и за ту дальнюю гряду холмов. А что если заехать на обратном пути в сад, в этот мирный уголок? Нарвать фруктов друзьям-джигитам? А если...

Конь под ним вдруг заволновался, повернул голову и покосился на хозяина тревожно вытаращенным глазом. Аслан и сам теперь заметил едва заметное шевеление за мельницей, а также слева в траве, а еще там сбоку. Теперь он видел уже не песчаную бороздку, а бруствер траншеи. Серые кепи повернулись козырьками в его сторону, недоуменно смотрят на одинокого всадника, который едет к ним словно в гости.

Как же он умудрился так близко подъехать к австрийцам? Неужели это Давлет-хан сумел усыпить его бдительность, умело поиграл на струнах Аслановой гордости и хитро вывел прямо на австрийские пулеметы? Нет, сам виноват. С трезвой головой надо ехать на разведку, а не упиваться вольной волей и мирным видом фруктовых садов и черепичных крыш. Сам виноват, Аслан! Но теперь уж трезветь поздно. Еще бандитская жизнь абрека приучила его — если уж играть, так играть до конца.

Аслан остановил вороного, сорвал с головы шапку, помахал удивленным австрийцам. Потом он поднял коня на дыбы, развернул его на двух ногах, завыл по-шакальи, а когда почувствовал, что тишина непременно расколется в следующее мгновение выстрелами, кинул коня в сторону. Австрийские пули прошли мимо. Тогда Аслан повторил прежний фокус, но в другом направлении. Опять несколько пуль прошли стороной. Мидоев привстал в стременах и сделал в сторону австрийских траншей тот неприличный жест, который подсмотрел у русских пехотинцев.

После этого развернулся и, как ни в чем не бывало, неторопливо поехал назад к русским позициям. Во фруктовом саду вдруг бабахнуло, еще раз, еще... Неужели австрийцы не пожалеют залпа целой батареи на одинокого всадника? Пронзительный звук, который и был ответом на вопрос, стремительно нарастал. Земля дрогнула. Между Асланом и русскими позициями возник огромный земляной куст. А сзади уже визжал пострашнее атакующих чеченцев второй снаряд. Словно Давлет-хан наводит!

Вороного подхватила под брюхо огромная рука, выросшая из земли, но успела не только подбросить, но и смять живую плоть. Аслану показалось, что его вытянули по спине сразу несколько нагаек. Он куда-то летел, но не вверх, а вниз, потому что черная земля давила на него, увлекая все ниже и ниже. И только кто-то маленький тянул его назад, плакал и кричал где-то очень далеко:

— Аслан мой... Аслан...Не смей... Не уходи так... Какой же ты тогда друг... Аслан мой...

2003 год. Москва.

С ним она каждый раз ощущала себя так, как будто одной рукой схватилась за оголенный провод, а другой за батарею. Шарахало ее здорово. Но было это похоже на тот электрический разряд, который не убивает, а вновь заставляет сердце биться. Потому что каждый раз после встречи с ним в голове была песнь — жизнь прекрасна. Прекрасна не потому, что у них любовь. А просто прекрасна, потому что могло этой жизни уже и не быть. Так остро она чувствовала, что жизнь погранична смерти только будучи рядом с ним. А когда они расставались, то смерть выбирала его и продолжала над ним кружиться.

Он совсем ее не боялся. Он боялся чего-то другого. И она догадывалась чего. Боялся он как раз жизни.

Миле часто казалось, что все это какая-то болезнь. И симптомы этой болезни грозно наступали на нее по ночам. Свой диагноз она назвала просто и понятно — камни в голове. Колики начинались тогда, когда все нормальные люди сладко спали. Она же ворочалась. Вставала в постели на четвереньки и зарывалась лицом в подушку. Мысли в голове давили на мозг своими шероховатыми краями. А потом както отпускало. И даже засыпала она по-детски крепко.

Ночью в моменты этих острых перекатов она понимала, что существуют на свете слова, которые болят, воспоминания, которые саднят. И анальгина к ним еще не придумали. Да — можно отрезать. Ей все больше нравился этот способ решения проблем. Можно запретить себе. Наверно, можно. Только как? Напиться? Уколоться? Или удариться головой об стену?

Тетка внушила ей одну простую мысль. Лучшее средство от романа — контр-роман. Но так же, как в Чечне война велась столетиями, так и у Милы занятые чеченцем в ее душе позиции без боя не сдавались. А искусственно созданный контр-роман с Шамисом, обессиленный, отползал в сторону.

Мысли теперь Мила делила на ночные и дневные. Различались они так же, как лебеди от сов.

Ночью ей казалось, что все просто, как пареная репа. И хотелось вскочить, одеться, поехать к нему, который, вот ведь удача, живет в этом же городе, один! Поехать и объяснить все так, чтобы ему стало ясно. Что он мужчина, а она женщина. Что никак нельзя бросаться подарками, которые делает тебе жизнь, нельзя кривить морду, когда тебя любят. Нельзя плевать на знаки судьбы. А то, что судьба подала ей знак, она не сомневалась.

Сколько раз она хваталась за телефон. Ночью. Но так ни разу и не позволила себе совершить этот простой и естественный поступок. Она не знала, что иногда их ночные порывы совпадали до доли секунды. А если бы и узнала, то наверняка бы не поверила.

А днем... Днем она иногда даже не хотела, чтобы что-то в их отношениях определялось. Днем ей хотелось работать. И пока не вышел срок годности этой гремучей смеси ожидания, острой привязанности и болезненной несправедливости, она старалась успеть. Успеть использовать этот динамит в качестве топлива для вдохновения. Было в этом что-то нечистое. Так же, как в том, что актерам иногда приходится ворошить свои самые тяжкие воспоминания для того, чтобы хорошо сыграть роль. Какая-то спекуляция на живой крови. Но сухим кормом искусство не питается. Оно топится реальными страстями.

Она желала его видеть. Страстно. А потому мешала свои краски и пыталась вызволить его на свет, чтобы заглянуть в его атомные глаза.

Они вышли из Левшиновского подъезда. И тут Мила остановилась, как вкопанная. На обочине стояла его машина. А он сидел за рулем. Она просто не могла поверить, что он сидит и ждет. На него это было так не похоже...

Она тронула Настю за руку и сказала ей:

— Иди одна. Я, кажется, не смогу, Наська. Прости.

Сказала таким голосом, что никаких лишних вопросов у Насти не возникло. Она соображала быстро. Только проследила за взглядом подруги и тут же все поняла.

— Ни пуха...

— К черту...

Она подошла к машине. Встала, положив свою папку на капот, и смотрела на него прямо через лобовое стекло.

И он на нее смотрел. Долго.

> Она противиться не смела,
> Слабела, таяла, горела
> От неизвестного огня,
> Как белый снег от взоров дня!

А потом он потянулся к той двери, в которую ей надлежало сесть, и открыл ее. Выходить не стал. Просто кивнул головой. Садись, мол. И она села. Молча. Зачем они — тысячи слов? Ей казалось, что она уже научилась молчать правильно и осмысленно.

— Позвони матери. Скажи, что ночевать домой не приедешь, — сказал он.

И только потом повернулся к ней и посмотрел в глаза.

Что-то в его взгляде поменялось. Мерцали в нем какие-то угли готовых разгореться страстей. И от размаха возможных бедствий, которые обещали ей эти глаза, Миле стало по-настоящему страшно.

Она судорожно вцепилась в висящий на шее телефон и зачем-то стала набирать цифры вручную, забыв о том, что это можно было бы сделать гораздо проще, в одно касание. Откашлялась. Ей показалось, что она не говорила год. И постаралась сделать так, чтобы голос ее не выдал того, что с ней на самом деле происходило.

— Мамуля, привет! Я сегодня домой не приеду. Останусь у Насти. Нам надо тут кое-что сделать. Хорошо. Я еще позвоню. Целую.

Она закончила. Взглянула на него несмело. Он чуть заметно сузил глаза и покачал головой. Она поняла. Не нравилось ему, когда она так легко врала. Но сам ведь просил. Просил? Разве он о чем-нибудь ее вообще просит? Велит — это гораздо вернее.

Ехали куда-то довольно долго. Она плохо понимала куда. Потому что он был рядом. В голове было как-то празднично прибрано. Ни одной соринки лишних мыслей, ни одного следа воспоминания. Одна торжественная звенящая пустота. И только перекатывались по телу от горла до пяток равномерные, как прибой, волны ужаса пополам с восторгом...

Он привез ее к какой-то гостинице на окраине Москвы. Оставил в машине. Сказал:

— Посиди.

Она ожидала чего угодно, только не этого. Вспомнила собственные слова о вымышленном герое: «Приедет на выходные. Снимет номер в гостинице». Но таким тоном, каким она говорила, говорить об этом было невозможно. Тогда она об этом не знала.

Когда он пришел за ней, она уже готова была сбежать. Чувствовала, что стоит ей оторвать пятки от пола, как ноги начинают мелко по-заячьи дрожать. Но он открыл дверь, протянул ей свою руку и тем самым лишил ее права выбора. Когда ее рука потонула в его твердой ладони, она твердо знала, что, конечно, никуда не уйдет. Рука его действовала на нее завораживающе.

У него уже были ключи. Он быстро провел ее к лифту. Она заметила только, что за стойкой в гостинице явно был его соплеменник.

Она понимала, что молчание начинает ее тяготить. И что она чувствует себя как-то странно. На фоне этого молчания даже непонятно было, зачем им вдвоем нужно подниматься в номер. Но когда они зашли в лифт и она, не поднимая глаз, встала с ним рядом, он обнял ее одной рукой за плечо, привлек к себе и крепко прижал. Она с истеричным облегчением зажмурилась, уткнувшись лицом ему в шею, и все-таки малодушно подумала: «Хорошо бы, чтобы лифт застрял».

Но он не застрял. Он исправно открыл двери и вытолкнул их в коридор. И Аслан повел ее за собой прямиком к двери под номером 878. Она успела подумать о том, что когда она выйдет отсюда, наверно у нее снова начнется новая жизнь. В который уже раз... Одно слово — самсара.

Она запомнила все до мельчайших подробностей. Рисунок на обоях. Рельеф многоэтажки в окне и две торчащие за нею трубы. И, конечно, удивительную расщелину на потолке, которая, как извилистая тропинка, вела от одной стены к другой.

И долгожданные слова, сказанные его голосом. Голосом, от которого она... Но это не важно.

Она никогда раньше не слышала, чтобы он так много говорил. Он покончил с ее невинностью так, будто рассказал ей сказку, укутывая в пронзительное нежное кружево ласки и слов. Было в этой сказке, как и положено, страшное местечко. Но чтобы она так уж не боялась, как раз в это время он прижимал ее к себе особенно крепко. Видимо, акт многословия для него был совершенно интимным процессом. А она слушала и слушала, удивляясь тому дару, который заподозрить в нем заранее было абсолютно невозможно. Слушала и боялась пропустить хоть слово, когда он говорил совсем тихо, почти шепотом, возле самого ее уха. Так, под анестезией его низкого хрипловатого голоса, она и начала свою главную новую жизнь. И была ему за это бесконечно признательна...

— Позвони домой. Скажи, что скоро приедешь. — Он протягивал ей телефон, который только что, чуть не задавив ее, нашарил на тумбочке возле кровати. — Опять вечер.

— А я что, скоро приеду? — прошептала она с недоверием. — Я не хочу...

— Хотеть не обязательно, — ответил он, целуя ее в голову и устраивая у себя на плече. — А возвращаться придется...

На этот раз она решила схитрить и просто послать маме сообщение. Потому что, как она ни репетировала «Алло» на разных нотах, все равно выходило неубедительно. Голос капитально осип... Еще бы!

Он думал, что войны в его жизни больше не будет. Он больше не хотел туда возвращаться. Там не осталось ничего, что хоть немного напоминало бы его родину. Там не было даже могил предков — все было перепахано воронками от взрывов. Там на каждом шагу его ждали кошмары из прошлого. И деревья, наверное, растут там теперь с жирными и сочными плодами, напитавшиеся человеческой кровью.

Но Вахид сказал ему, что убили Зелимхана, по несусветной глупости своей отправившегося в Чечню на «заработки». И по закону адата за брата никто, кроме него, отомстить не мог. Закон кровной мести нарушить нельзя.

Если бы он узнал об этом раньше... Он бы никогда не сделал того, что уже сделал. Он просто на время забыл, что у него нет никакого права на жизнь. Он уже давно успел с этим смириться. И стоило ему лишь на секунду забыть об этом, попробовать начать все заново, как его сразу одернули. Он знал. Так жизнь мстит ему за то зло, которое он сам приносил другим.

А теперь ему надо было уезжать. На все воля Аллаха. И чем скорее, тем лучше. Потому что каждый лишний день, проведенный здесь, все глубже и глубже вонзает в него гарпун совершенно ненужных и непрошенных чувств. Чувств, которые делали его слабым.

А быть сильным — единственное, к чему он сознательно стремился с тех самых пор, как себя помнил.

> И слишком горд я, чтоб просить
> У бога вашего прощенья:
> Я полюбил мои мученья
> И не могу их разлюбить.

Глава 16

Шамана встреча и Венеры
Была так кратка и ясна:
Она вошла во вход пещеры,
Порывам радости весна.
В ее глазах светла отвага
И страсти гордый, гневный зной:
Она пред ним стояла нага,
Блестя роскошной пеленой...

Велимир Хлебников

1914 год. Галиция.

Сестры милосердия Ратева и Хуторная подружились. Теперь они вместе дежурили в палате для тяжело раненых, и по настоянию Людмилы казачка переехала к ней в небольшую светлую комнатку с лиловыми занавесками и обязательными цветами или веточками в бутылке на столе.

В первый же вечер Катя прочитала ей главу из своего будущего романа. Люда часто останавливала ее и переспрашивала — слишком много было в нем просторечных выражений и местных оборотов. Ей казалось, что текст слишком перегружен казачьей лексикой, и автор старается спрятать за ней свои робость и неумение, как когда-то многие из знако-

мых ей поэтов прятали свою бездарность за высоко-
парностью, символами и мистическим туманом.

Но постепенно она свыклась со стилем Хуторной и
увидела сквозь нагромождение слов и казачью стани-
цу Новомытнинскую, и пасущиеся табуны лошадей,
и бегущую в море реку, и горные вершины вдали. На
противоположной стороне Терека, среди высокого
камыша, показалась черная мохнатая шапка и широ-
ченные плечи в бурке. Вот высунулась из прибреж-
ных зарослей черная морда коня с белым пятном над
ноздрями. Всадник стал переезжать реку в брод. Он
приближался, и Людмила видела уже его черную бороду, орлиный нос, тонкие хищные губы. Только глаз
его она не могла увидеть — длинный мех шапки засло-
нял. Страшный всадник ехал прямо на нее, надо было
отступать в сторону, за дерево, или просто бежать
назад, но что-то удерживало ее. Людмиле было очень
страшно, но она хотела, ей непременно было нужно,
чтобы черный всадник ее заметил. Какое сладкое то-
мительное волнение почувствовала она, когда вороной конь с белыми пятнами на морде и гриве ступил
на этот берег. Сердце ее забилось в бешеной скачке...

— Что с тобой, Люда? — услышала она голос Катерины. — Мне показалось, что ты заснула. А ты
вся дрожишь...

— Я не заснула, а только закрыла глаза, чтобы
лучше представлять.

— Тебе понравилось?

— Сначала не очень, мне это показалось каким-то
чужим, местным. А потом я стала переживать вместе с тобой. А вот когда ты стала читать про чеченца,
мне стало страшно... Нет, не страшно, а... Как бы
тебе сказать? И страшно тоже...

— Я так и не поняла. Тебе понравилось или нет? —
Хуторная была настойчива.

— У меня в Петербурге был знакомый литературный критик, — ответила, улыбаясь, Людмила, — так

он на вопрос — вам нравится? — всегда отвечал: «Нравятся девочки!». По-моему, ты пишешь по-настоящему. У тебя все получается живое, дышащее, пахнущее. Так и надо. Я не сразу это поняла, только к концу главы, а вот Алексей Борский разглядел тебя сразу. Он — большой поэт. Ты ему можешь верить.

— Я не только верю ему, но и люблю. Но мне кажется, он сам любит другую женщину. Свою жену... первую. До сих пор. Мне он ничего о ней не рассказывал, говорил, что все в его стихах и больше прибавить нечего. Знаю, что зовут ее так же, как и тебя — Людмила...

— А фотографий ее ты не видела?

— Нет, он никогда мне их не показывал. Будто бы их и не было.

— Твое лицо в его простой оправе своей рукой убрал я со стола, — тихо проговорила Ратаева. — Вот у тебя в книге будут черкесы...

— Чеченцы, — поправила Катерина.

— Они правда такие страшные, дикие, как про них рассказывают?

— Обычные люди. Просто живут по-другому, обычаи у них совершенно другие. Вот и кажутся они вам дикими. А казаки живут рядом, многое у нас похожее. Потому они нам кажутся обычными людьми, привыкли к ним, соседствуем. Мы же с ними сейчас не воюем, у нас женятся некоторые на чеченках. А абреки есть и среди казаков. Правда, как раз перед тем, как я в Петербург с Терека уезжала, появилась на Северном Кавказе банда Меченого. Говорят, он сам чеченец, но в банде у него были всякие народности. Вроде, и казак терский был, если не брешут, конечно. От нашей станицы банда Меченого целый табун увела. Да так ловко... Я об этом в романе обязательно напишу.

— А ты хотела бы замуж за чеченца? — неожиданно спросила Людмила.

— Нет, Люда. Я свою дорогу выбрала. Решила, что стану знаменитой на весь свет писательницей, и обязательно стану. Вот увидишь! Мы, казаки — народ упертый. Вот закончится война, поеду в Петербург, Москву. Нет, Чечня, Кавказ — не для меня. Отдам рукопись, ее напечатают, выйдет моя книга. Значит, стану я известной писательницей, приду тогда к Алексею Алексеевичу. Пройду в комнату его, сяду напротив за стол. «Ну, вот, — скажу, — твоя ученица Катена Хуторная стала писательницей. Вот она — эта книга, посмотри на первую страницу». Он откроет книгу, а там красивым шрифтом напечатано: «Посвящается моему мужу А. А. Борскому, любимому и единственному до смерти».

— До смерти... Накаркаешь еще. А ты видела, в палате для тяжело раненых лежит горец Мидоев из Дикой дивизии?

— Это осколками посеченный? Так он и есть настоящий чеченец, как в моей книге. Видела я его, конечно. А что?

— Да так, ничего... Просто...

Действительно, ничего. Ничего особенного. Просто когда на следующий день Людмила шла между разнообразно изуродованных войной людей к койке чеченца, она почувствовала тот же, какой-то особенный, незнакомый страх и непонятное волнение. Она даже остановилась на полпути с тазиком в руках, прислушиваясь к себе: не признаки ли это приближающегося обморока?

— Люда, ты сейчас куда? — услышала она голос Катерины.

— Мидоева надо обмыть. Доктор Витченко велел готовить его к очередной операции.

— А, ладно. Тогда потом. А мне газету дали, там новые стихи Борского. Хотела с тобой вместе почитать. Тогда потом...

Нет, все в порядке. Никакого предобморочного состояния и в помине не было. Просто немного устала. Но кто же сейчас работает отдохнувшим? Витченко вот не спит уже вторые сутки. Хирургов не хватает... Сестер не хватает...

Она и раньше обмывала раненых, но делала это в полубредовом состоянии, направляя все силы своего организма на преодоление отвращения. А сейчас, когда она подходила к чеченцу, то испытывала совсем незнакомое ощущение, еще не понимая, надо с ним бороться или нет.

Людмила начала с лица. От влажного прикосновения Мидоев открыл глаза, попросил пить. Люда подложила ему под голову руку, чувствовала, как голова вздрагивает от жадных, больших глотков. Уложила его на подушку, перехватив его взгляд, поняла, что он смотрит куда-то вдаль, мимо нее, совсем ее не замечая. Странно, но она даже обиделась на это почти мертвое тело, когда-то ловкое и сильное, а теперь совершенно беспомощное.

Рука у него была волосатая, жилистая, с твердыми, будто веревочными, мышцами, но с длинными, как у пианиста, пальцами. Когда Людмила вынула ее из тазика, вода потекла по пальцам вниз. Ей вспомнились первые уроки игры на фортепиано. Учительница музыки ставит Люле руки, говорит, что она должна быть похожа на горку, по которой катятся саночки... Рука раненого была послушна и музыкальна.

Она долго возилась, поворачивая его с боку на бок. Сестер и санитаров не хватало. Чеченец страшно скрипел зубами и ругался на раскатистом и одновременно шипящем языке. Тело его было очень жесткое, железное, словно он не был начинен осколками от снаряда, а сам был таким огромным осколком.

Людмила вспомнила, как на том юношеском спектакле Алеша Борский втягивал ее в седло Мальчика, а потом не удержал и рухнул с ней в траву. Как противно лезла в рот его крашенная красной краской борода, она еще торчала как-то по-идиотски в сторону. Жалкое подобие... Кого? Того черного чеченского всадника, образ которого преследовал ее с самого детства, и который странно волнует ее теперь?

Ее как током ударило. Ведь этот самый черный всадник лежит сейчас перед ней в окровавленных бинтах и скрипит зубами от боли. Она видела жалкую пародию на него в том спектакле, она смотрела на его изображение в детском календаре, она встречала в разное время его тень, отражение в реке жизни, и вот он лежит перед ней. Это он...

И что же теперь? Сверху она уже обмыла его. Стараясь не думать об этом, она оставляла эту процедуру на потом. Она ведь мыла это раньше, быстро, брезгливо. А вот теперь оттягивала, будто дразнила себя... Но рука ее, снимая бинты с ноги, случайно дотронулась до чего-то, что тут быть не должно. Ей, по крайней мере, так казалось. Она заставила себя посмотреть. Потом осмотрелась по сторонам. Все были заняты своими делами: ругались, перевязывали, шутили, стонали, умирали... А Людмила смотрела на обнаженное мужское тело, как когда-то тайно от всех смотрела в зеркалах на свое...

Русское наступление внесло обычный беспорядок в госпитальную жизнь. Часть госпиталя снялась и двинулась вслед за уходящей на Запад линией фронта. Ушла вместе с ней и Катерина Хуторная, плача и обещая непременно встретиться с Ратаевой после войны. Катерина уехала, а Людмила осталась с теми же медленно выздоравливающими и еще медленнее умирающими ранеными, с покладистыми во всех отношениях сестрами милосердия, которых она сторонилась, и со своим странным чеченцем, не похожим ни на кого, а только на ее видения и тайные мечты.

Она теперь знала, что звали его Аслан Мидоев, что служил он рядовым в чеченском полку Дикой дивизии, что был он награжден Георгиевским крестом, за какой подвиг, он, правда, не сказал. Но, к удивлению всего медперсонала, однажды к Мидоеву прибыл очень важный курьер, который привез посылку. В коробке были сладости, табак, кисет, хотя чеченец не курил, а также подушка из темно-красного бархата с золотым шитьем: «От благодарной матери за спасенного сына. М. Ф.» и гербом дома Романовых.

Начальник госпиталя велел сестре Ратаевой уделять раненому Мидоеву особенное внимание, раз у него такие высокие связи. И его веление совпало с ее пока не совсем ясными желаниями. Благодаря ли трем прекрасно проведенным операциям полевого хирурга Витченко, своему ли железному здоровью, или молитвам самой императрицы Марии Федоровны, но Аслан Мидоев стал поправляться.

Вставать он еще не мог, и Людмила, выполняя указание доктора, сидела около него и читала газеты со старыми фронтовыми сводками. Нельзя было и придумать что-нибудь более скучного, но Аслан слушал внимательно и кивал головой. Людмиле же нужно было что-нибудь, хотя бы старая газета, чтобы не смотреть на его длинные, красивые пальцы, чтобы заслониться пожелтевшей бумагой от его черных, пронзительных глаз.

Но скоро они несколько попривыкли друг к другу. Аслан улыбался и даже пытался хоть чуть-чуть приподняться, приветствуя сестру милосердия. Людмила уже сидела рядом просто так, рассказывая всякую безделицу — какая погода на улице, кто из раненых поправился и выписался, что говорят о будущей революции.

Тогда она решила пересказывать Аслану книги. Так она рассказала ему о жизни и замечательных приключениях Робинзона Крузо, здорово переврав сюжет, но сохранив настроение, потом «Трех мушкетеров». Попробовала пересказывать русскую классику, но уже на «Преступлении и наказании» поняла, что русский психологический роман простому пересказу не поддается.

Однажды Людмиле пришло в голову, что Аслану будет интересно все, что связано с его родиной, Северным Кавказом. Она рассказала ему сюжет «Бэлы» из «Героя нашего времени». Аслану история понравилась. Он сказал, что слышал похожую от своего деда. Только там все было немного не так. На самом деле чеченскую девушку украл казак, а когда ее полюбил русский офицер, казак его убил из ревности, а сам ушел к чеченцам. Говорили, что он принял ислам и был учеником святого старца Таштемира.

— А что же случилось с чеченской девушкой? — спросила Людмила.

— С девушкой? — удивился Аслан. — С какой девушкой?

— Которую украл казак.

— А! Не знаю, что случилось. Замуж вышла, детей родила? Что с девушкой случается? Не знаю.

Людмила улыбнулась. Девушки в чеченской истории были не на самых главных ролях.

«Кавказский пленник» Льва Толстого Аслану очень понравился, а когда Людмила, в которой к тому времени опять проснулся дар актрисы, представила ему, чуть ли не в лицах, «Хаджи-Мурата», она увидела слезы в мужественных глазах чеченского мужчины.

— Ай, Хаджи-Мурат, — причитал он, раскачиваясь на койке, — зачем ты поверил гяурам? Зачем пошел ты к русскому генералу? Ай, Хаджи-Мурат...

В этот вечер он отказался слушать другие истории, отвернулся к стене и тяжело вздыхал. Людмила приписала такой успех кавказской повести своему артистическому таланту.

Пересказав всю «кавказскую прозу», она вспомнила о стихах. Стихи действовали на Аслана еще сильнее, чем проза. Она с усилием извлекала из памяти куски из лермонтовского «Валерика», и чеченец до боли сжимал ее руку в момент штыковой атаки русских, но Людмила не отстранялась, наоборот, читала с еще большим выражением.

Сестра Ратаева дежурила в эту ночь. Стонали больные, хрипел старый солдат Васильков своим пробитым легким. Все было как обычно. Но Людмила не могла найти себе места. Она принималась заполнять какие-то формуляры, но сердце вдруг начинало так бешено метаться в груди, что она вставала, проходила по палате, бегло осматривая раненых, опять принималась писать. Тогда она придумала себе черную, неприятную работу, но делала ее отстраненно, машинально. Волнение никуда не уходило, оно словно решило дежурить по госпиталю вместе с Людмилой всю ночь напролет.

Людмила опять пошла вдоль коек, убеждая себя, что совершает обход. Но смотрела она только на одну единственную койку у стены. Спит или не спит? Лунный свет падал наискось из плохо занавешенного окна. В лунном свете она увидела его бледное лицо, обрамленное густой черной бородой, и лунные блики в его открытых глазах. Он смотрел на нее. Больше того, он ждал ее.

— Я вспомнила еще одно стихотворение о Кавказе, — сказала она, отчего-то севшим голосом. — Пушкина... Александра Сергеевича...

Табуретки рядом не было, и она присела на его койку.

— Кавказ подо мною. Один в вышине... — начала она читать срывающимся голосом, который становился все глуше и глуше.

Когда она читала про «обвалов движенье», Аслан снял с нее косынку, лавина золотых ее волос обрушилась на него.

— Под ними утесов нагие громады, — уже шептала она, сбрасывая одежду на пол и, дрожа, как в лихорадке, ложась к нему на койку.

Он взял ее уверенно и властно, когда она шептала, уже ничего не соображая, пушкинскую строчку про «зверя молодого». Среди усталых, безликих стонов тяжело раненых, которые повторялись круглые сутки с одинаковыми интервалами, как скрип мельничного колеса, вдруг раздался стон страстный, пронзительный, умоляющий и торжествующий одновременно...

2003 год. Москва.

Он стоял в ее комнате у окна. Свет фонаря обрисовывал его черный силуэт светящимся ореолом. Дождь стучал по стеклу. И капли тяжелели, сливались и текли вниз, делая стекло похожим на хрустальную вазу.

А в глубине комнаты, в которой они не зажигали света, сидела она. И, конечно, молчала. Так, как научил ее он.

И ей казалось, что это просто погода такая, что даже в душе идет дождь. А на ветровом стекле ее жизни не работают дворники.

Она и не знала, что плакать бывает так сладко.

Беззвучно. Бесстрастно.

Когда не рыдаешь, когда не сжимает внутри обида, когда все живы. Плакать просто, потому что жизнь проходит, а слезы отмечают своим падением уходящую навсегда секунду. Она плакала, потому что чувствовала, что теряет его, как льдинку, сжатую до боли в пальцах. Сжимай, не сжимай.

Плакала потому, что они говорят с ним на разных языках.

Да мало ли еще почему?

Хотя бы потому, что теперь она знала, что теряла. В то время как всего какой-то месяц назад теряла бы только свои несбывшиеся мечты.

И что она могла ему сказать? Все те же пресловутые тысячи слов. Молчать, оказывается, бывает еще слаще, чем плакать.

Говорить — значит, разбивать это счастье, когда он стоит в ее комнате, и впереди еще целая ночь, и не надо зажигать свет. Потом, когда он уйдет, она всегда сможет вспомнить, как он стоял. Всегда сможет закрыть глаза и представить, что он стоит у окна в темноте. Всегда сможет подойти к окну.

— Не плачь. — И кто из них в результате лучше умеет молчать?

Голос низкий. И так странно его слышать здесь, в комнате, в которой она мечтала о нем днем и ночью.

— Я не плачу... Это просто осень. Грустно. Скорее бы опять лето!

— Я вернусь к тебе летом.

— Ко мне?

Он повернулся. Но в темноте лица было не разглядеть. Ей же в лицо теперь светил фонарь.

Зазвонил телефон. В прихожей. Она подходить не стала. О чем и зачем ей сейчас говорить, когда он с ней рядом. Теперь он сидел на подоконнике, обхватив колено руками. Смотрел во двор, и она видела его профиль.

> Несправедливым приговором
> Я на изгнанье осужден.
> Не зная радости минутной,
> Живу над морем и меж гор,
> Как перелетный метеор,
> Как степи ветер бесприютный!

И вдруг она ужасно захотела нарисовать его не по памяти, как делала все последние месяцы, а с натуры.

— Аслан, — она легко поднялась, подошла тихонько, оперлась подбородком о его плечо. — Аслан. Я хочу тебя попросить... Только ничего не говори... Посиди так. Просто посиди. Мне нужно тебя нарисовать.

Он не стал возражать. Он дотронулся до ее руки небритой щекой и остался сидеть, прислонившись затылком к стене. Ей казалось, что так ему даже лучше. И теперь у него есть полное право молчать дальше и думать о своем. Хотя, кто его знает, что там у него внутри. Ведь сказали же ей однажды — не очеловечивай мужчин.

Она включила лампу у себя на столе, вынула лист бумаги и карандаш. Села на стул, закинула ногу на ногу и, прямо на коленях пристроив планшет, накидала геометрическими линиями его профиль. И глубокие тени, и потоки за стеклом. И его руки, сплетенные на колене. И взгляд из-под опущенных ресниц куда-то вдаль...

«И взгляд из-под опущенных ресниц куда-то вдаль. И руки, сплетенные на колене, глубокие тени и геометрические линии лица...»

Из карандашного наброска уже давно получилась картина. Она писала ее месяц. И ничего ее не отвлекало. Да и кто мог ее отвлечь. Теперь единственным лицом, которое ей хотелось видеть, было то, что она нарисовала.

Левшинов смотрел на ее картину и ничего не говорил. И ей это уже надоело. Вообще-то — это не для посторонних глаз. Не надо было тащить это сюда. Еще чего доброго отправит по своему обыкновению в помойку. И она сделала то, чего никогда себе не позволяла. Решительно взяла картину и вытянула из его пальцев.

— Простите...

Она смотрела на свою картину, и ей казалось, что она сейчас там, в том вечере, когда стучали по стеклу капли дождя, когда квартира была пуста и были в ней только он и она. Он был еще так близко от нее. Совсем рядом...Только протяни руку.

— Люда. Вы стали мастером... Этому демону суждена долгая жизнь. Берегите его.

Вот она и дожила до этого дня. Мечты сбываются. Но вот ведь что за штука жизнь. Когда мечты сбываются, в душе остается одна пустота. Наверно, то же самое случилось бы с тем, кто дошел до горизонта. Там его ждала пропасть. Громадный марафон ее мучений, груды этюдов и эскизов. И что теперь? О чем мечтать? Мила шла домой со своей сумкой на плече, в которой лежала самая ценная ее работа, и просто умирала от пустоты, которая теперь была внутри.

Она пришла домой. Прошла мимо мамы, вяло бросив: «Привет». Вытащила свою картину и поставила на мольберт. Она теперь все время жила на ее фоне.

Вспомнила, как рассказывала Аслану о странном почти совпадении их имен.

— Ты читал «Руслана и Людмилу»? — спрашивала она его и, глядя на него, подсказывала: — Пушкина... Ну, в школе-то ты учился?

— Учился. Поэтому не спрашиваю, что за Пушкин.

Она рассказала ему всю эту замечательную историю. Почти до конца. Потому что он неожиданно захотел поставить точку чуть раньше.

— Руслан привез Людмилу спящей. Все переживали. И никто не знал, как ее разбудить...

— Я бы не стал. Чем плохо?

И сейчас она, пожалуй, согласилась бы с ним. Будить и вправду не стоило...

Наташа очень устала. Она устала оттого, что дочь вернулась. Но не к ней. Все это она предчувствовала, но мысли отгоняла. Ей все казалось, что это случится не сейчас, а так, когда-нибудь. Она прекрасно помнила себя, когда родители вдруг перестали быть центром мира. И оказалось, что она сама способна стать этим центром для другого. Так образуется цепочка поколений. Раз — и твой ребенок уже стал полноценным звеном этой цепи. Но держится он уже не за тебя, а за кого-то следующего.

Мила молчала. Она так много молчала, как никогда. И на столе у нее множились какие-то безумные картины. Наташа заходила иногда к ней в комнату. И с мистическим трепетом разглядывала ее работы. И чувствовала, что это не работы, это жизнь... Она ей по-хорошему завидовала. И ждала. Не лезла к ней с расспросами. Она прекрасно помнила себя.

Они смотрели телевизор. Так легче было сохранять нейтралитет. Все-таки звучала человеческая речь. Не так тихо в доме. Наташа искоса поглядывала на дочь. Та сидела на диване, поджав под себя ноги. И Наташа подумала, что она очень изменилась. Кто-то очень красиво ее измучил.

И когда она об этом подумала, с дочерью что-то произошло. Она увидела что-то такое, чего не видела Наташа. А потом, зажав себе рот рукой, бросилась в ванную.

По телевизору показывали новости из горячих точек. Чечню.

Она кинулась за дочерью.

А Мила, склонившись над ванной, все повторяла.

— Меня тошнит от этой жизни. Меня тошнит от этой жизни, слышишь!..

Наташа прижала дочь к себе, и ей казалось, что только так она ее спасет. Просто прижав и больше уже никому не отдавая. И как она решилась пустить ее в самостоятельную жизнь? Как она решилась оставить ее одну, лицом к лицу с этим кишащим ужасами миром? Когда ребенок делает первые шаги, вокруг него толпятся все. А что же потом?.. А потом Наташа услышала, то, что давно хотела.

— Я все тебе расскажу. Теперь я могу.

Ей не нужно было этого видеть. Но она видела. И той секунды, хватит ей на всю жизнь. Сколько женщин узнают об этом из скупых строк похоронок. Но к ней бы даже похоронки не пришло. Она — никто. И он — никто.

Идти куда глаза глядят. Не видеть ничего. Кричать. Стонать. Царапать стены. Выть.

Нет. Лучше молча.

Ее несло по городу, как будто бы не ноги у нее были, а одно большое колесо, которое катилось. А ей бы только равновесие на нем удержать...

Ей открыли не сразу. И по их глазам она поняла, что не ошиблась. У нее плохо получалось говорить. Когда долго плачешь, лицо превращается в застывшую маску.

— Вахид, он умер...

— Умер, девочка.

— Я понимаю, Вахид, что если где-то в Москве взлетит на воздух дом, вы не будете слишком переживать. Но если, Вахид, там буду я, или какая-нибудь другая такая же девушка... А ведь продолжение его рода — во мне... Так с кем, Вахид, теперь вам воевать?

И долго еще мотало ее по городу, под первым мокрым снегом. И ей казалось, что лица всех прохожих заплаканы, так же как у нее, потому что с неба на них валили и валили мокрые как слезы снежинки...

Она надела черное платье. Она была в трауре. Она не могла его похоронить. Не могла прийти и отдать всю силу своей печали в нужном месте и в нужное время. Все вдовы с криком кидаются на гроб в самый последний момент. Ей этого не дано. Но точку поставить необходимо. Точку, от которой она будет отсчитывать в обратном порядке. Точку. Иначе не на что опереться. Сегодня будет самый горький день в ее жизни. Ее боль будет теперь никому не видна, а будет расти в глубину, как вросший ноготь...

А завтра она не начнет новую жизнь...

Мила бледно улыбнулась своей нелепой мысли. Потому что новая жизнь на этот раз началась в ней.

Она встала перед своей картиной, на которой был дождь, окно и человек, которого все принимали за демона. И решила, что пришло время. Эту картину надо завершить. Теперь она знает, как поставить точку.

Она макнула свою кисть в кармин и поставила жирную точку в верхнем левом углу картины. И краска, послушная ведомым только ей законам тяжести, медленно потекла вниз, оставляя за собой извилистую, как живой нерв, красную дорогу. И только теперь, глядя на зловеще красный отблеск, появившийся на ее серо-черном полотне, она поняла, что все их с Асланом отношения были перепачканы кровью. Может быть, это и называется кровными узами?

Она села перед своей картиной на диван. И уронила свои тонкие руки на колени.

Как звезды омраченной дали,
Глаза монахини сияли;
Ее лилейная рука,
Бела, как утром облака,
На черном платье отделялась.

Глава 17

...Жди, старый друг, терпи, терпи,
Терпеть недолго, крепче спи,
Все равно все пройдет,
Все равно ведь никто не поймет,
Ни тебя не поймет, ни меня,
Ни что ветер поет
Нам, звеня...

Александр Блок

1915 год. Санкт-Петербург.

Целую неделю изо дня в день повторялось одно и тоже. Борский спускался в один из дешевых кабаков, которых в его районе было великое множество, и под патриотические крики подгулявшей публики делал первый заказ. С ненавистью глядя на окружающих, Борский опрокидывал рюмку и тут же, без перерыва, вторую. Ему становилось немного легче, лица людей теперь не казались ему такими ублюдочными. Потом его кто-то обязательно узнавал, раздавался крик:

— Господа, сегодня среди нас знаменитый российский поэт Алексей Борский!

К нему лезли через столы, протягивали к нему пахнущие рыбой руки и залапанные рюмки. Он опять пил, вставал, читал свои старые стихи, забывая и путая строчки, опрокидывал в себя очередную порцию водки и тяжело садился, опираясь рукой на чью-то слюнявую физиономию.

Борский знал, что после декламации стихов обязательно из табачного дыма выплывет женское помятое лицо, сядет напротив, будет ломаться и картинно курить, а на любую его фразу станет громко хохотать, запрокидывая голову и показывая почти старушечью шею. За этим у него обычно следовал приступ омерзения или жалости к себе и к ней. В зависимости от этого он или бил в ярко накрашенный хохочущий рот, или страстно целовал увядающую почти на глазах шею.

Просыпался Борский в какой-нибудь вонючей каморке под лестницей, среди множества раскиданных по полу и матрасу женских тряпок. Просыпался он, правда, не утром, а еще среди ночи. Выходил, шатаясь на улицу, оглядывался по сторонам. Со странным наслаждением он понимал, что не знает, где находится и куда ему надо идти. Чувство потерянности и заброшенности напоминало ему какие-то забытые мотивы лучших его стихотворений и поэм, которых он давно уже не писал.

Он шел наугад и выходил к какому-нибудь каналу, спускался к воде, долго смотрел на свое отражение, возвращая себе память. Приходил он домой на рассвете, что-то бессвязное говорил понурой фарфоровой собачке и забывался нервной, тревожной дремотой.

В эту ночь все повторилось, как всегда, за исключением того, что на грязном матрасе он оставил спящей совсем молоденькую девушку, с глупеньким выражением на спящем личике. Удивили Борского еще ее очень большие руки, лежащие поверх стеганого одеяла, руки работницы консервного или кирпичного завода. И еще Алексей сразу же определил, что находится в двух шагах от дома, и это было ему неприятно. Выходило, что и в другом мире он уже освоился, обжился.

В свою квартирку он пришел ночью с ясным чувством, что приперся раньше условленного времени и кому-то помешал. В прихожей он увидел узлы и какую-то корзинку. Женское летнее пальто на вешалке. Сквозь собственное омерзительное дыхание он почувствовал даже запах духов. Он боялся даже думать об одной женщине, поэтому подумал про другую, которой он тоже был рад, почти счастлив. Но только почти...

Не раздеваясь, он заглянул в комнату и увидел незнакомую женскую фигуру. Полная женщина в свете лампы мягко двигалась по его кабинету, что-то поправляя на ходу, всматриваясь в корешки пыльных книг. Услышав шаги, она обернулась, и сквозь несколько прожитых вдали друг от друга лет и необычные глубокие перемены в чертах лица Борский разглядел родное, о чем даже загадывать боялся.

— Люда! — закричал он, одновременно радуясь и пугаясь незнакомого в ее лице.

Он побежал к ней, запинаясь по дороге об очередной узелок, но она отстранилась от него.

— Леша, осторожней! Я беременна...

— Ты беременна! Здравствуй! Я так счастлив тебя видеть. Ты беременна...

— Перестань прыгать. Что с тобой такое? Ты пьян? Как же ты выглядишь? Что с тобой?

— Ты беременна, а я пьян, нет, я счастлив...

— Леша, ты, пожалуйста, не беспокойся, — сказала она деловым, тоже незнакомым ему тоном. — Я завтра же уеду к родителям в Бобылево. Очень боялась тебя побеспокоить, стеснить. Хочу забрать кое-какие свои вещи. Но скажи мне, что с тобой?

— Нет, это ты скажи мне, что с тобой?

Как в те годы, когда Люда пыталась понять суть символической поэзии, настойчиво прося мужа объяснить ей все по порядку, разложить по полочкам, она взяла его за руку, усадила за стол напротив себя и сказала такую знакомую Борскому фразу:

— Леша, давай говорить. Ты говори первым.

— Люда, я весь, как на ладони. Я весь перед тобой, ничего в закромах нет.

— Ты одинок? Ты пьешь?

— Это ничего. Это пройдет...

— Почему ты не говоришь, что женат?

— Потому что я всегда считал, что моя жена — ты.

Людмила смотрела на его грязные, черные ногти, которые он прятал, ловя ее взгляд, на слипшиеся неопрятные волосы, на серое, как питерское небо, лицо и не понимала этого человека. Она думала, что он, наконец, нашел свое счастье, свою женщину, которой посвящал стихи, с которой жил нормальной семейной жизнью, к тому же считал ученицей, а главное — которая любила его. Но, оказалось, что все не так. Или он пьян? Или это опять какая-то поэтическая игра в другую жизнь?

— Откуда ты знаешь про Катю? — спросил Борский после некоторой паузы, пока они смотрели друг на друга.

— Мы служили в одном госпитале, и мы дружили.

— Правда? — Лицо Алексея оживилось детской улыбкой. — Это хорошо, что вы встретились. Знаешь, это как в добрых мечтах или сказках, когда люди встречаются без злобы, зависти, вражды. Даже на войне...

Он еще говорил что-то в таком ключе, а Людмила раздумывала — сказать ли Алексею, что Катя так ничего о ней и не узнала. Подумала и решила не говорить.

— Она пишет роман про терских казаков, — сказала Люда.

Борский захохотал.

— Что ты смеешься?

— Прямо роман! Не повесть, не рассказы, а роман. Узнаю Катю!

— Она пишет так броско, сочно, с каким-то народным знанием жизни. А с виду простая, красивая девчонка. Хорошо, что ты ее встретил. Но ты ее выгнал, потому что решил спокойно опускаться на дно?

— Я же тебе уже сказал... А потом все, что мог, я ей уже дал. Теперь ее должны учить другие люди: солдаты, крестьяне, казаки... Ты тоже. Вот почему я так обрадовался вашей встрече.

Люда смотрела на Борского во все глаза, стараясь рассмотреть ту душевную тень, которая непременно должна быть в мужчине, когда он находится в таком странном, нелепом положении.

— Алексей! — наконец, сказала она строго, как учительница гимназии, сестра милосердия, в конце концов. — Почему ты меня не спрашиваешь: кто отец ребенка? Люблю ли я его? И все такое, что спрашивают обычно.

— Мне это не надо знать, — тихо ответил он. — Ты поступила, как надо. Я все принимаю, как есть. Все, все...

— Погоди... Я тебя правильно поняла? Ты принимаешь меня с чужим ребенком?

— Да, принимаю. Только этот ребенок мне не чужой. Ты — моя жена, а это — мой ребенок.

В воскресенье супруги Борские пошли в Казанский собор. Поднимаясь по ступеням, она почувствовала себя плохо.

— Леша, воды отходят, — прошептала она, бледнея.

— Что? Какие воды? Люда! Подожди! — Борский ничего этого не знал и не понимал.

Черная статуя в нише указывала Борскому куда-то вниз, но он ей не верил.

Выходившие из собора женщины бросились ему на помощь. Он нес Людмилу вместе с людьми, лиц

которых не видел, и думал, что теперь он ее не уронит, как тогда, много лет назад, в траву. Нет, теперь уже не уронит...

В больнице получилась какая-то спешка, которой
он тоже не понял. Людмилу унесли, он присел на
скамейку в полутемном помещении. Закрыл глаза и
тут же их опять открыл, потому что ему почудилось,
что его зовут. Но было тихо. Потом вышел доктор и
еще сестра в белой косынке. Они говорили ему о
Боге и Людмиле. Он кивал им, хотя почти ничего не
понимал из сказанного. А доктор говорил уже про
какого-то другого человека, которого Борский не знал,
которого вообще еще никто на этой земле не знал...

2004 год. Москва.

Она сидела с ребенком на заднем сиденье. А Юра
вел машину и слушал музыку на классической волне.
Девочка спала.

И можно было законно молчать.

Молчания ей в жизни теперь очень недоставало.

Многочасовые интеллектуальные беседы про себя
она называла не иначе, как треп. Может, истина в
этих спорах когда-нибудь и рождалась. Но никто ее
радостно не вылавливал. И она тонула опять. Так и
мутили все время воду.

К ним постоянно приходили гости. И гостями их
уже никто не считал. Люди. Приходили. Уходили.
Сидели. Пили кофе и чай. А по вечерам все больше
покрепче. Сочиняли. Уносились в своих фантазиях
в заоблачные дали. А были эти фантазии просто
составной частью меню. Так: Помечтать. Выпить.
И закусить.

Все то же самое видела она с детства. Творческие
люди поколения ее родителей жили так же. А вот мо-

лодая поросль в тех же знаменитых семьях брала быка за рога. Видимо у них этот трендеж, слышанный сызмальства в убойных количествах, так же, как и у Милы, вызывал стойкую аллергию. Они не лезли по семейной традиции в актеры, а становились организаторами. Понимали, что никакой дядя для них ничего не сделает. Дядя сидит в гостях, подперев голову рукой, и предается воспоминаниям молодости.

В свободное от гостей время Юра, правда, старался. Писал сценарий на пару с не менее известным, чем он сам, приятелем. Сценарий они писали длинный, как сама жизнь. Поэтому конца ему видно не было. Творили в модном жанре сериала. Мила радовалась, когда они, наконец, запирались у него в комнате и работали. Правда, иногда проходя мимо двери на кухню, она слышала, что работа опять перерастала в привычный треп.

Юра держался хорошо. Продолжал гнуть свою линию чистой любви. Возможно, даже был искренним. Молодая жена как-то исподволь стимулировала победы и достижения. Он часто любовался ею и все время повторял сакраментальное «Сниму тебя в кино!» Эта фраза, похоже, давно стала в его устах простым комплиментом для впечатлительных женщин. А Мила впечатлительной быть не перестала.

Только впечатляли ее другие вещи.

Она еще была вся там. В той жизни, которую прожить не удалось. А только отломить кусочек.

— Ты подожди здесь, пожалуйста. Нам поговорить нужно. Это недолго. Заходить не будем. Я сейчас.

Юра кивнул, надел очки и достал газету. В ее дела он особо не вникал.

Она взяла на руки дочку, которая крепко спала, как и положено новорожденному младенцу.

Воздух здесь был совсем другой. После душного города Миле показалось, что она, наконец, сняла скафандр. А здесь все настоящее. И птицы пели, и землей пахло.

Она пошла по тропинке.

И только ужасно боялась, что дома никого не будет. Боялась увидеть те же, что во сне, заколоченные досками окна.

Руки начали уставать от тяжести, а она еще не видела дом.

Но вот, наконец, кусты поредели, и она вышла на поросшую травой поляну.

Дом был жив.

А ей навстречу шла бабка.

— А я давно тебя поджидаю. — Одобрительно кивала. — С дитем. Все верно.

— Познакомьтесь, бабушка — это моя дочь, Таисия.

Они посмотрели друг на друга.

— Он обещал вернуться ко мне летом. — Людмила печально улыбнулась. Так печально, как улыбается, наверное, осень, глядя, как опавшие листья засыпает первый снег. А потом прошептала: — Но его больше нет, баба Тася. Его больше нет. Неужели такое бывает? Был и нет.

— А ведь он сдержал свое обещание... — Бабка склонилась над спящим у Милы на руках ребенком, внимательно вглядываясь в маленькое личико. — Он все-таки вернулся к тебе. Летом. Ты только посмотри...

Конец

Санкт-Петербург, 2004

Дмитрий Вересов

АСЛАН И ЛЮДМИЛА

Серия «Дмитрий Вересов»

Ответственный за выпуск *Е. Г. Измайлова*
Корректор *Л. С. Самойлова*
Оформление обложки *В. А. Манацковой*
Верстка *А. Б. Сушкова*

Подписано в печать 18.05.04. Формат 84×108^1/$_{32}$.
Гарнитура «Кудряшевская». Печать офсетная. Бумага газетная.
Уч.-изд. л. 15. Усл. печ. л. 16,8.
Изд. № 04-0426-ДВ. Тираж 25000 экз. Заказ 1716.

Издательский Дом «Нева»
199155, Санкт-Петербург, ул. Одоевского, 29

Отпечатано в полном соответствии с качеством
предоставленных диапозитивов в полиграфической фирме
«Красный пролетарий»
127473, Москва, ул. Краснопролетарская, 16

Д. Вересов

ТЕНЬ ЗАРАТУСТРЫ

ТЕНЬ ЗАРАТУСТРЫ

Дмитрий ВЕРЕСОВ

«ЧЕРНЫЙ ВОРОН»

ВОРОН.
Тень Заратустры

Никита Захаржевский – непутевый братец блистательной леди Морвен, - получив деньги на исследования генеалогии своего рода, прибывает в Великобританию. Скучные изыскания, начавшиеся в библиотеке Британского музея, где Никита знакомится с чудаковатым немецким профессором, втягивают его в водоворот непредсказуемых и опасных событий, в которых пересекаются интересы как его сестры, так и других представителей клана Ворона, не подозревающих о взаимном родстве...

После рождения Тани Захаржевской Анна Давыдовна оказывается в столице Таджикистана. Она ведет тихое уединенное существование, и только молодую Надю Скавронскую, которая еще не подозревает о том, какую важнейшую роль в истории второй части ведовского рода предстоит ей сыграть, чувствует духовную связь с загадочной соседкой...

Д. Вересов

ОТРАЖЕНИЕ ВОРОНА

ОТРАЖЕНИЕ ВОРОНА

Дмитрий ВЕРЕСОВ

литературный телевизионный проект «ЧЕРНЫЙ ВОРОН»

Отражение ВОРОНА

Революция – вот настоящий бич королей! Королеве Тайного ордена леди Морвен (бывшей совсем в другой жизни Таней Захаржевской) строят козни ее придворные, пытаясь прибрать власть к своим рукам. Но куда этим жалким людишкам до наследницы колдовских чар! Эта рыжеволосая ведьма подстроит злодеям ловушку. Однако смотреться в зеркало слишком долго опасно даже Королеве, – ведь никогда не знаешь, что таится за блестящей поверхностью и куда заведет тебя твое собственное отражение.

Судьбы Татьяны Лариной, Павла и Нила Баренцева стремительно сближаются. Что будет дальше? Кто даст начало новой жизни, чтобы не было в ней ни горестей, ни печали, ни разочарований? Но Ворон уже расправил крылья, и никому не ведомо, кого накроет его черная тень...

Филиалы «ОЛМА-Пресс»

690034, Владивосток,
ул. Фадеева, 45 а, «Книжная база»
тел./факс (4232)23-74-87
E-mail:olma-vld@olma-press.ru

400131, Волгоград,
ул. Скосырева, 5
тел./факс (8442) 37-68-72
E-mail: olma-vol@vlink.ru

420108, Татарстан, Казань,
ул. Магистральная, 59/1
тел./факс (8432) 78-77-03
E-mail: olma-ksn@telebit.ru

610035, Киров,
Мелькомбинатовский пр-д, 8а, оф.12
тел./факс (8332) 57-11-22
olma-kirov@olma-press.ru

350051, Краснодар,
ул. Шоссе Нефтяников, 38
тел./факс (8612) 24-28-51
E-mail: olma-krd@mail.kuban.ru

660001, Красноярск,
ул.Копылова, 66
тел./факс (3912) 47-11-40
E-mail: olma-krk@ktk.ru

603074, Нижний Новгород,
ул. Совхозная,13
тел./факс (8312) 41-84-86
E-mail: olma_nnov@fromru.com

644047, Омск,
ул. 5-я Северная, 201
тел./факс (3812) 29-57-00
E-mail: olma-omk@omskcity.com

460000, Оренбург,
ул.Ленинская, 4а
тел./факс (3532) 77-81-58
E-mail:olma-oren@olma-press.ru

614064, Пермь,
ул. Чкалова, 7
тел./факс (3422) 68-78-90
E-mail: olma-prm@perm.ru

390000, Рязань,
ул. Полевая, 38
тел./факс (0912) 28-94-45, 28-94-46
E-mail: olma@post.rzn.ru

443023, Самара,
ул. Промышленности, 285
тел./факс (8462) 69-32-86
E-mail: olma-sam@samaramail.ru

196098, Санкт-Петербург,
ул. Кронштадтская, 11, офис15
тел./факс (812) 183-52-86
E-mail: olma-spb@olma-press.ru

450027, Уфа,
Индустриальное шоссе, 37
тел./факс (3472) 60-21-75
E-mail: olma-ufa@olma-press.ru